O9-AHS-096

Rana Ahmad • Frauen dürfen hier nicht träumen

Rana Ahmad
mit Sarah Borufka

Frauen dürfen hier nicht träumen

Mein Ausbruch aus Saudi-Arabien, mein Weg in die Freiheit

btb

Für meinen Vater, der immer an mich geglaubt hat
und mir das Gefühl gegeben hat, ich bin etwas Besonderes.
Für alle, die ihr Leben ändern wollen,
aber noch nicht daran glauben, dass sie es können.
Dieses Buch ist für euch.

Prolog

Als ich über die Straße gehe, höre ich Vögel singen, sonst ist es ganz still, mitten in Köln. Mein Nachbar kommt mir auf dem Zebrastreifen entgegen und grüßt mich freundlich. Die Sonne scheint, ich freue mich über die ersten Knospen und zarten hellgrünen Blätter an den Bäumen und Sträuchern, atme die warme Luft ein. Viele Cafés haben Tische und Stühle herausgestellt, mir kommen Männer in kurzen Hosen und Frauen in bunten Sommerkleidern entgegen. Ein Mädchen fährt auf ihrem Fahrrad an mir vorbei, ich schaue ihr nach. Sie lächelt. Ich mag es sehr, wie die Menschen hier in Deutschland den Frühling genießen. Der Tag ist hell und leicht, doch als ich das Schild sehe, das neben Kaltgetränken, Tabakwaren und Süßwaren auch »International Calls and Internet« bewirbt, werde ich, ohne es zu wollen, langsamer. Ich atme noch einmal tief ein, dann trete ich aus dem hellen Tag in den dunklen Laden. Hinter dem Verkaufstresen mit Schokoriegeln, Kaugummis und Gummibärchen sitzt ein Mann, der, wie ich, aussieht, als hätte er keine deutschen Wurzeln. Er blickt mich fragend an. Für einen Moment habe ich vergessen, dass er nicht wissen kann, was ich will. »Einmal telefonieren, bitte«, sage ich schließlich. »Inland oder Ausland?«, fragt der Mann. »Ausland«, sage ich schnell. »Saudi-Arabien«, füge ich vor lauter Aufregung hinzu. Das interessiert ihn nicht.

Er zuckt mit den Schultern, deutet auf eine Reihe mit Rechnern, wo schon ein Mann mit Headset sitzt und laut telefoniert. »Oder in die Kabine?«, fragt er. Erleichtert sage ich: »Die Kabine, bitte«, denn ich möchte unter keinen Umständen, dass mich jemand hören kann. Auf dieses Gespräch habe ich monatelang gewartet, ich möchte wirklich nicht gestört werden, dieser Anruf ist zu wichtig. Der Mann nickt und sagt: »Ist freigeschaltet.«

Ich betrete die Telefonkabine, die fast schon absurd klein ist. Das altmodische Telefon wirkt ganz abgenutzt. Es sieht aus wie aus der Zeit gefallen, weil alle Handys haben: Der Telefonkasten hat silberne Tasten aus Metall, in die schwarze Ziffern geprägt sind. Die Tasten Zwei und Fünf sind schon ziemlich abgegriffen. Vom schwarzen Plastikhörer hängt eine silberne Schnur, die aussieht wie ein zu dünner Duschschlauch. Die Wände der Kabine sind dunkel, vielleicht aus lackiertem Sperrholz, ich kann es nicht genau erkennen. Menschen haben mit hellem Filzstift Kritzeleien hinterlassen, die üblichen Schmierereien und albernen Sprüche. Ich krame das Handy aus meiner Tasche, drehe dem Mann am Computer, der völlig in sich versunken auf den Bildschirm starrt, den Rücken zu und bin froh, dass er Kopfhörer trägt. Die Kabine ist nicht schalldicht. Unter der Glastür ist ein kleiner Schlitz, oben ist die Kabine offen. Meine Hände zittern, als ich beginne, die Nummer aus meinem Handy in den alten Telefonapparat zu tippen. Der Anruf darf nicht auf mich zurückgeführt werden, das wäre zu gefährlich. Deshalb bin ich hier. Ich rufe nicht zu Hause auf dem Festnetz an. Ich habe Angst, dass meine Mutter abhebt. Was soll ich dann sagen? Nein, das Risiko ist zu groß. Ich versuche, tief und regelmäßig ein- und auszuatmen. Ich bin so aufgeregt, dass ich mich zweimal vertippe, ehe ich endlich die richtige Nummer wähle. Meine Hände zittern. Es ist nur ein Telefongespräch,

Rana, sage ich mir, und versuche, mich zu beruhigen. Ich atme noch einmal tief durch, bevor ich die letzte Ziffer eingebe. Ich hebe den Hörer an mein Ohr. Mir ist ein bisschen schlecht. Es ist viel zu heiß in dem kleinen Raum. Es riecht so, als hätte hier vor sehr langer Zeit jemand Kette geraucht. Ich versuche, weiter langsam und kontrolliert zu atmen, um die Übelkeit wegzuschieben. Einen Augenblick lang scheint die Leitung tot zu sein, obwohl ich mir sicher bin, dass ich die richtige Nummer eingegeben habe. Es scheint ewig zu dauern, ehe das Signal ertönt. Was ich vorhin noch hinauszögern wollte, geht mir jetzt nicht schnell genug. Dann endlich klingelt es. Ein langes Tuten, zwei, drei, vier, fünf … Es klingelt und klingelt, aber niemand hebt ab. Nach dem sechsten oder siebten Ton habe ich die Hoffnung aufgegeben, aber ich drücke den Hörer weiter gegen mein Ohr und starre auf das schäbige Münztelefon. Ich kann nicht auflegen, obwohl klar ist, dass sich niemand melden wird. Ich habe in den letzten Wochen unzählige Szenarien durchgespielt, wie dieser Anruf ablaufen könnte. Dass mein Vater nicht abhebt, war keines davon. Enttäuscht lege ich auf. Ich bin den Tränen nahe. Was soll ich jetzt machen? Ehe ich darüber nachdenken kann, klingelt es. Ich starre den Apparat einige Sekunden einfach nur an, ehe ich begreife. Dann nehme ich den Hörer wieder ab, halte ihn an mein Ohr, alles passiert auf einmal in Zeitlupe. »Papa?«, frage ich. Wie komisch es sich anfühlt, dieses Wort zu sagen. Als ich es ausspreche, merke ich, wie lange ich es nicht mehr gesagt habe. »Rana?«, sagt die Stimme am anderen Ende der Leitung. Eine Stimme, deren Klang ich fast schon vergessen hatte, und die ich, das merke ich jetzt, trotzdem auch in zehn und in zwanzig Jahren noch unter tausend anderen erkennen werde. Weil sie Gefühle in mir auslöst, die so tief sind, so verankert in meinem Unterbewusstsein, dass ich wehrlos bin, als sie über mich hereinbrechen. Das da, an diesem Telefon in einem Internetcafé in Deutschland, ist mein Vater. Er ist es wirklich. Mir wird schwindlig. Ich kann überhaupt nichts denken. Erst recht nicht sprechen. Auch am anderen Ende der Leitung ist es still, als wären wir beide schon nach den ersten zwei Worten zu erschrocken, um weiterzusprechen. »Lulu, mein Herz!«, höre ich meinen Vater in die Stille der Leitung sagen. Er spricht ruhig, mit Bedacht, wie immer, vielleicht ein bisschen leiser als sonst. Da ist sie auf einmal wieder, die Wärme in seiner tiefen Stimme, deren Klang mich begleitet, seitdem ich lebe. Es ist noch etwas anderes darin, eine tiefe Erleichterung, wie sie sich nur über einen Menschen legen kann, der unendlich erschöpft ist. Lulu. Wie lange mich niemand mehr so genannt hat. Lulu ist mein Kosename. Manchmal hat meine Mutter ihn verwendet. Aber vor allem war es mein Vater, für den ich Lulu war, seine kleine Tochter, auch Jahre, nachdem ich schon volljährig war.

Seine wenigen Worte treffen mich unvermittelt. Meine Knie werden schwach. Ich fühle mich, als würde ich gleich wegsacken. Meine Brust fühlt sich an, als sei darin eine Schnur fest gespannt, die jeden Moment reißen muss. Die Stimme meines Vaters und das Gefühl der Vertrautheit, das mich auf einmal überrollt, erschüttern mich. Meine mühsam antrainierte Selbstbeherrschung, die lange geübte Fähigkeit, meine Sehnsucht und die Erinnerungen an mein früheres Leben ganz weit von mir wegzuschieben, sind mit einem Satz meines Vaters zerbrochen.

Ich habe meinen Vater das letzte Mal vor zwei Jahren gesehen. Ich weiß, dass er mir inzwischen Hunderte Mails geschickt hat, aber ich habe es vermieden, sie alle zu lesen. Vielleicht habe ich geahnt, dass mich dann ein Schwindel erfasst, den ich nicht aushalte, dass die Wunden sich wieder öffnen. Ich habe nicht mehr mit ihm gesprochen, seitdem ich, ohne ein Wort zu sagen, von einem auf den anderen Tag verschwunden bin. »Papa!«, sage ich jetzt noch einmal in den Hörer. Und dann reden wir. Er stellt mir so viele Fragen. Wo ich bin. Ob es mir gut geht. Mit wem ich meine Zeit verbringe. Was ich den ganzen Tag mache. Er klingt unendlich erleichtert darüber, mich zu hören. »Papa, mach dir keine Sorgen«, versichere ich ihm. Und gerate ins Stocken. Wo ich bin und was ich mache, soll er eigentlich nicht wissen. Es wäre zu gefährlich. Als wüsste er, was ich denke, wartet mein Vater nicht auf Antworten. Er fragt einfach weiter. Ob ich Hilfe brauche. Ich versuche, ihn zu beruhigen. »Nein, Papa, mach dir bitte einfach keine Sorgen. Mir geht es gut, ich habe alles, was ich brauche«, sage ich. Zum ersten Mal seit zwei Jahren bin ich meinem Vater wieder nahe, kann ihm einfach nur zuhören. Er sagt mir, wie oft er an mich denken muss, erzählt, wie sein Tag war, ganz normale Dinge, die doch so weit entfernt sind. Und dann erzählt er von früher: »Weißt du noch, Lulu, wie du als kleines Mädchen immer gebettelt hast, dass du mit in den Supermarkt kommen darfst?«, fragt er. Das ist der Moment, in dem mir wirklich die Tränen kommen. »Du wolltest immer nur mitkommen, damit ich dir Süßigkeiten kaufe, weißt du das noch, diese kleinen durchsichtigen Plastikenten, die mit pappsüßen Schokoladenbonbons mit weißer Milchcreme gefüllt waren? Du hast die Bonbons immer alle auf einmal gegessen, die Plastikfiguren gesammelt und in deinem Zimmer auf dem Regal über dem Bett aufgereiht«, sagt er, »weißt du noch?«. Wie könnte ich das jemals vergessen? Wie ich ihn anbettele und er schließlich schmunzelnd nachgibt. Wie er sagt: »Eines Tages bekommst du noch einen Zuckerschock!«, und lachend den Kopf schüttelt. Ich erinnere mich, wie ich mit ihm verhandele und darauf bestehe, dass wir Schokobonbons *und* Eis kaufen. Oder wie ich aufgeregt ins Wohnzimmer laufe, wo ich ungeduldig warte, bis er endlich die Treppe herunterkommt, wir ins Auto steigen und losfahren. Mein Vater kann mir nie einen Wunsch abschlagen. Er kauft mir manchmal Spielzeug, eine Barbie oder einen braunen Teddybären, dem ich jeden Abend Gute Nacht wünsche. Er nimmt mich mit, wenn er in das große Einkaufszentrum fährt, wo es einen Laden mit Büchern und bunten Papierwaren gibt, vor dem er jedes Mal geduldig wartet, bis ich mir alles angesehen habe. Er kauft mir jedes Buch, das mir gefällt, Stifte, glitzerndes Papier, ein neues Federmäppchen. Wenn ich bei meinem Vater auf dem Beifahrersitz sitze, bin ich glücklich.

Die meiste Zeit verbringen wir in Riad in Einkaufszentren, in klimatisierten Wohnungen oder Büros, und natürlich im Auto. Auf der Straße sind wir fast nie. Man geht nirgendwohin zu Fuß. Vor allem im Sommer ist es unglaublich heiß. Alle Räume sind deshalb klimatisiert, es gibt eine klare Trennung zwischen Innenräumen und Außenwelt, das Leben in Riad spielt sich drinnen ab. Eigentlich tritt man nur vor die Tür, um ganz schnell ins Auto zu steigen. Riad ist eine von Sand umgebene Stadt, in der Luft scheint immer etwas Staub zu hängen. Es ist eine Millionenmetropole mitten in der Wüste, in der sich dreißig Grad im Sommer geradezu kühl anfühlen und die Temperatur im August auch mal auf fünfzig Grad klettert. Überall wird gebaut. Die Stadt wächst jeden Tag ein Stück weiter. Es riecht nach Teer, weil ständig Straßen ausgebessert werden müssen. Man hört Verkehrslärm und den Krach von Baustellen, nicht viel mehr. Keine Musik dringt aus den Fenstern der Wohnungen und Geschäfte wie in anderen Städten. Musik ist in der Öffentlichkeit verboten. Das Geräusch meiner Kindheit sind Autos, auch laute Lkws, die an mir vorbeifahren, während ich in unserem klimatisierten Wagen sitze. Manche Familien in Riad haben drei oder noch mehr Autos. Wir haben zwei Wagen. Einen, mit dem wir Ausflüge machen oder in Restaurants fahren, dieser Wagen ist ganz sauber. Mein Vater hat außerdem noch einen Pick-up, mit dem er zur Arbeit fährt und Besorgungen macht. Der ist innen ziemlich dreckig. Die Stadt meiner Kindheit ist ein Chaos aus Wolkenkratzern, verspiegelten Fassaden, sich stauenden Autos. In Riad gibt es auch kaum Tiere, das Klima ist selbst für die meisten Insekten zu heiß und trocken. Es gibt Mücken, aber keine Bienen oder Hummeln. Manchmal sehe ich kleine Vögel, aber Schmetterlinge findet man nur in wenigen Parks oder außerhalb der Stadt. Hunde kenne ich nur aus Zeichentrickfilmen. Im Islam gelten sie als unrein, das weiß ich. Auf den Straßen der Stadt leben wilde magere Katzen, aus deren Augen einem der Hunger ins Gesicht springt und die man nicht streicheln möchte, sondern meidet. Als ich sechs bin, machen wir mit meinen Eltern einen Ausflug in den Zoo. Es ist das erste Mal, dass ich Giraffen, Elefanten und Löwen sehe. Ich habe sie mir viel kleiner vorgestellt und habe Angst vor den riesigen Tieren, die mich aus den Gehegen anstarren. Mein Vater drückt meine Hand ganz fest. Das beruhigt mich ein wenig, aber ich bin trotzdem froh, als wir wieder ins Auto steigen und nach Hause fahren.

Das Viertel, in dem ich mit meinen Eltern und meinen Geschwistern wohne, heißt Hittin. Es ist ein Neubauviertel im Nordwesten der Stadt. Hier ist das Leben etwas ruhiger, es gibt weniger Verkehr, und die Häuser ragen nicht in den Himmel, sondern haben eines, höchstens zwei Stockwerke.

Morgens ruft meine Mutter durchs Haus, dass wir Kinder aufstehen sollen. Dann macht sie uns Eier mit Käse und Oliven zum Frühstück. Manchmal gibt es auch Cornflakes, aber das ist selten, weil meine Mutter findet, die seien zu ungesund. Wenn ich aus dem Haus gehe, habe ich immer eine Trinkflasche mit Wasser dabei, weil es so warm ist, dass man ständig Durst hat.

Auf den Straßen gibt es auch Brunnen mit Trinkwasser, aber von denen dürfen nur Männer trinken. Kinder sind zu klein, um an den Hahn zu kommen, und Frauen dürfen sie nicht nutzen, weil sie zum Trinken ihren Schleier entfernen müssten. Als ich klein bin, frage ich meine Mutter einmal, warum alle erwachsenen Frauen sich verhüllen. Sie sagt: »Gott liebt uns, deswegen müssen wir uns bedecken. Männer dürfen uns nicht sehen.« Ich verstehe nicht wirklich, was das bedeutet, aber ich frage auch nicht weiter nach. An all das erinnere ich mich, als ich mit meinem Vater spreche, mitten in Köln, in dem Land, das mein neues Zuhause ist, weil ich in meinem alten nicht die sein durfte, die ich bin.

1.

Der Tag, an dem Großvater mein Fahrrad verschenkte

Ich weiß nicht, ab wann genau die Religion begann, in meinem Leben eine Rolle zu spielen. Sie war einfach immer da. Der erste *Ramadan*, an den ich eine Erinnerung habe, beginnt mit einem Lob, das mein Vater an meinen Bruder ausspricht: »Du bist ein guter Moslem, weil du fastest«, sagt er zu ihm. Ich bin eifersüchtig, dass mein Bruder gelobt wird und ich nicht. Deshalb beginne ich, es ihm gleichzutun und faste, genau wie er, was ich meinem Vater sofort erzähle. Er lächelt, ist genauso stolz auf mich wie auf meinen Bruder. Meine Welt ist wieder in Ordnung.

Viele Menschen sitzen während der Fastenzeit völlig schlapp in ihren Autos, ehe sie nach Hause kommen und sich ihr Abendessen zubereiten können, denn die Wege in Riad sind lang. Mit dem abendlichen *Adhan*, dem Gebetsruf, darf das Fasten gebrochen werden. Damit sie schon auf ihrem langen Heimweg etwas essen können, reichen Freiwillige den Menschen in den sich stauenden Autos im Berufsverkehr nach Sonnenuntergang umsonst Wasser und Brote durch die Autofenster. So können sie schon während der Fahrt etwas zu Kräften kommen, ehe sie zu Hause mit ihren Familien den Ifthar essen, das üppige Abendessen, das zur Fastenzeit Sitte ist. Als Kind begeistert mich diese besondere Stimmung in der Stadt. In der Luft liegt etwas Festliches, das alle verbindet und sogar dazu führt, dass man Essen geschenkt bekommt. Wer jedoch vor dem Fastenbrechen tagsüber auf der Straße etwas isst und dabei von der Religionspolizei erwischt wird, wird ausgepeitscht oder verhaftet. Denn das ist haram, eine Sünde. Ich mag den Ramadan trotzdem. Denn im Fernsehen kommen dann für Kinder neue Serien und spezielle Sendungen, die nur während der Fastenzeit ausgestrahlt werden.

Das Leben verschiebt sich zu Ramadan in die Nacht. Den Morgen beginnt man später als sonst, und erst abends werden die Menschen richtig wach. Eigentlich gibt es ausgerechnet zur Fastenzeit das beste Essen. Weil man den ganzen Tag gehungert hat, trifft man sich abends und schlemmt, die Frauen bereiten aufwendige Gerichte zu, für die sie sonst nicht die Muße haben. Ich schaue meiner Mutter mit großen Augen zu, wie sie Kabsa kocht, mein Lieblingsessen: knusprige Hähnchenschenkel mit Reis, Rosinen und Mandeln. Das ganze Haus riecht nach Zimt, Kardamom, Safran und Nelken, nach knusprigem Fleisch und frisch gedämpftem Reis. Es ist ein Geruch, in dem ich mich auflösen möchte, und irgendwie sind die Portionen, die meine Mutter auf den Tisch stellt, nie groß genug. Nach Sonnenuntergang beten wir, danach gibt es Berge von Essen, bis mein Bauch sich anfühlt, als würde er gleich platzen. Dann, kurz vor Mitternacht, ist es Zeit für das Nachtgebet, *Salat-ul-ischa.* Während des Ramadans beten wir danach noch das *Tarawih*-Gebet. Es besteht aus zwanzig Einheiten und dauert deshalb lange. Als ich klein bin, frage ich mich oft, warum wir so viel und oft beten müssen. Ich bin meistens schon müde, wenn es Zeit ist für die Nachtgebete, deshalb bin ich irgendwie doch auch immer froh, wenn der *Ramadan* wieder vorbei ist.

Meine Eltern sind beide streng gläubig, genau wie meine Großeltern. Meine Mutter und mein Vater stammen beide aus Syrien, aus einem Vorort von Damaskus, der Jobar heißt. Jeder grüßt dort jeden, alle kennen einander. Mein Vater Hamd kommt aus einer wohlhabenden Familie mit zwanzig Geschwistern und wuchs gleich um die Ecke der Wohnung meiner Mutter auf. Als einer der ersten im Viertel hatte seine Familie einen Fernseher, in den Sechzigerjahren, als das in Syrien etwas wirklich Besonderes war. Mit Mitte zwanzig ging er, der einzige seiner vielen Brüder, der die Schule zu Ende gebracht und danach sogar noch ein Diplom in Verkehrsmessung abgeschlossen hatte, nach Saudi-Arabien. Er war auf der Suche nach Wohlstand und einem besseren Leben für sich und die Frau, von der er damals noch nichts wusste. Er arbeitete hart und viel, das weiß ich von meiner Großmutter. Er war ein Einwanderer, zu dem andere Einwanderer aufsahen.

Meine Mutter heißt Frah. Als junge Frau war sie so hübsch, dass alle wussten, sie würde eine richtig gute Partie machen. Sie wuchs als Jüngste von elf Geschwistern auf. Meine Mutter kommt aus einer sehr frommen Familie, die Gemüse und Obst anbaute. Früher ging sie manchmal mit, wenn ihre Mutter auf den Märkten in und vor Damaskus Gurken, Tomaten, Auberginen, Weintrauben und Erbsen verkaufte. Jetzt, da wir in Riad wohnen, besuchen wir ihre Eltern und die Eltern meines Vaters jeden Sommer. Die Ferien in Syrien sind etwas ganz Besonderes, meine Geschwister und ich freuen uns immer darauf, denn das Wetter ist milder dort, und nicht so drückend wie in Riad, wir dürfen auf der Straße spielen und viel Zeit mit unseren Großeltern verbringen. Es ist eine lange Reise von Riad nach Syrien, auf die ich immer ungeduldig hinfiebere.

In dem Sommer, in dem ich zehn Jahre alt bin und in die fünfte Klasse gehe, ist es am Morgen der Abreise wie jedes Jahr: Draußen ist es noch dunkel, und es ist viel zu früh, als Mutter uns weckt. Ich liege in meinem Bett und fühle ihre Hand auf meiner Schulter. Sie sagt viel zu laut: »Aufstehen, Rana!« Ich kneife die Augen zusammen und drehe mich weg. Neben mir quengelt mein Bruder. Er will auch noch nicht aufstehen. Wie spät ist es? Fünf Uhr, sechs?

Dann, schlaftrunken, ein erster Gedanke: Heute ist Donnerstag. Heute geht es los! Wir fahren den weiten Weg von Riad nach Damaskus, zu Großvater und Großmutter, zu unseren Onkeln, Tanten, Cousinen. Auf einmal bin ich ganz wach, springe aus dem Bett und renne die Treppen hinunter zu Papa. Er sieht meine weit aufgerissenen Augen, mein freudiges Lachen. Er lächelt. Beugt sich zu mir herunter, streichelt meine Wange und sagt leise: »Lulu, mein Schatz, schön, dass du schon wach bist.«

Als alle aufgestanden sind, ist es Zeit für das Morgengebet. Dreimal die Hände mit Wasser waschen, dreimal das Gesicht. Dreimal den Mund mit Wasser füllen, ausspucken. Dreimal die Füße waschen. *Wudhu*, die rituelle Waschung, ist vor jedem Gebet im Islam Pflicht. Man muss sauber sein für Gott. Ich kann mich noch an mein erstes Gebet erinnern. Ich war noch nicht eingeschult und beobachtete meinen Vater eines Morgens beim Beten. Weil ich immer das machen wollte, was er tat, ging ich zu ihm und ahmte seine Bewegungen nach. Als er fertig war, strich er mir stolz über die Wange. »Sehr gut, Rana, Allah ist stolz auf dich«, sagte er, und seine Augen strahlten mich an. Für einen gläubigen Moslem gibt es nichts Schöneres, als wenn das eigene Kind sich für den Islam interessiert, ehe es überhaupt den Religionsunterricht besucht. Dann weiß man, dass man alles richtig gemacht hat. Seit damals habe ich jeden Tag fünfmal gebetet. Mit zehn Jahren bin ich schon so daran gewöhnt, dass ich das Ritual ganz automatisch abspule, ohne darüber nachdenken zu müssen.

Im Wohnzimmer hat Mutter für jeden von uns einen Gebetsteppich ausgebreitet. Es ist halb sechs, die Sonne ist noch nicht aufgegangen. Wir beten gemeinsam und doch jeder für sich. Die sieben Gebetshaltungen kann ich im Schlaf einnehmen. Ich bin stolz darauf, dass ich die *Al-Fatiha*, die erste Sure des Korans, ganz ohne Hilfe auswendig rezitieren kann.

Ich begreife nie so recht, warum wir beten. Ich erledige das Ritual wie das Zähneputzen am Morgen und am Abend, aber ich fühle mich dabei nicht so andächtig und von Gott ergriffen, wie ich denke, dass ich es tun sollte. Ich warte darauf, dass irgendwann der Moment eintritt, in dem ich etwas Großes fühle, in dem das Gebet mir wirklich etwas bedeutet. Doch das Einzige, was ich beim Beten spüre, ist eine Art Ehrfurcht angesichts des Ernstes und Gewichts der Worte, aus denen die Suren bestehen. Wenn wir die Teppiche zusammenrollen, schwöre ich mir manchmal, nie eine der Irrenden zu werden, die sich von der Religion entfernen oder gegen sie handeln, egal, was passiert. Ich will immer auf dem rechten Pfad gehen.

Die Sommerferien in Syrien sind zwar die schönste Zeit des Jahres, das liegt aber nicht daran, dass ich die Schule nicht mag. Ich glaube, es gibt kaum ein Mädchen in Riad, das sie so gerne besucht wie ich. Ich kann mich noch gut an den Tag erinnern, als mein Vater mir sagt, dass es nicht mehr lange dauern werde, bis ich meinen ersten Schultag habe. Es ist ein Mittwochnachmittag im September. Ich bin sechs Jahre alt und außer mir vor Freude. Schon davor war ich ein neugieriges und wissensdurstiges Kind. Ich konnte es kaum erwarten, schreiben zu lernen. Ich fragte meinen Vater, wie man meinen Namen richtig schrieb. Als er es mir zeigte, übte ich so lange, bis ich es alleine konnte. Dann ließ ich mir von ihm zeigen, wie man den Namen meines Bruders und meiner kleinen Schwester schrieb. So kann ich in der ersten Klasse schon die Namen meiner ganzen Familie schreiben.

Mein erster Schultag ist einer der glücklichsten Tage in meinem Leben. Ich bin schon hellwach, ehe mein Wecker klingelt, und schlurfe in meinem Schlafanzug in die Küche. Als mich meine Mutter sieht, lacht sie und sagt: »Du kannst mit Nusaiwa alleine in die Schule gehen, oder ich komme mit und begleite euch, wie du möchtest.« Nusaiwa ist die Tochter unserer Nachbarin. Sie wohnt gleich nebenan und geht schon in die zweite Klasse. Ich will natürlich mit Nusaiwa alleine laufen. Als ich mit meinem rosa Cinderella-Schulranzen losgehe, fühle ich mich sehr erwachsen. Mein Vater hatte mir ein neues Federmäppchen geschenkt, einen Füller, Bleistifte und Buntstifte in allen Farben des Regenbogens. Nusaiwa und ich gehen Hand in Hand über die Straße, biegen zweimal ab, und schon stehen wir vor dem Gebäude, das ich bisher immer nur von außen gesehen habe, ein magischer Ort. In Saudi-Arabien haben die Schulen keine Namen. Sie sind durchnummeriert. Meine Schule trägt die Nummer 64. Ich habe eine Schuluniform an, ein strenges Kleid mit langen Ärmeln. Es ist aus grauem Baumwollstoff und hat einen Bubikragen, der mit weißer Spitze unterlegt ist, es hat eine doppelte Knopfleiste und einen dazu passenden Gürtel. So kleiden sich Schulanfängerinnen in Saudi-Arabien, als ich eingeschult werde. Meine Mutter hatte mir, nachdem ich sie tagelang darum gebeten hatte, an diesem Morgen die Haare so frisiert wie die meiner Lieblingsmanga-Heldin Lady. Als ich mit Nusaiwa in der Schule ankomme, will ich ihre Hand erst gar nicht loslassen. Ich habe auf einmal Angst, und ich fühle mich überfordert von den vielen Mädchen in dem kahlen Klassenraum. Zu Hause hatte ich mir die Schule als einen Ort vorgestellt, an dem alles rosa ist, wie ein riesiges Spielzimmer mit Teddybären, Puppen und Barbies. Aber hier ist alles ganz anders. Nusaiwa deutet auf einen Raum, ehe sie in ein anderes Klassenzimmer verschwindet. Auf einmal bin ich ganz alleine mit den vielen neuen Schülerinnen. Um mich herum sitzen dreißig Mädchen, die ich noch nie gesehen habe. Viele von ihnen kennen schon jemanden in der Klasse und unterhalten sich ganz aufgeregt. Nur ich nicht, ich kenne niemanden. Alles ist neu, laut, ungewohnt. Auf einmal fühle ich mich sehr verloren. Ich kann die Tränen nicht zurückhalten und hoffe, dass es keiner sieht. Als die Lehrerin Schokolade und Kekse für die Neuankömmlinge verteilt, bemerkt sie aber sofort, was mit mir los ist, und gibt mir einen Keks mehr. Bald weine ich in der Schule nicht mehr, ganz im Gegenteil, ich freue mich immer schon am Abend auf den nächsten Schultag. Ich mag alle Fächer, aber am meisten Spaß habe ich an Mathe und Biologie. In der großen Pause kaufen meine Freundinnen und ich uns immer etwas am Imbissfenster, Chips oder ein Sandwich und eine Miranda. Am Anfang versucht meine Mutter noch, mir Brote einzupacken, aber ich bringe sie immer ungegessen wieder mit nach Hause. Es ist viel zu schön und aufregend, mir jeden Morgen etwas auszusuchen, was ich am Fenster kaufen kann.

Das wichtigste Fach in einer saudischen Schule ist der Koran-Unterricht. Unsere Lehrerin erzählt uns in so glühenden Worten vom Propheten Mohammed, dass wir alle beginnen, für ihn zu schwärmen wie für ein unerreichbares Idol, das man aus der Ferne anhimmelt. Nach der Schule laufe ich immer mit Nusaiwa nach Hause. Dort gehe ich sofort zu meiner Mutter in die Küche und hebe die Deckel von den Töpfen, um zu sehen, was sie kocht. »Lass das, Rana«, sagt sie. Ich gehe dann meistens in mein Zimmer und mache Hausaufgaben. Ich warte darauf, dass mein Vater von der Arbeit kommt, und wir die Decke auf dem Boden ausbreiten, auf der wir die Speisen anrichten. Dann essen wir alle gemeinsam, und Papa erzählt von seinem Tag. Für mich ist es die schönste Zeit, wenn er zu Hause ist und uns Geschichten erzählt.

In den Wochen vor unserer Reise nach Damaskus hat sich unser kleines Haus mit allerlei Geschenken für unsere Verwandten gefüllt: drei rote Spielzeugautos mit Fernbedienung, für jeden meiner Cousins eines. Verschiedene Barbies in rosa Kleidchen, vier Puppen, die fast so groß sind wie ich. Prächtig bestickte Gewänder aus Organza für die Frauen, in Orange, Lila, Türkis. Konfekt in glänzendem Stanniolpapier, Tafeln weißen Nougats, Schokolade. Schimmernde kleine Pappschachteln in bunten Farben, darin Flakons mit Parfüm und Aftershave. Fast jeden Tag kommt mein Vater nach der Arbeit mit einer Tüte nach Hause und packt den Inhalt in den Kleiderschrank im Schlafzimmer meiner Eltern.

Ich verfolge argwöhnisch, wie der Geschenkeberg wächst und bin traurig, dass ich keines davon bekomme. Ein paar Tage vor unserer Abreise klingelt es an der Tür. Ich warte, dass Mutter sie öffnen geht, doch sie schickt stattdessen mich. Ich wundere mich und habe sogar ein bisschen Angst. Wer kann das sein, und warum soll ich die Tür aufmachen? Vor dem Haus steht mein Vater und grinst. Ich bin so verwirrt, dass ich es nicht gleich sehe. Dann erkenne ich es, es steht direkt hinter ihm – ein Fahrrad! Es ist weiß und silbern, ein Mädchenfahrrad. »Für dich, Rana!«, sagt mein Vater und lacht jetzt sogar. Ich mache ein hohes quietschendes Geräusch und halte mir die Hände vors Gesicht. Ich springe auf und ab, traue mich aber gar nicht, näher heranzugehen. Das soll wirklich für mich sein? Ich bin außer mir vor Freude. Endlich laufe ich zum Fahrrad, begutachte es, kann nicht fassen, dass ich ein so großes, wunderschönes Geschenk bekomme, einfach so. Dann drehe ich mich zu Papa, umarme ihn, drücke mein Gesicht so fest es geht in seine Schulter, atme seinen Geruch ein und bedanke mich überschwänglich. Danach schiebe ich mein Fahrrad in den Hof. Es glänzt in der Sonne. Das Lenkrad hat weiße Griffe, der Sitz ist weiß, der Rahmen silbern, neu und wunderschön, ohne einen einzigen Kratzer. Ein Fahrrad, nur für mich. Es ist das Schönste, was ich jemals besessen habe. Ich setze mich auf den Sattel, bin schon fast dabei loszufahren, als meine Mutter, die im Türrahmen aufgetaucht ist, sagt: »Nicht hier, Rana. Mädchen fahren in Riad nicht mit dem Rad, das weißt du doch. Das kannst du in den Ferien machen, wenn wir bei Oma in Damaskus sind.« Natürlich würde ich trotzdem sofort losfahren, aber meiner Mutter zu widersprechen, ist immer eine schlechte Idee, vor allem, wenn es darum geht, fromm zu sein und sich so zu benehmen, wie Gott es fordert. Also sage ich mir, noch vier Tage, dann kann ich damit durch die Straßen fahren. Vier lange Tage. Ab jetzt gehe ich jeden Morgen nach dem Aufstehen in den Hof und versichere mich, dass das Fahrrad noch da steht, wo ich es am Abend zuvor verlassen habe, nachdem ich ihm Gute Nacht gewünscht habe.

Dann ist es endlich so weit. Unser alter Ford biegt sich unter der Last des Gepäcks und der vielen Pakete. Mein Rad ist im Kofferraum. Ich schaue noch einmal nach, ehe wir losfahren, damit wir es auch ja nicht vergessen. Auf dem Rücksitz sitzen mein älterer Bruder und ich, meine kleine Schwester in unserer Mitte.

Mein kleiner Bruder ist noch ein Baby, deshalb hält meine Mutter ihn vorne bei sich auf dem Schoß. Als ich ein kleines Mädchen bin, finde ich, dass meine Mutter die schönste Frau ist, die ich jemals gesehen habe. Selbst wenn sie wie jetzt während der Fahrt den *Nikab* trägt und man nur durch den schmalen Schlitz ihre dunklen Augen mit den langen Wimpern sieht, strahlt sie eine Eleganz aus, die allen anderen Frauen zu fehlen scheint.

Es ist halb sieben, als wir endlich alle im Auto sitzen und losfahren. Von Riad nach Damaskus dauert es vierzehn Stunden, wenn man durchfährt. Mit Pausen und der Warterei an den Grenzen brauchen wir meistens den ganzen Tag und die ganze Nacht. Auf dem Rücksitz essen wir Kinder Brote mit Hummus und Hühnchen. Wenn wir zu laut werden, zischt meine Mutter mit strengem Blick eine Ermahnung in unsere Richtung. Wir wissen: Wenn sie so schaut, ist es besser, still und artig zu sein. Wir lassen den Beton Riads hinter uns. Die Häuser werden immer weniger. Bald sind keine Gebäude mehr zu sehen, nur noch sandfarbene Felsen und die Wüste.

Ich bin eingeschlafen. Als ich wach werde, ist die Autotür offen, und Mutter steht vor mir, sie sagt: »Wach auf, Rana, es ist Zeit zu beten.« Wir sind in Hafar Al-Batin, einer Stadt im Osten Saudi-Arabiens, vier Stunden von Riad entfernt, an einer Raststätte mit angeschlossenem Gebetsraum. Es ist unsere erste Pause auf dem Weg nach Damaskus. In der einfachen Moschee rollen wir unsere Teppiche aus und beten. Als wir fertig sind, tankt Papa. Es ist noch nicht einmal zwölf, aber die Sonne brennt schon jetzt unerträglich heiß vom Himmel.

In Arar, kurz vor der Grenze zu Jordanien, halten wir an einem Rasthaus mit einem Kabsa-Restaurant. Ich kann es kaum erwarten, aber ehe wir essen können, ist es Zeit für das dritte Gebet des Tages. Mir knurrt der Magen, und es fällt mir schwer, mich zu konzentrieren. Als wir endlich fertig sind, gehen mein Vater und mein älterer Bruder zum Schalter und bestellen das Essen. Mein kleiner Bruder und ich warten mit Mutter in einem Separee auf die beiden. In Saudi-Arabien hat jedes Restaurant mehrere solcher abgetrennter Räume, in denen Frauen ihren Schleier bei den Mahlzeiten abnehmen können. Alles in diesem Land ist darauf ausgerichtet, dass Frauen sich nie unverhüllt in der Öffentlichkeit zeigen. Jedes Fastfood-Restaurant hat zwei Eingänge, zwei Schalter, an denen Essen bestellt werden kann. Frauen dürfen nur in den sogenannten *family areas* essen, das sind Bereiche, wo Familien gemeinsam speisen oder Frauen, die von ihren Fahrern zum Restaurant gebracht werden, unter sich essen können. Hier dürfen sie sich in Separees auch ohne ihren Mann, ihren Vater oder ihren Bruder aufhalten. Im anderen Teil des Restaurants ist das Essen nur Männern gestattet, die wiederum ohne ihre Familie nicht in der *family area* sein dürfen. Männer und Frauen sind in der Öffentlichkeit in Saudi-Arabien so gut wie immer voneinander getrennt. Ich wundere mich als Kind nie darüber, weil ich mir gar nicht vorstellen kann, dass es irgendwo anders ist als in meiner Heimat. In den *family areas* gibt eigentlich immer der Familienvater die Bestellung für die ganze Familie auf. Es ist für mich so selbstverständlich, mit meiner Mutter darauf zu warten, dass mein Vater das Essen für uns bestellt und es dann an unseren Platz bringt, dass ich mich niemals frage, warum das so ist, und ob es auch anders sein könnte.

Mein Bruder schaufelt das Fleisch gierig in sich hinein, aber Mutter ermahnt nicht ihn, sondern mich, nicht so schnell zu essen. Ich will mich wehren, aber ohne ihren Schleier sieht Mama sehr müde aus. Ich weiß, es ist besser, nichts zu sagen.

»Noch dreimal so lange fahren, dann sind wir da«, versucht Papa, uns für den Rest der Reise zu motivieren, als wir zurück zum Auto gehen. Ich wünsche mir, es sei schon jetzt so weit. Auf dem Rücksitz schlafe ich ein und träume davon, wie ich mit meinem Rad durch die Straßen von Damaskus fahre.

Das Auto bewegt sich nur langsam vorwärts, als ich das nächste Mal aufwache. Wir stehen im Stau. Es ist dunkel, vor mir sehe ich nichts außer einer Kette aus Bremslichtern und Straßenlaternen. Viele Familien aus Saudi-Arabien fahren im Sommer nach Syrien. Der Urlaub dort ist günstig. Es gibt weiße Strände, türkisfarbenes Wasser und eindrucksvolle Berge. Die Gastfreundschaft der Syrer ist im Nahen Osten berühmt. Fast alle Wagen sind ähnlich beladen wie unserer. So ist das bei uns: Man kommt nicht mit leeren Händen, wenn man Verwandte besucht.

Nach endlosen vier Stunden Warterei an der Grenze sind wir endlich an der Reihe. Mein Vater und meine Brüder steigen aus dem Auto und folgen einem Zollbeamten. Meine Mutter und ich gehen für die Ausweiskontrolle mit einer weiblichen Beamtin in eine abgetrennte Kabine. Erst hier kann Mutter ihren Nikab abnehmen, mit dem alle Frauen irgendwie gleich aussehen, so dass man sie kaum voneinander unterscheiden kann. Nach der Passkontrolle steigen wir wortlos zurück ins Auto und fahren über die Grenze nach Jordanien. Es ist Nacht. Bald sind wir da. Es ist jetzt ganz still im Auto. Ich schlafe wieder ein. Im Morgengrauen, als ich blinzelnd versuche, die Augen zu öffnen, halten wir gerade vor dem Haus meiner Großeltern.

Als er noch jung war, arbeitete Opa, der Vater meiner Mutter, in einer Fabrik, in der Stoffe eingefärbt wurden. Und er war Gebetsrufer der Moschee, ein *Muezzin*. Der *Muezzin* ruft seine Gemeinde fünfmal am Tag zum Gebet, zu genau vorgeschriebenen Zeiten, außer am Morgen, denn dann richtet sich sein Ruf, der *Adhān*, danach, wann die Sonne aufgeht. Es ist eine große Ehre, *Muezzin* zu sein, auch deshalb war meine Mutter, die Tochter des *Muezzin*, für viele in der kleinen Stadt eine gute Partie.

Als sie sechzehn wurde, sagte ihre Mutter zu ihr: »Frah, meine liebe Tochter, du bist schön, du bist fromm, du kannst gut kochen und einen Haushalt führen. Wir werden keine Probleme haben, einen sehr guten Ehemann für dich zu finden.« Es ist wohl genau der Satz, den jede strenggläubige Muslima aus einer konservativen Familie gerne von ihrer Mutter hören möchte. Noch heute ist meine Mutter fromm und strenggläubig. Der sehr gute Mann ist mein Vater. Auch ihm ist der Glaube wichtig, doch er lebt ihn anders als meine Mutter. Meinem Vater sind Barmherzigkeit und das Eintreten für seine Mitmenschen wichtiger als die anderen Verhaltensregeln des Islam. Auch er würde niemals eines der fünf Gebote auslassen oder Schweinefleisch essen. Und doch glaube ich, tief in seinem Inneren denkt er, dass es mehr bedeutet, jemandem zu helfen, der sonst keine Fürsprecher hat, als das Morgengebet zu beten.

Die Eltern meiner Mutter wohnen nur wenige Häuser von denen meines Vaters entfernt. Mutter will ihre Eltern sehen, ehe sie die Familie meines Vaters begrüßt. Mein Vater bringt sie und meinen kleinen Bruder zur Tür. Er begrüßt kurz seine Schwiegereltern, sie winken uns, dann steigt Papa wieder in den Wagen, und wir fahren ein paar hundert Meter weiter. Vor dem Haus seines Vaters hat die Reise für uns alle ein Ende. Im Wohnzimmer drängen sich Oma und Opa um uns, auch die sieben Geschwister meines Vaters sind gekommen, dazwischen wirbeln meine zehn Cousins und Cousinen durchs Wohnzimmer, voller Vorfreude auf die Geschenke. Alle sind aufgestanden, um Papa zu begrüßen, es folgen Umarmungen, ehe die Männer die Pakete und Koffer vom Dach unseres Fords heben, um sie ins Wohnzimmer zu tragen. Mein Onkel Bark schiebt mein Fahrrad in den Hof, ich laufe die ganze Zeit neben ihm her, und er bewundert es ausgiebig. Ich will am liebsten gleich losfahren, aber Oma ruft mich in die Küche. Als Mädchen muss ich ihr dabei helfen, das Frühstück zu servieren. Ich trage Teller mit Hummus und Käse ins Wohnzimmer, alle sitzen um Vater herum und hören ihm zu. Er redet und lacht. Seine Augen sind winzig klein, weil er so müde ist. Nach dem Frühstück geht er sofort ins Bett.

Als mein Vater schlafen gegangen ist, bin ich hellwach und aufgedreht. Meine Cousinen spielen mit ihren neuen Barbies. Meine Cousins fahren im Hof ihre neuen Autos spazieren. Oma wäscht ab. Aus der Küche höre ich die Teller klirren. Ich stehle mich zu ihr, setze mich auf einen Stuhl neben der Spüle und schaue ihr zu. Ich reiße mich zusammen, lasse angestrengt ein paar Minuten verstreichen, die sich anfühlen wie eine Ewigkeit, dann halte ich es nicht mehr aus und frage möglichst beiläufig: »Brauchst du vielleicht etwas aus dem Supermarkt, Oma?« Sie schaut mich zuerst verwundert an, dann lacht sie und sagt: »Du willst doch nur mit deinem Fahrrad fahren, Rana, tu doch nicht so!« Ehe ich traurig sein kann, weil sie Nein gesagt hat, gibt sie mir ein paar Münzen und sagt: »Na gut, dann bringe mir zwei Kilo Tomaten, aber fahr vorsichtig! Weißt du noch, wo Abbu Amin seinen Laden hat?« Ich nicke freudig und renne schon aus der Tür. Ich kann mein Glück kaum fassen, springe auf das Fahrrad und schieße los. Ich merke daran, wie gut es fährt, dass es brandneu ist. Es gleitet fast geräuschlos über den Asphalt. Ich muss mich kaum anstrengen, um schnell zu fahren. Es ist noch nicht zu heiß so früh am Morgen, und der Himmel ist blau. Ich spüre den Fahrtwind, der mir ins Gesicht und durch die Haare weht, ich rieche den Sommer in der Luft, den Duft von Jasmin. Ich fühle die aufkommende Hitze und bin einfach nur glücklich. Ich will die Straße hinunterfahren, bis es nicht mehr weitergeht, so gut fühlt sich der Wind in meinen Haaren an. Ich bin so unbeschwert, wie ich es noch nie gewesen bin. Dieser Moment gehört zu den wichtigsten in meinem Leben, in diesem Sommer in Damaskus habe ich die Freiheit gespürt. Noch heute fühle ich mich auf einem Fahrrad so selbstbestimmt wie sonst selten, denn wenn ich auf einem Fahrrad sitze, muss ich nicht auf andere warten, bis ich losfahren kann. Ich kann so schnell fahren, wie ich möchte, anhalten, wo und wann ich will. Ich bestimme selbst, in welche Richtung es geht und wie weit der Weg ist, den ich zurücklegen will. Wenn ich keine Lust mehr habe, drehe ich einfach um. Ich weiß noch heute, dass ich damals gerne stundenlang weitergefahren wäre, dieses Gefühl soll für immer anhalten, wünsche ich mir in diesem Moment. Aber ich denke an Oma und die Tomaten, die ich kaufen soll.

Vor dem Kiosk lehne ich mein Rad an einen Pfosten vor dem hellblauen Gebäude mit dem Vordach aus Wellblech und dem Pepsi-Schild, auf dem steht »Frisches Obst und Gemüse«. Im Eingang hängen Chips-Tüten von einem kleinen Gerüst aus Metall, dahinter stehen zwei Kühlschränke mit eiskalten Limonadendosen. Abbu Amin, der Kioskbesitzer, grüßt mich freundlich. Er kennt meine Onkel und Tanten, meinen Vater, meine

Mutter, überhaupt alle in Jobar, diesem Vorort von Damaskus. Er lächelt mich an, während er zwei Kilo Tomaten abwiegt. Ich gebe ihm alle meine Münzen, fünf Stück. Er grinst jetzt richtig breit und streicht mir über den Kopf. »Das ist viel zu viel«, sagt er und gibt mir drei davon zurück. Ich bedanke mich, gehe nach draußen und hänge stolz den Beutel über das Lenkrad. Ich fahre erhobenen Hauptes zurück zu Oma. In der nächsten Woche wird es zu unserem täglichen Ritual: Nach dem Frühstück schleiche ich mich zu ihr in die Küche und frage sie, ob ich etwas für sie besorgen kann. Sie lacht, gibt ihre Bestellung auf, legt ein paar Münzen in meine Hand. An den Tagen, an denen es nichts gibt, was ich für Oma besorgen kann, fahre ich ohne Ziel durch die Straßen. Ich fühle mich so glücklich und frei, dass ich nicht anders kann, als den ganzen Tag über selig zu lächeln. In den Gesichtern der Menschen, die mir begegnen, spiegelt sich meine Freude, sie lächeln zurück. Es ist, als würde mich die Freundlichkeit der Menschen tragen, sich in mir ausbreiten wie die Sonne, die jeden Morgen höher wandert, bis es Mittag ist und sie den höchsten Punkt am Himmel erreicht hat. Während meiner Ausflüge denke ich über nichts nach, was meine Laune trüben könnte, ich mache mir keine Sorgen, bin einfach nur erfüllt und genieße das Alleinsein. Ich bin mir selber genug. In Riad kann ich nur in meinem Zimmer alleine sein, auf der Straße bin ich fast immer in Begleitung: Wenn ich mit meiner Nachbarin zur Schule laufe, wenn ich mit meinem Vater einkaufe, wenn ich mit meinen Eltern essen gehe …

In den Sommerferien in Damaskus ist alles etwas freier. Die Tage gleichen einander weniger als in Riad. Opa repariert Dinge im Haus. Manchmal dürfen meine Geschwister und ich ihm dabei helfen. Dann bittet er uns, drei Nägel aus seinem Werkzeugkasten zu bringen, oder ihm die Zange zu reichen. Manchmal flucht er, wenn ihm eine Reparatur misslingt. Dann ist es besser, schnell wegzugehen. Wenn Opa zornig ist, habe ich Angst vor ihm. Seine Augen funkeln, wenn er wütend ist, und seine Stimme wird laut. Ich kenne so ein Verhalten von niemandem sonst. Bei uns zu Hause wird nicht geschrien. Mein Vater wird niemals laut. Wenn er mich rügt, dann spricht er dabei ruhig und bestimmt. Doch meistens ist er sanft und liebevoll zu uns. Ich kenne niemanden, der so gut ist wie mein Vater. Schon als kleines Mädchen war ich völlig vernarrt in ihn.

Aus den Erzählungen meiner Mutter weiß ich, dass er schon immer ein fleißiger, ernster Mann gewesen ist, der nicht laut reden musste, um gehört zu werden. Einer, der keinen Ärger machte und sich der Arbeit mit stiller Hingabe widmete, die keinen Applaus verlangte. Auch seine Vorgesetzten merkten schnell, dass er jemand war, den die anderen respektierten, sie beförderten ihn zum Gruppenleiter. Mein Vater konnte noch nie Nein sagen, wenn man ihn um Hilfe bat, und so wurde er in Riad für viele Syrer, die neu in der Stadt waren, zum wichtigen Ansprechpartner. Wenn jemand noch keine Unterkunft hatte, ließ mein Vater ihn bei sich schlafen. Wenn ein anderer noch kein Geld hatte, lieh mein Vater es ihm bereitwillig. Wenn das Telefon klingelte, tat er sein Bestes, der Person am anderen Ende der Leitung einen guten Rat zu erteilen.

Das änderte sich, als meine Mutter nach Riad zog. Zu Beginn duldete sie es noch, dass oft Arbeiter bei ihr und ihrem Mann wohnten. Doch irgendwann schob sie dem Ganzen einen Riegel vor und sagte zu meinem Vater: »Wir sind kein Hotel und auch keine Pension. Ich möchte mir mein Haus nicht die ganze Zeit mit irgendwelchen fremden Männern teilen.« Danach kam kein Übernachtungsgast mehr. Aber mein Vater konnte trotzdem nicht anders, als seinen Landsleuten zu helfen, wenn sie ihn darum baten. Als er sie nicht mehr bei sich aufnehmen konnte, buchte er eben Hotelzimmer für sie, zahlte ihnen Ferienwohnungen. Als ich klein war, bemerkte ich von alldem nichts. Meine Mutter erzählte es mir nach und nach, als ich schon älter war und selber kurz davor stand, zu heiraten.

Wenn mein Großvater nicht gerade wütend ist, dann hat er viel von meinem Vater. Er ist warmherzig, und er schenkt uns Süßigkeiten. Wir besuchen so oft es geht unsere Tante, die drei Häuser weiter wohnt, und schwimmen im Pool ihres Gartens, danach essen wir eiskalte Wassermelone und spielen Gummi-Twist oder Jojo in der Sonne. Jeden Abend falle ich völlig erschöpft und glücklich ins Bett. Die Tage fließen ineinander, ein Meer aus Sonnenschein und Fahrtwind auf meinen Wangen, der Bauch voller Süßigkeiten, Gelächter, bis mir die Seiten schmerzen, endlose Stunden mit Papa, der ausnahmsweise nicht arbeiten muss, sondern alle Zeit der Welt hat, mit meinen Geschwistern und mir zu spielen und uns Geschichten zu erzählen.

Weil ich so oft für Oma einkaufen fahre, montiert Papa mir einen Korb an das Fahrrad. Damit kann ich jetzt auch schwere Dinge transportieren. An einem Freitag im August, als wir schon zwei Wochen in Jobar sind, gibt mir Oma meinen bislang größten Auftrag: Ich soll einen fünf Kilo schweren Beutel Reis kaufen. »Beeil dich, es wird sonst zu warm. Heute soll der heißeste Tag des Jahres werden«, sagt sie und schiebt mich aus der Küche. Es ist zehn Uhr, als ich losfahre, aber die Sonne brennt schon gnadenlos vom Himmel und blendet mich. Auf dem Weg zum Supermarkt kenne ich mittlerweile jeden Stein.

Rechts das Haus mit dem großen Feigenbaum im Vorgarten. Zwei Häuser weiter liegt manchmal ein rot getigerter Kater auf der Mauer, räkelt sich in der Sonne und lässt sich kurz von mir streicheln. Heute ist er nicht da. Am Ende der Straße biege ich rechts ab und fahre am Haus meiner Tante vorbei. Manchmal klingele ich bei ihr. Heute fahre ich weiter, über zwei Kreuzungen, rechts an der Ecke ist der Laden. Abbu Amin erwartet mich mittlerweile schon und begrüßt mich herzlich. »Rana, wieder fleißig? Was kaufst du heute? Zehn Wassermelonen? Eine ganze Kuh?«, fragt er lachend. Es amüsiert ihn, dass meine Einkäufe immer üppiger ausfallen. Auch ich muss kichern. »Nein, nur einen großen Sack Reis«, sage ich.

Abbu Amin hat ein freundliches Gesicht mit vielen kleinen Falten und einem Schnurrbart. Zwischen seinen schwarzen Haaren sind schon ganz viele graue zu sehen. Er muss so alt sein wie Opa. Jedes Mal, wenn ich bei ihm eingekauft habe, darf ich in ein großes Glas greifen, das er hinter der Kasse versteckt, und mir so viele Zuckermandeln herausnehmen, wie in meine Hand passen. Ein paar esse ich immer gleich, den Rest stecke ich in die Taschen meiner Kinderjeans und nasche sie auf dem Weg. Ich nehme mir jedes Mal vor, welche aufzuheben, um sie mit meinen Geschwistern zu teilen, aber es gelingt mir nie. Heute esse ich zwei Zuckermandeln sofort, dann trägt Herr Amin den Beutel Reis vor die Tür. Er ist so schwer, dass ich ihn alleine nicht heben kann. Ich halte den Lenker fest, und Herr Amin legt den Beutel in den Korb. »Fahr vorsichtig, Rana!«, sagt er und blickt mir nach, als ich wacklig davonfahre, den Blick fest auf den großen Reisbeutel in meinem Korb geheftet.

Als ich an der Tür meiner Großeltern klingele, bin ich ganz verschwitzt, aber auch stolz, dass ich eine so schwere Fracht heil nach Hause transportiert habe. Mit meinem Fahrrad kann mich niemand aufhalten! Doch als Opa die Tür öffnet, ist irgendetwas anders als sonst. Seine Augen sind finster und glänzen, wie sonst nur, wenn er ein zu großes Loch gebohrt hat oder nicht herausfinden kann, warum der Wasserhahn tropft. »Rana, ständig fährst du mit dem Fahrrad durch die Straßen. Du bist viel zu alt dafür. Große Mädchen dürfen nicht mit dem Fahrrad fahren! Gib es her«, sagt er laut, als er aus der Tür auf mich zukommt. Schon zieht er am Lenker. Ich weiß gar nicht, was los ist, kann nichts sagen, schaue ihn nur mit großen Augen an. Dann rollen mir auf einmal Tränen über die Wangen, ich halte das Fahrrad fest und schreie zurück: »Das ist mein Fahrrad!«, aber Großvater reißt es mir aus den Händen. Sein Mund ist ganz verkniffen. Er ist richtig wütend. Hinter ihm in der Tür steht mein Vater. »Papa, warum?«, frage ich ihn, als ich seinen Blick aufgefangen habe. Ich schluchze. Inzwischen hat Opa das Rad schon genommen und will es wegschieben.

Mein Vater erhebt nie die Stimme gegen mich. Er ist immer sanft zu mir, auch wenn ich etwas Schlimmes getan habe. Wie oft hat er mich schon vor meiner Mutter verteidigt? Wie viele Strafen hat er schon von mir abgewandt? Alle wissen, dass ich Papas Liebling bin. Doch dieses eine Mal ist er nicht auf meiner Seite. »Es ist besser so, Rana«, sagt er. »Jetzt hör auf zu weinen.« Er hat den Beutel Reis aus dem Korb genommen und trägt ihn in die Küche. Der Sack ist an der unteren Ecke aufgerissen. Ich folge Papa ins Haus. Er hinterlässt eine kleine Spur aus Reiskörnern. Ich möchte ihm sagen, dass der Beutel gerissen ist. Aber ich weiß, wenn ich jetzt spreche, fange ich wieder an zu weinen. Mein geliebtes Fahrrad! Ich verstehe die Welt nicht mehr. Warum hat Opa gesagt, dass ich damit nicht fahren darf? Was soll das überhaupt sein, ein großes Mädchen? Hat er nicht gesehen, wie sehr ich Oma damit geholfen habe? Ich habe nichts Unrechtes getan.

Nachmittags spiele ich mit den Barbies meiner Cousinen und versuche, nicht zu weinen. Aber immer, wenn ich an den Vormittag denke, legt sich ein schweres Gefühl um mich, und ich muss mich anstrengen, die Tränen zurückzuhalten. Ich möchte Papa fragen, was ich falsch gemacht habe, aber ich traue mich nicht. So bestimmt war er noch nie zu mir. Und ich habe Angst vor Großvater. Er wird bestimmt böse, wenn er mich wieder von dem Fahrrad sprechen hört.

Beim Abendessen bin ich still. Ich sitze neben Papa. Großvater und er reden über mich. Großvater sagt noch einmal, es sei haram, dass ich mit einem Fahrrad fahre. Ich bin noch zu jung, um zu verstehen, was haram genau bedeutet. Aber ich habe das Wort schon oft gehört und weiß, dass man als guter Muslim und gute Muslima nichts tun darf, was haram ist. Stehlen ist haram, Schweinefleisch essen, in der Öffentlichkeit tanzen, lügen … Aber Mädchen, die Rad fahren? Ich traue mich nicht, zu fragen, warum wir irgendwann zu alt sind, warum es bei uns irgendwann haram ist, und bei Jungs nicht.

»Es ist außerdem Zeit, dass sie einen Schleier trägt«, sagt Opa auf einmal. Papa nickt. Er sagt nichts, schaut einfach nur traurig. Das denke ich zumindest, denn so kenne ich ihn gar nicht, so still. Es gibt Hummus, kleine eingelegte Auberginen, Oliven, Käse, Tomaten, Reis. Aber ich habe keinen Hunger. Ich bin nur sehr müde von dem langen Tag und den vielen Tränen.

Der nächste Morgen ist hell und milder als gestern, ich freue mich auf meine Fahrt zu Abbu Amin, weil ich für einen Moment vergessen habe, was am Vortag passiert ist. Doch als ich aus dem

Bett klettere, fällt es mir wieder ein, und ich kann das schwere, traurige Gefühl von gestern wieder in meinem Bauch spüren. Was soll ich jetzt den ganzen Tag machen?

In der Küche wartet heute nicht nur Oma auf mich. Meine Mutter, die sonst meistens bei ihren Eltern oder ihrer Schwester ist und dort frühstückt, ist gekommen. Auf dem Tisch liegt ein schwarzes Tuch. Beim Frühstück erklärt sie mir mit leisen, sanften Worten, dass ich jetzt kein kleines Mädchen mehr sei, sondern auf dem Weg, eine Frau zu werden. Dass ich ab jetzt einen *Hijab*, ein Kopftuch, tragen müsse, und in Riad gar nicht mehr ohne meinen Vater vor die Tür dürfe. Ehe ich sie fragen kann, warum, sagt sie: »Das ist Allahs Wille, und du weißt doch, dass er nur das Beste für dich will, Lulu.« Meine Mutter nennt mich nur so, wenn ich etwas tun soll, von dem sie weiß, dass ich es nicht mag. Sie zeigt mir, wie man das Tuch umlegt. Ich mache es ihr nach, nach zwei Versuchen klappt es schon ganz gut. Als ich in den Spiegel blicke, erschrecke ich, denn ich sehe jetzt den Frauen, denen ich jeden Tag auf der Straße begegne und die so viel älter sind als ich, sehr ähnlich. Jetzt muss ich also Haare, Ohren, Hals und Schultern bedecken wie meine Mutter. Dabei habe ich mir immer gewünscht, meine Mutter würde sich nicht verhüllen, sondern die Straße ohne Gesichtsschleier, ohne verdecktes Haar und die schwarze *Abaya*, die den Rest ihres Körpers verhüllt, entlanglaufen. Geschminkt, in einem schönen farbenfrohen Kleid, wie die Frauen in den Filmen aus dem Ausland, die ich so glamourös und interessant finde.

Ich gehe ins Wohnzimmer und schaue aus dem Fenster, habe Sehnsucht nach dem Fahrtwind und den Zuckermandeln, die mir Abbu Amin immer gegeben hat. Was wird er wohl denken, wenn ich heute nicht komme? Wenn ich nie mehr komme?

Durch das Fenster sehe ich auf einmal, wie Onkel Bark, der sieben Jahre älter ist als ich, und viel zu groß für ein Kinderfahrrad, auf mein Rad steigt, und damit wegfährt. Alles in mir will schreien, aber als ich mich zu Mutter drehe, die auch gesehen haben muss, was draußen passiert ist, lässt mich ihr scharfer Blick verstummen. Mit Tränen in den Augen frage ich sie, was Bark da gemacht hat. »Das Rad gehört jetzt Bark, Rana. Opa hat es ihm geschenkt«, sagt meine Mutter ruhig. Ich versuche, zu verstehen, was gerade geschehen ist. Eben hatte ich noch ein Fahrrad und konnte den Wind in meinen Haaren spüren. Jetzt muss ich meine Haare bedecken und darf nicht mehr alleine nach draußen, wenn ich wieder zu Hause in Riad bin. »Du bist jetzt ein kleines Stück erwachsener«, sagt meine Mutter. »Das willst du doch sein, oder?« Als sie das sagt, kann ich nicht antworten, denn ich kann dem Ganzen nichts Gutes abgewinnen. Ein Fahrrad für einen Schleier zu geben, erscheint mir ein sehr schlechter Tauschhandel zu sein.

Vier Jahre später, als ich vierzehn Jahre alt bin, verteilt unsere Lehrerin in der Schule Zettel, auf denen steht, wie wir uns jetzt, da wir aus Sicht der islamischen Geistlichen eine potentielle Versuchung für alle Männer sind, zu kleiden haben. Als ich nach Hause komme und meiner Mutter den Zettel reiche, sagt sie: »Wenn dein Vater von der Arbeit kommt, fahren wir ins Einkaufszentrum und besorgen alles, was du brauchst.«

Am frühen Abend bringt Papa mich und meine Mutter in ein Einkaufszentrum im Osten Riads, wo nichts anderes verkauft wird als Abayas, die Gewänder, die Frauen über ihre normale Kleidung ziehen, wenn sie das Haus verlassen, *Nikabs*, die Schleier, die das Gesicht verdecken, und *Tarhas*, die Kopftücher, die Haar, Ohren, Hals und Schultern bedecken. An die zwanzig Geschäfte bieten dort verschiedenste religiöse Gewänder für Frauen an, in allen möglichen Größen und Preisklassen. Ich bin überwältigt von den vielen Abayas, die in meinen Augen alle gleich aussehen. Ähnlich geht es mir mit den Schleiern für die Haare und das Gesicht. »Du kannst einfach etwas für mich aussuchen«, sage ich leise zu meiner Mutter. Sie ist überrascht. »Sonst möchtest du doch immer alles selber bestimmen«, sagt sie und schüttelt den Kopf. Aber Schleier und ein schwarzes Gewand zu kaufen, das für mich aussieht wie ein Sack, ist nicht wirklich etwas, das mir Spaß macht.

Als wir zu Hause sind, zeigt meine Mutter mir vor dem Spiegel, wie man sich richtig verhüllt. Zuerst kommt die Abaya dran, dann zieht man die Tarha über, den Schleier, der die Haare verhüllt. Darüber legt man den Nikab, der das Gesicht verdeckt. Man muss dabei sehr sorgfältig sein, damit an den Augen genau der Schlitz frei bleibt, den man braucht, um etwas zu sehen. Die Augenbrauen muss man auch verbergen. Ich merke gleich, dass man dabei vieles falsch machen kann. Mein Nikab sitzt entweder völlig schief oder viel zu weit oben, so dass man meine Augenbrauen sieht. Ich fühle mich ungeschickt und plump, wie ich da vor dem Spiegel stehe und es nicht hinbekomme, den Schleier genauso ordentlich und schnell anzulegen wie meine Mutter. Sie muss es mir drei-, vier-, fünfmal zeigen, bis ich endlich vollständig angezogen vor dem Spiegel stehe. Die Abaya hängt von meinem Hinterkopf und versteckt jegliche Kontur meines Körpers, nicht mal mein Hintern zeichnet sich darunter ab. Man sieht mich gar nicht mehr. Ich fühle mich wie ein Sack mit Beinen. Meine Mutter sagt, es sei gut, dass ich jetzt voll verschleiert bin. »Jetzt kannst du unter Menschen gehen, ohne dass es gefährlich ist«, sagt sie. »Gott wird dich noch mehr lieben.« Ich freue mich über diesen Satz. Aber mein Spiegelbild und das Gefühl unter dem Schleier sind mir trotzdem fremd. Ich schaue mich an: dunkle Augen, freigegeben von einem Schlitz inmitten all diesen schwarzen Stoffs, der alles bedeckt, sogar die Nase und den Mund. Es ist stickig unter dem Nikab. Ich muss mich anstrengen, zu atmen, selbst in der Wohnung, wo die Luft nicht heiß und stickig ist wie draußen, sondern von der Klimaanlage gekühlt. Wie soll das erst auf der Straße sein? Ich verstehe nicht, warum ich auf einmal so aussehen soll wie alle anderen Frauen um mich herum. So erwachsen. Ich bin doch noch gar keine Frau. Ich habe keine Kinder, keinen Mann, ich koche nicht jeden Tag und kümmere mich auch nicht darum, dass das Haus ordentlich ist. Wie soll ich von einem Tag auf den anderen zu einer von ihnen werden? Ich bekomme Angst, auf einmal alles können zu müssen, was meine Mutter und meine Tanten können. Kabsa kochen, Baklava, Wäsche so perfekt zusammenlegen, dass sie im Schrank nicht knittert. Heißt das auch, dass ich aufhören muss, Dinge zu tun, die junge Mädchen machen? Spielen, herumalbern? Muss ich ab jetzt nur noch kochen, putzen und beten? Was ist mit meinen Puppen und den vielen Büchern, die in meinem Zimmer auf mich warten? Muss ich das alles auch hergeben, wie mein Fahrrad vor ein paar Jahren? Mir wird klar, dass ich jetzt jedes Mal, bevor ich das Haus verlasse, nicht nur meine Schuhe anziehen muss, sondern auch diese drei Kleidungsstücke. Ich kann jetzt nicht mehr einfach hinterherrennen, wenn Papa vom Haus zum Auto geht und ihm hinterherwinken. Alles wird anders werden, das spüre ich. Mein Leben wird sich so anfühlen, wie es ist, durch die schwarze Stoffschicht vor meiner Nase zu atmen: weniger leicht, unfrei. Etwas, das vorher so selbstverständlich war, meine

Lunge mit Luft zu füllen, ist auf einmal eine echte Herausforderung geworden. Ich weiß, dass ich ab jetzt immer einen Schleier tragen muss, den ich vor dem Essen im Restaurant ablegen und danach wieder anziehen muss. Alles wird von nun an umständlicher werden. Wie meine Mutter werde ich nach jeder Mahlzeit in einem Restaurant einen Spiegel suchen, um zu kontrollieren, ob mein Gesichtsschleier richtig sitzt und der Schleier über meinen Haaren keine merkwürdigen Falten wirft. Meine Mutter, die immer noch neben mir vor dem Spiegel steht, blickt mich erwartungsfroh an, als würde sie glauben, es gebe einen Anlass zur Freude. Aber ich bin unschlüssig. Sollte sich das Erwachsenwerden nicht gut anfühlen? Sollten meine Möglichkeiten im Leben damit nicht wachsen? Stattdessen habe ich das Gefühl, ich bin jetzt viel eingeschränkter als vorher.

Die Abaya verrutscht mir am nächsten Tag auf dem Schulweg ständig. Es ist unmöglich, meinen Ranzen aufzusetzen, ohne dass das Gewand im Weg ist. Schließlich gebe ich auf und trage den Rucksack wie einen Beutel, an der Schlaufe, mit der rechten Hand. Aber dafür ist er eigentlich zu schwer. Ich komme ins Schwitzen. Es ist ein Septembertag. Die Hitze ist ein bisschen weniger gnadenlos als noch im August, aber trotzdem sind es an diesem Morgen schon fast dreißig Grad. Mit dem Stoff über meinem Mund hört sich meine Stimme auch ganz komisch an. Mir ist, als müsste ich lauter sprechen, um gehört zu werden. Und als würde mir unter dem schwarzen Stoff die Kraft fehlen, dazu tief genug Luft zu holen.

2.

Der Blick in den Spiegel

Sieben Jahre nach dem Tag, an dem ich ihm mein Fahrrad geben musste, und drei Jahre, nachdem ich mich zum Schutz vor den Blicken fremder Männer zu verhüllen begann, zwingt mich Bark, ein Mann, von dem ich glaube, nichts fürchten zu müssen, einen Softporno mit ihm zu schauen und fasst dabei meine Brüste an. Er ist zweiundzwanzig Jahre alt, und mein Rad fährt er schon lange nicht mehr. Ich bin zu diesem Zeitpunkt siebzehn, und in diesem Sommer geht etwas in mir für immer kaputt.

Wie jedes Jahr verbringe ich die Ferien in Damaskus bei meinen Großeltern. Zwar darf ich mich als Erwachsene in Syrien nicht mehr so unbeschwert bewegen wie früher, aber ich genieße trotzdem größere Freiheiten als in Saudi-Arabien, wo ich ohne männliche Begleitung noch nicht einmal das Haus verlassen darf. Die Sommer in Syrien sind deshalb wie eine andere Welt für mich, eine Flucht aus dem Alltag in Riad. Ich helfe in Damaskus zwar auch im Haushalt, aber ich muss weder Hausaufgaben machen, noch andere Pflichten erfüllen. Ich kann mich entspannen, mit meiner Mutter und meinen Tanten in der Küche stehen und über alles Mögliche reden. Ich kann alleine zum Markt gehen und muss nicht darauf warten, dass mein Vater oder mein Bruder Zeit haben, um mich dorthin zu begleiten.

Tagsüber besuche ich meine Verwandten, die meisten von ihnen wohnen nicht weit von meinen Großeltern entfernt. Ich spreche mit den Frauen meiner Familie über die besten Wimperntuschen, wir erzählen uns von unseren Traum-Outfits für die nächste Hochzeit, stellen Überlegungen an, wie man den richtigen Mann findet, und was es bedeutet, eine gute Ehefrau zu sein. Wir lachen viel und unterbrechen einander ständig. Es ist, als wäre jede von uns eine Expertin und gleichzeitig völlig ahnungslos.

In diesem Sommer unterhalte ich mich oft mit meiner Mutter. Weil sie wohl denkt, dass ich langsam im heiratsfähigen Alter bin, erzählt sie mir viel von ihrer eigenen Hochzeit, und wie es für sie war, eine Braut zu sein. Sie sagt, dass mein Vater damals in Riad hart arbeitete, um bereit zu sein für eine Familie. Und dass währenddessen in Jobar die Suche meiner Großmutter nach einem geeigneten Mann für meine Mutter begonnen hatte. Es galt, keine Zeit zu verlieren, denn meine Mutter war schon neunzehn. Das galt zur damaligen Zeit schon als relativ alt für eine Braut. In Syrien ist es üblich, dass die Mutter den Ehemann für die Tochter auswählt. Also hörte sich meine Großmutter fieberhaft nach geeigneten Männern für meine Mutter um, sprach mit Freunden, Bekannten, mit Abbu Amin, dem Kiosk-Besitzer, der das ganze Dorf kannte und genau wusste, wer viel Geld bei ihm ließ und wer knausern musste. Meine Großmutter nahm sich dieser Suche an, als sei es die wichtigste Mission ihres Lebens. Es gibt kaum etwas, das mehr zählt für eine Mutter aus meinem Kulturkreis, als dass ihre Töchter eine gute Partie machen. Denn eine ledige Frau in der Familie ist eine Last. Sie ist eine Sorge mehr, um die man sich kümmern muss.

Schließlich besuchte meine Großmutter die Eltern meines

Vaters. Sie war sofort begeistert: Die beiden Frauen begrüßten einander herzlich, saßen lange zusammen und erzählten von ihren Kindern. Je länger sie Tee tranken und Gebäck aßen, desto sicherer war sich meine Großmutter mütterlicherseits, dass mein Vater ein guter Kandidat für ihre schönste Tochter war. Als mein Vater den Segen meiner Großmutter hatte, kam er nach Jobar, um meine Mutter zu besuchen. Er war sofort begeistert von ihr. Welcher Mann wäre das nicht gewesen, so schön und fromm, wie sie war? Noch am selben Tag wurde die Hochzeit beschlossen, und mein Vater fuhr zurück nach Riad, um sich auf die Ankunft seiner Braut vorzubereiten. Er mietete ein Haus in der für meine Mutter fremden Wüstenstadt, das groß genug war für seine junge Frau und ihn. Als er noch alleine lebte, reichte ihm eine kleine Junggesellenwohnung. In Riad arbeitete er auf dem Bau, eine anstrengende Arbeit, für die sich die meisten Männer in Saudi-Arabien zu schade waren. Es gab in den Achtzigerjahren viele Männer wie meinen Vater, die aus Syrien kamen, um in Saudi-Arabien ihr Glück zu suchen, die jeden Tag aufs Neue nach zehn oder sogar zwölf Stunden Schinderei in ein Bett fielen, in dem sie von einer Villa träumten, einer schönen Frau, Kindern, dem Gefühl, es als Familienoberhaupt geschafft zu haben. Es gab genug Arbeit, und die saudischen Firmen taten damals viel für ihre Gastarbeiter. Sie zahlten ihnen Wohngeld, Urlaubsgeld, sogar die Tickets für Heimatbesuche erstatteten sie ihnen. Es sei harte Arbeit gewesen, aber sie sei es auch wert gewesen, sagt mein Vater noch heute.

Wenige Wochen nach der Verlobung kam mein Vater aus Riad zurück, um meine Mutter zu heiraten. Das war im Jahr 1983. Im Nahen Osten tobte gerade der Golfkrieg zwischen Irak und Iran. Syrien war eines der wenigen Länder, die sich auf die Seite Irans stellten. Die israelischen Streitkräfte hatten im Jahr zuvor den ersten Libanonfeldzug begonnen. Sie nannten die Operation »Frieden für Galiläa«. Sie zerstörten mehrere syrische Flugabwehrraketenstellungen, zahlreiche Flugzeuge und Panzer. In Teilen Syriens tobte ein Bürgerkrieg. Eine Serie bewaffneter Anschläge der Muslimbrüder erschütterte das Land. Die syrische Wirtschaft litt unter den Militärausgaben, doch ein Ende der Konflikte und der syrischen Beteiligung war nicht abzusehen. Es war eine gute Zeit für einen Neuanfang außerhalb der syrischen Heimat. Meine Mutter zögerte deshalb keine Sekunde, das Land zu verlassen, erzählte sie mir. Sie war voller Vorfreude und fieberte auf den Tag hin, an dem sie meinen Vater heiraten und ihre Heimat hinter sich lassen konnte.

In dem Sommer, als ich siebzehn bin, heiratet meine Tante Anisa. Sie ist eine der Schwestern meines Vaters. Sie ist schon sechsundzwanzig, als die Hochzeit stattfindet, an einem sehr heißen Tag im August. Schon Monate vorher kauft ihre Mutter neue Sachen für Anisa, denn eine frisch verheiratete Frau bringt in Syrien, und auch in meiner Heimat, keine alten Kleider mit in die Ehe. Alles wird neu angeschafft. Die Familie der Braut kommt mit den neuen Anschaffungen in das Haus, in dem diese mit ihrem Ehemann leben wird, räumt den Kleiderschrank ein, und feiert dabei die bevorstehende Ehe, ohne die Braut. Der zukünftige Ehemann bezahlt alles. Ich versuche, meine Mutter dazu zu überreden, mich auch zu dieser Feier gehen zu lassen, aber sie sagt, ich sei zu jung dafür. Ich bin eingeschnappt, aber das hält nicht lange an.

Ich mag Anisa, ihre stille und schüchterne Art. Sie ist immer sehr herzlich. Manchmal backen wir zusammen, und sie fragt mich danach, wie es in der Schule läuft, und nach meinem

Leben in Riad. Sie hört mir zu und scheint sich wirklich für das zu interessieren, was ich erzähle. Anisa steckt viel Hoffnung in ihren neuen Ehemann, ihr neues Leben als Ehefrau. Ihr Vater Mahmoud, mein Großvater, ist nicht gut zu ihr, das wissen alle. Er misshandelt sie. Er schlägt sie, zerrt sie an den Haaren, schubst sie, wenn er wütend ist, und oft gibt es dafür noch nicht einmal einen Grund. Es ist so, als würde er einfach seine schlechte Laune an ihr auslassen. Auch ihre Brüder schlagen sie oft, es reicht der kleinste Vorwand: Wenn sie nicht in der Küche helfen will, oder ohne Erlaubnis das Haus verlässt. Anisas Augen sind schon als sie achtzehn ist so traurig wie die einer alten Frau, die Schlimmes erlebt hat. Sie leidet so sehr unter ihren Brüdern und ihrem Vater, dass sie einmal sogar den Mut fasst und meine Mutter um Rat fragt, in der Hoffnung, dass mein Vater, der gutmütigste von allen Brüdern, auf seinen Vater einwirkt. Mein Vater tut sein Bestes, ihn mit seiner sanften, aber nachdrücklichen Art davon zu überzeugen, er solle nachsichtiger mit Anisa sein und den anderen Brüdern verbieten, die Schwester zu schlagen. Aber mein Großvater lässt sich selbst von seinem ältesten Sohn nicht überzeugen. In den Wochen vor der Hochzeit ist Anisa deshalb voller Vorfreude und glaubt, dass sich ihr Leben endlich zum Besseren wendet.

Vor dem Fest gehe ich mit meinen Eltern und meiner Schwester ein Kleid kaufen. Ich kenne diese Art von Kleidern, die man zu einem solchen Anlass trägt, nur aus Werbung und Fernsehen, und bin aufgeregt, als wir vor dem Einkaufszentrum in Damaskus parken. Mein erstes Abendkleid! Ich möchte unbedingt eines finden, das perfekt ist. Ich habe viel zu lange davon geträumt, endlich auch einmal auszusehen wie die Frauen aus den Hollywood-Filmen. Ich probiere viele an, ein grünes ohne Träger, das meine Mutter zu offenherzig findet. Eines in Violett, das für mich viel zu altbacken aussieht. Nach vielen Anproben und kurz bevor alle die Geduld verlieren, entdecke ich ein hellblaues Kleid und nehme es mit in die Umkleidekabine. Es hat einen langen, weiten Rock aus Tüll, das Oberteil ist eng geschnitten und mit Spitze überlegt, die Ärmel sind lang und ebenfalls aus Spitze. Das ist es! Ich bin fast ein bisschen verliebt in die junge Frau, die mich aus dem Spiegel anstrahlt. Das soll es sein, und kein anderes. Meine Eltern sind zum Glück einverstanden, und vor allem erleichtert, dass ich endlich fündig geworden bin. Es ist das teuerste Kleid, das ich jemals besessen habe, und das schönste.

Am Tag der Hochzeit gehen meine Mutter, meine Schwester, unsere Tanten und ich in einen Schönheitssalon, wo wir alle frisiert und geschminkt werden. Es riecht nach Haarspray und Parfüm. Meine Augen werden dunkel umrandet und die Wimpern dick getuscht. Ich sehe, wie sich meine Tanten, eine nach der anderen, verwandeln: Die vom Alltag abgekämpften Gesichter und Frisuren weichen dramatisch geschminkten Augen und von Lipgloss schimmernden Lippen, platte Haare verwandeln sich in Hochsteckfrisuren mit aufwendig gedrehten Locken. Wir bewundern die Kleider der anderen, reden über deren Preise und die vorteilhaftesten Schnitte, darüber, wer sein Kleid wo gekauft hat. Als ich fertig bin, blicke ich in den Spiegel, und ich gefalle mir wirklich gut. Ich mag meine geschminkten Augen und die aufwendige Frisur, und als ich mir das Kopftuch über die Haare lege, bin ich ganz vorsichtig. Ich habe Angst, dass die ganze Pracht unter dem Schleier platt gedrückt wird, und frage mich, warum wir uns immer verhüllen müssen und unsere Schönheit nie zeigen dürfen. Mir wird auf einmal bewusst, wie unheimlich anstrengend ich es eigentlich finde, mich immer verstecken zu müssen.

Eine Hochzeitsgesellschaft ist im Islam traditionell nach Geschlechtern getrennt. Die Feiern begehen die männlichen und weiblichen Gäste getrennt voneinander. Oft heiraten die Paare schon vor dem eigentlichen Fest, im Beisein eines Notars und im engsten Familienkreis. Während der Feier werden dann nur noch die Ringe ausgetauscht. Dieser Moment am Ende des Abends ist auch der einzige, an dem sich Braut und Bräutigam begegnen. Manchmal kommen der Vater der Braut und die Brüder noch hinzu. Bei Anisas Hochzeit findet das Fest für die Frauen im Haus meines Großvaters statt. Die Männer feiern im Haus seines Bruders, das gleich nebenan ist. Auch bei der Hochzeitsfeier meiner Eltern war das so: Meine Mutter speiste mit ihren weiblichen Verwandten und den Frauen aus der Familie ihres Vaters im Haus ihrer Eltern, mein Vater mit allen männlichen Gästen im Haus nebenan. Es gab Riz Bl Bazalia, süße grüne Erbsen mit Reis, Huhn, Lamm, Weinblätter, Hummus, Taboulé, so viel Essen, dass die Tische sich bogen. Später zogen beide Gesellschaften getrennt voneinander in die Veranstaltungshalle, in der die Hochzeitszeremonie stattfinden sollte. Es gab auch hier zwei nach Geschlechtern getrennte Bereiche. Über hundert Gäste waren da, Verwandte, Freunde, Kinder der Gäste. Gegen sieben Uhr abends gingen die Feierlichkeiten los: Die Frauen waren unter sich und tanzten unverhüllt. Die Musik war fröhlich, die Stimmung ausgelassen. Alle hatten sich für den Tag herausgeputzt, schon Wochen vorher hatten die Frauen Kleider gekauft, Friseurtermine vereinbart, das Make-up geplant, genau, wie wir es vor der Hochzeit von Anisa taten. Meine Mutter hatte ein weißes Blumengesteck auf ihren schwarzen toupierten

Haaren, die Längen an den Seiten waren sorgfältig zu Locken gelegt, die auch spät am Abend noch genauso gut saßen wie zu Beginn der Feier, wie mir meine Mutter versicherte.

Gegen zehn Uhr klopfte einer meiner Onkel an die Tür zu dem Bereich, in dem die Frauen tanzten, und rief: »Der Bräutigam kommt gleich herein.« Ein wichtiges Signal, denn in sehr religiösen Familien wie meiner dürfen Männer fremde Frauen niemals ohne Kopftuch sehen. Die Frauen begannen also, sich zu verhüllen, dann trat mein Vater ein. Alle Augen waren auf ihn und meine Mutter gerichtet. Sie lief ihm entgegen, und aus den Lautsprechern tönte die Musik, die traditionell zu diesem Zeitpunkt der Hochzeit gespielt wird. Das Hochzeitspaar setzte sich auf ein Sofa, das auf einer Bühne stand, damit die Hochzeitsgäste sie gut sehen konnten. Hier tauschten mein Vater und meine Mutter Ringe. Er steckte einen Ring auf den Finger und reichte ihr den zweiten, den sie wiederum ihm ansteckte. Sie sahen sich tief in die Augen, die Frauen jubelten, und riefen den beiden Glückwünsche entgegen. An diesem Abend gingen sie das erste Mal gemeinsam nach Hause.

Als ich ein kleines Mädchen war, zeigte meine Mutter mir einmal eines ihrer Hochzeitsfotos. Sie sah darauf aus wie eine Prinzessin. Sie muss auch unter den vielen anderen Frauen ohne Frage die Schönste gewesen sein. Auf den Bildern strahlt sie mit ihrem weißen Kleid um die Wette.

Meine Mutter und ich kommen gegen sieben Uhr abends bei den Festlichkeiten zu Anisas Hochzeit an. Die Feier hat gerade erst begonnen. Vor dem Haus meines Großvaters begrüßen uns Anisas Schwestern und weisen uns den Weg in das große Wohnzimmer, das wie ein Hochzeitssaal hergerichtet wurde. An der Decke schweben Luftballons, die nach oben gestiegen sind, überall stehen Blumen, die Vasen sind mit Schleifen verziert. Ich freue mich für Anisa. Genauso muss sie sich ihren großen Tag vorgestellt haben. Meine Mutter und ich nehmen unsere Schleier ab. Die anderen Frauen haben ihre schon ausgezogen, und immer mehr Gäste strömen in das Wohnzimmer. Es verwandelt sich in ein Meer aus Farben: Petrol, Rot, Türkis, Pink, Blau in allen Tönen. Auf einmal tragen wir nicht alle ein fast identisches schwarzes Gewand, sondern sind eine bunte, schillernde Gruppe verschiedener Frauen. Alle haben sich in Schale geworfen und genießen es, ohne Schleier tanzen, reden und lachen zu können. Anisa sitzt noch im Friseursalon und wird für das Fest vorbereitet. Als sie im Haus meines Großvaters ankommt, geht sie zuerst mit ihrer Mutter und ihren Schwestern in eines der Schlafzimmer, wo die drei das Kleid, die Frisur und das Make-up der Braut bestaunen und zurechtstreichen, was noch zurechtgestrichen werden muss. Im Wohnzimmer feiern die Gäste den besonderen Tag, tanzen und erwarten die Braut.

Ihre Ankunft wird durch spezielle Hochzeitsmusik signalisiert. Alle Köpfe drehen sich zur Tür, als wir das Lied hören. Dann betritt Anisa den Raum. Sie sieht glücklich aus. Sie strahlt, als sie durch den Raum läuft und unsere Blicke auf sich spürt. Während ich sie beobachte, denke ich, dass ich auch unbedingt einmal ein so schönes Kleid tragen möchte. Es ist weiß, hat einen weit ausgestellten Rock aus Tüll, der mit Spitze und Blumenapplikationen verziert ist, und ein hochgeschlossenes Oberteil aus derselben Spitze, die auch den Rock ziert. Ich stelle mir vor, wie es wohl ist, eine Braut zu sein und den ganzen Abend zu tanzen, zu lachen und am Ende mit einem Mann nach Hause zu gehen, mit dem man von nun an alles teilt. Mit dem man aus einem Haus ein Zuhause macht, das man mit dem Geruch von frisch gekochtem Essen füllt, mit dem Duft von Kuchen und irgendwann, später, mit dem Geschrei und Gelächter kleiner Kinder. Ich träume von dem Tag, an dem ich die Braut bin. Dann dreht irgendjemand die Musik lauter und reißt mich so aus den Gedanken. Anisa tanzt. So ist es Brauch. Dann setzt sie sich auf das Sofa, das auf der Bühne steht, die zwei meiner Onkel gestern noch gebaut haben. Sie redet mit den Gästen, nimmt Glückwünsche von ihren Verwandten und Freundinnen entgegen. Eine halbe Stunde später tanzt sie wieder. Sie lacht. Ich sehe, wie aufgeregt sie ist. Als die Ersten schon müde werden, gegen elf Uhr, klopft es an der Tür. Wir haben fünf Minuten Zeit, uns zu verhüllen, denn Anisas Ehemann kommt gleich herein. Aufgeregt laufen wir zu den Stühlen, auf denen wir am Anfang des Abends unsere Abayas und Schleier abgelegt haben. Wieder ertönt die spezielle Musik, die bei einer arabischen Hochzeit jeden bedeutenden Schritt begleitet. Alisa streift ihren weißen Brautschleier über und geht ihrem Bräutigam entgegen.

Als sie einander gegenüberstehen, schlägt Anisa den Schleier zurück. Sie küssen sich kurz. Dann nimmt er sie an der Hand. Anisas Vater ist auch gekommen. Er und ihr Bräutigam sind die einzigen Männer, die die weibliche Hochzeitsgesellschaft besuchen dürfen. Anisa und ihr Bräutigam laufen jetzt zum Sofa auf der Bühne. Das Ehepaar setzt sich und tauscht die Ringe aus. Die Frauen machen ein Geräusch, das wir *Zalghouta* nennen, es ist eine Art freudiges Jauchzen und soll dem neuen Ehepaar Glück bringen. Nach dieser Freudenzeremonie sitzen beide händchenhaltend nebeneinander auf der Bühne und schauen den Frauen zu, die um sie herum tanzen und lachen. Eine halbe Stunde später verschwindet Anisa mit ihrem Ehemann in einem bunt geschmückten Auto in ihre Hochzeitsnacht, begleitet von einem Konvoi hupender Autos, in denen Hochzeitsgäste und Verwandte sitzen, die dem Paar hinterherfahren.

So glücklich Anisa an diesem Abend aussah, so unglücklich wird ihre Ehe schließlich sein. Denn ihr Mann ist fast noch grausamer zu ihr als ihr Vater und die Brüder. Er zwingt sie, sich noch konservativer zu kleiden, als sie es ohnehin schon tut, und erlaubt ihr kaum, das Haus zu verlassen. Anisa bekommt einen Sohn und eine Tochter. Als das Mädchen drei Jahre alt ist, muss es schon Kleider mit langen Ärmeln tragen und sich verhüllen. Anisa ist von einem Käfig in den nächsten geflohen.

Auf der Hochzeit sehe ich auch meine Cousine Manal, die Tochter meines Onkels Yasin, der sie ebenfalls sehr streng nach den Regeln des islamischen Glaubens erzieht. Er hat Angst, dass sie vor der Ehe Sex hat, und zwingt sie schon im Alter von sieben Jahren dazu, einen Schleier zu tragen. Die meisten Mädchen tun das erst, wenn sie in die Pubertät kommen, oder ein paar Jahre früher, mit zehn oder elf Jahren. Manal ist bei Anisas Hochzeit dreizehn, vier Jahre jünger als ich. Im Sommer darauf wird sie einen Mann heiraten, der fünfundzwanzig Jahre älter ist als sie. Sie ist noch ein Kind, freut sich, dass sie ein schönes Kleid tragen kann, und ein so prunkvolles Fest für sie und ihren Mann ausgerichtet wird. Doch schon wenige Wochen nach der Hochzeit sehe ich eine beinahe körperliche Veränderung an ihr: Sie läuft etwas geduckter als sonst, und über ihrem Gesicht liegt ein Schatten, eine Mischung aus Angst und Traurigkeit. Wenig später wird sie schwanger. Da ist sie fünfzehn Jahre alt. Obwohl ich damals noch nicht am Islam zweifle, finde ich alles an dieser Ehe falsch. Es scheint mir, als hätte man Manal etwas weggenommen. Die Chance darauf, eine erwachsene Frau zu werden, die eigene Entscheidungen trifft, zumindest die, die ihr innerhalb der Regeln unserer Religion möglich sind. Ihr wurde ein Leben übergestülpt, das Männer für sie gewählt haben. Ich kann es so noch nicht benennen, aber schon damals finde ich das furchtbar.

In diesem Sommer erfahre ich jedoch auch am eigenen Leib, welchen Schmerz Männer einer Frau oder einem Mädchen zufügen können. Der Erste, der mir diese Lektion erteilt, ist mein Onkel Bark.

Bark hat dunkle Haut und lockige Haare. Man sieht an seiner Art, sich zu bewegen, wie viel er von sich hält. Er arbeitet als Chauffeur, der reiche Frauen durch Damaskus fährt. In diesem Sommer verhält er sich seit unserer Ankunft komisch. Er ist sehr still und in sich gekehrt. Manchmal glaube ich, er trinkt oder nimmt Drogen, so benommen und merkwürdig wirkt er auf mich. Er erzählt mir ungefragt, dass er Sex vor der Ehe gehabt hat, und prahlt damit, dass manche der reichen Frauen, die er fährt, ihn abends bitten, mit ihnen nach Hause zu kommen, weil sie wollen, dass er mit ihnen schläft. Er erzählt von Frauen, die über sein Gesicht streichen und ihn geradezu bedrängen, ihn an der Hand ins Bett zerren. Heute denke ich, dass bei seinen Reden viel Protzerei im Spiel war. Doch damals war ich so jung und ahnungslos, dass ich nicht wusste, was ich ihm glauben sollte und was nicht. Ich verstand nicht einmal, warum er mir das alles erzählte.

Bark wohnt genau wie wir bei meinem Großvater. Ich sehe ihn meistens nur, wenn wir alle gemeinsam essen, oder laufe ihm im Flur über den Weg. Wir verstehen uns eigentlich noch immer gut, aber die Kluft zwischen uns ist mit den Jahren größer geworden, denn in tiefreligiösen Familien wie meiner sind Frauen und Männer einander keine Freunde, Frauen sind von der Willkür der Männer abhängig. Freundschaften funktionieren nur auf Augenhöhe, und die ist zwischen den Geschlechtern in Syrien oder Saudi-Arabien nicht gegeben.

Ich bin schon einige Wochen in Syrien, als es geschieht. Eines Nachts wache ich gegen fünf Uhr auf und muss auf die Toilette. Das Bad liegt hinter der Küche, die ich durchqueren muss. Am Esstisch sitzt Bark und trinkt Kaffee. Er ist immer zu den ungewöhnlichsten Zeiten wach, schwer zu sagen, ob noch oder schon wieder. Ich grüße ihn gedankenverloren und gehe schlaftrunken ins Bad.

Als ich wieder zurück in mein Zimmer laufen möchte, bittet er mich, mich zu ihm zu setzen. Mir ist unwohl dabei, weil ich nur meinen Schlafanzug trage, keinen Büstenhalter darunter. Es ist mir unangenehm, und ich bin unsicher, aber er besteht darauf, dass ich bleibe. Er verwickelt mich in ein Gespräch. »Wie fühlst du dich, wenn du Männer siehst, Rana? Gibt es Männer, die dir gefallen?«, fragt er mich. Draußen ist es noch dunkel, Großmutter und Großvater schlafen. Es fühlt sich an, als seien wir in einer Seifenblase, durch die hindurch uns keiner hören kann. Die Küche scheint abgeschieden vom Rest der Welt, eine Intimität liegt in der Luft, die mir unangenehm ist. Alles in mir sträubt sich gegen Barks Fragen. Denn was er mich eigentlich fragt, ist: »Hast du unreine Gedanken? Bist du eine gute Muslima?« Eine Frage, auf die es in meiner Welt nur eine Antwort gibt, geben darf.

»Nein, natürlich nicht, das ist haram«, antworte ich deshalb. Und es stimmt, ich habe noch nie mit einem Mann gesprochen, mit dem ich nicht verwandt bin. Wie jedes junge Mädchen himmele ich Popstars an und träume davon, die große Liebe zu finden. Aber einen realen Mann zu begehren – das ist unvorstellbar für mich. Ich weiß, dass es eine Sünde wäre, dass ich Scham über meine Familie bringen würde, wenn ich das täte.

Im nächsten Moment gerate ich in Panik: Was, wenn Bark denkt, ich sei einem fremden Mann schon einmal körperlich nahegekommen? Ich und die anderen Mädchen in meiner Schule haben heimlich im Internet Seiten gelesen, auf denen erklärt wird, was Sex ist, wie Kinder entstehen, was Verhütung ist. Aber so richtig wissen wir immer noch nicht Bescheid. Wir haben verstanden, dass der Mann beim Sex mit seinem Penis in die Scheide der Frau eindringt, dass man dabei blutet, wenn man Jungfrau ist, und dass es wehtut. Aber keine von uns würde jemals auf die Idee kommen, dieses Wissen außerhalb der Ehe anzuwenden. Vielleicht fragt Bark mich aus, weil er den Verdacht hat, dass ich mich nicht an die Regeln des Korans halte? Es ist das erste Mal, dass ich mit einem Mann über etwas rede, das auch nur im Entferntesten mit Sex zu tun hat. Ich weiß an diesem Abend in der Küche meiner Großeltern nicht, wie ich damit umgehen soll. Ich bin viel zu jung, um wirklich zu begreifen, was passiert. Es ist etwas Unerhörtes und Verbotenes, das weiß ich genau, doch ich kann nicht einfach aufstehen und ins Bett gehen. Die Familiengesetze meiner Kultur verbieten es einer Frau, sich einem Mann zu widersetzen. Ich muss also weiter sitzen bleiben und hoffen, dass das Gespräch eine gute Wendung nimmt, oder zumindest schnell vorbei ist. Und tatsächlich, in dieser Nacht lässt mich Bark nach ein paar harmlosen Fragen ziehen.

Als ich in meinem Bett im Gästezimmer liege, finde ich trotzdem keine Ruhe. Die ganze Nacht wälze ich mich hin und her, und versuche einzuordnen, warum ich mich so schlecht, so klein und so wehrlos fühle. Heute weiß ich: Es ist die natürliche Reaktion auf eine solche Begegnung, und es ist die Reaktion, mit der Männer wie Bark rechnen, die sie ausnutzen, um ohne Strafe das zu bekommen, was sie haben wollen. In dieser Nacht ist etwas in mir zerbrochen, so wie auch an dem Tag, als Opa Bark mein Fahrrad geschenkt hat. Damals war es mein Glaube, als Mädchen den gleichen Wert zu haben wie ein Junge, der mir genommen wurde. In dieser Nacht beginne ich zu ahnen, dass ich nicht nur wertlos bin, sondern in dieser Wertlosigkeit auch ohne Schutz.

Unsere nächste nächtliche Begegnung findet ein paar Tage später statt. Ich wache gegen ein Uhr nachts auf. Wieder kann ich nicht einschlafen. Irgendwie habe ich Hunger. In der Küche mache ich mir einen Tee und esse ein paar der Nusskekse, die Oma immer im Küchenschrank aufbewahrt, schon seit meiner Kindheit. Für mich schmecken sie nach Sommerferien. Als ich mich gerade hingesetzt habe und in Gedanken versunken Tee trinke, kommt Bark in die Küche.

Noch ehe er etwas sagt, spüre ich, dass es eine beklemmende Begegnung werden wird. Er setzt sich nicht wieder mir gegenüber an den Tisch, sondern direkt neben mich. Auf einmal zieht er mich an sich, sein Arm streift meine Brüste. Er drückt sich von hinten an mich, sagt kein Wort, alles geht sehr schnell, meine Brüste sind fest unter seine Unterarme gepresst.

Seine Berührung löst viele verschiedene Gefühle in mir aus. Ich habe Angst, ich ekele mich, aber mein Körper reagiert ganz anders auf diese ungewohnte Annäherung als mein Kopf. Das alles fühlt sich auch aufregend an, irgendwie. Mich hat noch nie jemand so berührt. Gleichzeitig schäme ich mich dafür, dass dieser Körperkontakt, der so voller Sünde ist, mich nicht schmerzt, dass er mich zwar abstößt und verwirrt, aber eben auch noch etwas anderes in mir auslöst.

Ich sage Bark, dass ich Angst habe, dass ich nicht möchte, dass er das tut. »Ich will doch nur, dass du weißt, dass du dich bei mir immer sicher fühlen kannst, dass ich für dich da bin und dich beschütze«, sagt er. »Bitte, lass mich los, lass mich in mein Zimmer gehen«, flehe ich. »Du kannst gehen, wann immer du willst«, sagt Bark, lockert seinen Griff und grinst dabei höhnisch. Ich nehme die Tasse, und gehe so gefasst wie möglich aus der Küche, meine Knie zittern. Es folgt eine weitere unruhige Nacht, in der meine Gedanken rasen, und ich mich unendlich allein fühle. Ich träume wirr und unruhig, am nächsten Morgen wache ich wie gerädert auf.

Als ich aufstehe und in die Küche gehen will, ruft Bark mich in sein Zimmer. »Rana, komm, ich habe etwas für dich«, sagt er. Ich bleibe wie angewurzelt stehen. Was soll ich tun? Ich muss ihm gehorchen, aber ich will nicht. Nach Sekunden des Zögerns, die mir sehr lange vorkommen, und nachdem er mich noch einmal gerufen hat, bleibt mir nichts anderes übrig, als in sein Zimmer zu gehen. Ich bewege mich langsam, bleibe auf der Türschwelle stehen. Er hat mir zum Frühstück Schokolade und Törtchen gekauft. Er strahlt, als er mir die Überraschung zeigt. Ich versuche, den Gedanken an die vorige Nacht weit wegzuschieben. Bark ist mein Onkel. Ich kenne ihn, seitdem ich ein kleines Mädchen bin. Er war immer nett zu mir – und dafür, dass Opa ihm damals das Rad geschenkt hat, konnte er nichts. In diesem Moment wünsche ich mir einfach, dass sich alles wieder normal anfühlt. Dass wir einander in die Augen sehen können, ohne dass es komisch zwischen uns ist. Ich bedanke mich bei ihm für die nette Geste. Er sagt, ich solle reinkommen. Er sitzt auf einer Couch und deutet auf den Platz neben sich. Ich habe die Gedanken an die vorigen Nächte zurückgedrängt. Ich will, dass alles wieder gut ist. Es ist hell draußen. Alle sind wach. Ich setze mich neben ihn.

Auf einmal steht er auf und schließt die Tür. Auf seinem Laptop läuft ein Film. Ein Mann liegt auf einer Frau, und ich begreife sofort, dass sie etwas Verbotenes tun. Ihre Körper sind zum Teil von einem Laken verhüllt. Ich spüre sofort wieder das ungute Gefühl in meinem Bauch, und jetzt ist es viel stärker als in den Nächten zuvor. Ich habe noch nie einen solchen Film gesehen oder eine solche Szene mit einem Mann erlebt, aber ich weiß, dass beides haram ist. Bark hat sich wieder neben mich gesetzt, ganz dicht. Er schaut erst auf den Bildschirm und dann zu mir. Er sagt: »Schau hin, Rana, gefällt dir das? Findest du die Frau schön?«

Eine absurde Frage. In dem Land, in dem ich aufgewachsen bin, ist der Körper einer Frau etwas, für das sie sich schämt. Etwas, das man nicht öffentlich zeigen darf, das aufreizt und nur Ärger bereitet. Seit ich in die Pubertät gekommen bin und meine Figur weiblicher geworden ist, verbringe ich viele Stunden vor dem Spiegel. Ich prüfe meinen Körper wie eine Wunde, mit einer Mischung aus Neugier und Ekel. Ich fühle mich dreckig dabei. Mit siebzehn habe ich schon ziemlich große Brüste und eine sehr weibliche Figur, bin dabei aber sehr schlank und schmal. Ein Körper, wie ihn sich wohl viele Frauen wünschen. Mit dem ich aber nichts anzufangen weiß, den ich fast verabscheue. Heute weiß ich, dass meine Figur auf Männer sehr begehrenswert gewirkt haben muss. Aber damals wusste ich nicht, welche Fantasien sein Anblick in manchen Männern auslöst, weil jedes Begehren ein absolutes Tabu in unserer Gesellschaft ist, niemand spricht darüber, nicht einmal die Frauen untereinander. Bis ich Mitte zwanzig bin, weiß ich nichts über körperliche Liebe oder Sexualität und sehe meinen neuen weiblichen Körper vor allem als Last, etwas, für das ich mich schämen muss.

Ich trage damals für meine Oberweite viel zu kleine Büstenhalter aus weichem Stoff, die nicht richtig sitzen, an den Schultern einschneiden und viel zu eng sind. Auch das scheint mir heute ein Zeichen dafür, wie wenig ich meinen Körper damals kannte, wie wenig ich ihn bewohnte. Es ist zu dieser Zeit, als würde ich diese Weiblichkeit mit mir herumtragen, ohne genau zu wissen, was ich damit anfangen soll. Und noch viel schlimmer: Ohne zu wissen, wie ich sie schützen kann.

Als der Film kaum zwei Minuten läuft, greift Bark mir in den Ausschnitt meines T-Shirts. Er sagt: »Die zwei haben Sex. Würdest du das auch gerne mal ausprobieren?« »Nein, ich möchte das nicht, bitte, lass mich gehen, Onkel!«, bettle ich, und verfalle in eine Art Schockstarre. Es vergehen nur wenige Minuten, bis er mich in Ruhe lässt, aber die Erleichterung ist so groß, als hätte er mich Stunden in seinem Zimmer festgehalten. Als ich mich losreißen und aus dem Zimmer stürzen kann, kommen mir die Tränen.

Was Bark mit mir getan hat, trifft mich doppelt hart: Zum einen, weil er eine Grenze überschritten hat, die er nicht befugt war, zu überschreiten. Und zum zweiten, weil es für mich zu dieser Zeit keinen Kontext gibt, in den ich das Geschehen einordnen kann. Ich weiß nicht, was sexueller Missbrauch ist. Weil ich nicht weiß, was Sexualität überhaupt ist. Zu Hause oder in der Schule werden wir nicht aufgeklärt, wir haben keinen Biologieunterricht. Dafür haben wir jeden Tag zwei Stunden Koranunterricht, in dem eine unserer Lehrerin erklärt, dass, wenn sich eine Frau und ein Mann, die nicht verheiratet sind, unsittlich berühren, diese beiden zur Strafe nach dem Tod zusammenschmelzen und an einem Spieß wie Brathähnchen in der Hölle schmoren. Heute muss ich lachen, wenn ich mich an die Geschichte erinnere, aber als junges Mädchen machte sie mir Angst. Es ist ein Alptraumbild, an das ich als Teenager oft mit Grauen denke.

Heute weiß ich, dass ich damals nur verlieren konnte. In Saudi-Arabien ist der sexuelle Missbrauch von Frauen auch innerhalb der eigenen Familie weitverbreitet und wird nicht bestraft. Wie auch? Wir Mädchen werden in dem Bewusstsein erwachsen, unser Körper sei eine Projektionsfläche für Sünden, etwas, wofür wir uns als Frauen schämen müssen, das wir verhüllen, verstecken und möglichst unsichtbar werden lassen sollen. Wird unser Körper unsittlich berührt, tragen wir die alleinige Schuld daran. Alles Schöne an uns Frauen wird ins Sündhafte und Hässliche verkehrt, und die Konsequenz dieses Denkens ist, dass wir uns selbst hassen, uns für das schämen, was wir sind, und niemals auf die Idee kämen, in den Männern, die uns missbrauchen, das zu sehen, was sie sind: Täter. Wer mit dieser Art von Denken groß wird, es jeden Tag vorgelebt bekommt und als Normalität wahrnimmt, wird niemals auf die Idee kommen, sich nach einem solchen Vorfall an einen Arzt zu wenden oder zur Polizei zu gehen. Stattdessen schämt man sich, hasst sich noch mehr für den eigenen Körper, und man fühlt sich hilflos. In Saudi-Arabien herrscht ein System, in dem Frauen nur verlieren können, und viele Männer trotz ihrer Taten ungestraft davonkommen.

Wenn ich zurückdenke, fallen mir viele Geschichten ein, in denen schon junge Mädchen Opfer solcher Übergriffe wurden. Meine Schulfreundin Aayliah zum Beispiel war erst acht Jahre alt, als sie zum ersten Mal von ihrem Vater sexuell belästigt wurde. Er schlich nachts an ihr Bett und berührte ihre Brust, ihre Schenkel, ihre Genitalien. Er zwang sie, seinen Penis anzufassen. Seit diesem Vorfall war die Nacht für Aayliah eine gefährliche Zeit. Sie wusste nie, wann er wiederkommen würde, und schlief immer mit der Angst vor ihrem eigenen Vater ein. Sie vertraute sich mir während einer Schulpause an. Aber ich konnte ihr nicht helfen. Sie wirkte immer so traurig und in sich gekehrt. Als junge Frau begann sie irgendwann wie getrieben mit älteren Männern zu schlafen, je älter und unattraktiver sie waren, desto besser, so schien es. Es kam mir so vor, als würde sie sich für das, was ihr Vater ihr angetan hatte, bestrafen wollen.

Bark ist nicht der einzige meiner Onkel, der mich belästigt hat. In diesem Sommer, als ich siebzehn Jahre alt bin und meine Ferien bei meinen Großeltern verbringe, fassen mich auch zwei weitere meiner Onkel an. An einem Mittwochmorgen, als ich im Garten meines Onkels Osim sitze, kommt er nach draußen und blickt mich anders an als sonst, als er sich setzt, irgendwie gierig. Wieder kann ich den Blick nicht einordnen, aber das Gefühl ist das gleiche wie ein paar Tage zuvor bei Bark. Dann greift Osim mir an die Brüste. »Sind die operiert?«, fragt er und grinst.

Ich bin schockiert, ich frage mich, was mit mir los ist, dass die Männer sich in meiner Gegenwart auf einmal so benehmen. Liegt es an mir, habe ich etwas falsch gemacht? Osims Frau Fatimah ist nur zwei Jahre älter als ich. Ich mag sie, weil sie so herzlich ist, die beste Bäckerin, die ich kenne. Wenn ich in Damaskus zu Besuch bin, verbringen wir gerne und viel Zeit miteinander. Wir unterhalten uns über alles Mögliche. Wenn Verwandte von uns heiraten, sprechen wir in den Tagen davor über das Fest, überlegen uns, was wir anziehen, wie wir uns schminken. Sie ist so zierlich und androgyn, wie ich weiblich bin. Dass ausgerechnet ihr Mann mir so etwas antut, macht es für mich besonders schlimm. Ich weiß nicht, wie ich mich verhalten soll, was ich von all den Geschehnissen dieses Sommers halten soll. Ich fühle mich einsam, weil ich weiß, dass ich all das auf keinen Fall jemandem erzählen darf. Meine Großeltern und Eltern dürfen davon nichts erfahren. Auch meine Geschwister, Tanten und Onkel nicht. Sonst würden sie sicher denken, dass all das meine Schuld ist. Sie würden denken, dass ich Sünde über die Familie gebracht habe und mir unterstellen, dass es meine Absicht war, dass ich diese Männer, mit denen ich verwandt bin, provoziert habe. Nach dem Vorfall mit Osim meide ich es, in seinem Haus zu Besuch zu sein, deshalb sehe ich Fatimah nur noch selten. Sie fragt mich einmal, warum ich auf einmal so distanziert bin und sie so selten besuche, aber ich kann ihr darauf keine ehrliche Antwort geben. Ich bleibe vage, tue so, als würde sie sich das nur einbilden. So hat Osim gleich zwei Dinge zerstört: mein Vertrauen in ihn als Onkel und meine Freundschaft zu Fatimah.

Doch in diesem Sommer passiert auch etwas, was mir vielfach größere Scham bereitet. Mein Onkel Radhi und seine Frau Amina wohnen nicht weit weg vom Haus meiner Großeltern, ungefähr eine halbe Stunde zu Fuß. Gelegentlich besuche ich sie am Nachmittag, plaudere ein wenig mit Amina, die sich oft sehr einsam fühlt und wenige Freundinnen hat. An einem Sommertag bleibe ich bis zum Abendessen, danach finden unsere Gespräche kein Ende, und irgendwann ist es zu spät, um noch zu Großvater zu laufen. Ich frage Radhi, ob ich bei ihnen auf der Couch schlafen kann. Er sagt, ich könne gerne bei ihnen übernachten, solle doch aber bei ihm und Amina im Bett schlafen. Die Stimmung kippt sofort. Ich verstehe nicht, was das soll, will am liebsten sofort gehen, aber ich kann nicht, das würde er nicht dulden. Amina, schüchtern und ängstlich, wenn es um ihren Mann geht, fasst sich trotzdem ein Herz und versucht, ihn davon zu überzeugen, dass ich doch auf dem Sofa schlafen könne. Aber er duldet keinen Widerspruch. Also gehen wir alle drei ins Schlafzimmer.

Er besteht darauf, dass ich mich zwischen ihn und seine Frau lege. Der Klumpen in meinem Bauch wird spürbar groß. Mir ist richtig schlecht. Ich drehe mich mit dem Rücken zu ihm und rücke so weit wie möglich von ihm weg, auch Amina macht sich ganz schmal. Ich weiß bis heute nicht, wie ich in dieser Situation einschlafen konnte, aber irgendwann gelingt es mir. Als ich mitten in der Nacht wach werde, sind seine Hände überall auf mir, tasten, greifen, fassen mich an. Meine Reaktion auf seine Berührungen, die mir unerträglich sind, ist unmittelbar und körperlich. Ich beginne zu zittern, so stark, als hätte ich Schüttelfrost. Irgendwie schaffe ich es, aus dem Bett zu fliehen, mich anzuziehen und das Haus zu verlassen. Der Weg zu meinen Großeltern dauert zu Fuß eine knappe halbe Stunde. In dieser Nacht brauche ich nur fünfzehn Minuten. Ich renne so schnell ich kann, und die Gedanken in meinem Kopf überschlagen sich.

Bei Großvater angekommen, wasche ich mir erst das Gesicht und dann den ganzen Körper, als könnte Wasser der Erinnerung an die Berührungen irgendwie beikommen. Ich weine unter der Dusche, fühle mich dreckig und beschließe, nie, wirklich nie wieder nach Syrien zu meiner Familie zu fahren.

Auch in Riad hängt mir dieser Sommer noch lange nach. Ich denke oft darüber nach, ob Gott mich für diese Sünden bestrafen wird, und frage mich, ob ich etwas getan habe, um sie zu provozieren. Die Blicke in den Spiegel, schon früher etwas, das ich mied und gleichzeitig mit einer Art Masochismus zelebrierte, werden noch schmerzhafter. Ich fühle mich wie ein Kind, das etwas wirklich Schlimmes angestellt hat, und darauf wartet, dass ein Erwachsener es endlich herausfindet. Ein Kind, das eine furchtbare Strafe fürchtet, und mit der Ungewissheit darüber, wann diese es erreicht, leben muss.

3.

Hochzeitsversprechen

Man sagt, mit der ersten Periode werde aus einem Mädchen eine Frau. Aber wie die meisten Mädchen bin ich noch viel mehr Kind als Frau, als ich zum ersten Mal menstruiere. Weil Erwachsensein so viel mehr ist als das, was der Körper auf einmal kann. Ich bin dreizehn, es ist ein Schultag wie jeder andere auch. Ich sitze im Geschichtsunterricht, als ich es bemerke. Etwas in meiner Unterhose fühlt sich merkwürdig an. Ich hebe die Hand und bitte unsere Lehrerin Amal um Erlaubnis, auf die Toilette gehen zu können.

Ich laufe den Gang hinunter zu den Kabinen, die an der Ecke des Gebäudes liegen. In Saudi-Arabien haben Mädchenschulen keine Vorgärten oder Pausenhöfe, die vor der Schule liegen. Nur einen kleinen Innenhof. Es sind abgeschottete Gebäude mit Wachmännern vor der Tür, die darauf achten, dass kein Mann die Schule betritt. Wenn nicht gerade Pause ist, sind die Gänge leer und ausgestorben, und man weiß nicht genau, ob man durch eine Schule oder ein Gefängnis geht, so trostlos sehen sie aus.

Ich bin schockiert, als ich das Blut in der Unterhose sehe, auch mein Urin scheint hellrot verfärbt. Ich bin mir sicher, eine schlimme Krankheit zu haben. Muss ich bald sterben? In Panik stürze ich unter Tränen zurück ins Klassenzimmer. Als Amal, die auch die Vertrauenslehrerin unserer Schule ist, mich sieht, unterbricht sie den Unterricht und geht mit mir vor die Tür. »Was ist los mit dir, Rana?«, fragt sie. Ich schluchze und erzähle ihr von dem Blut, dem merkwürdigen Geruch, dem roten Urin. »Ich muss sofort ins Krankenhaus!«, bringe ich heulend hervor. »Ach, Rana, hör auf zu weinen«, sagt sie. Sie lächelt. »Das, was dir passiert, ist ganz normal. Ich rufe jetzt deine Mutter an, dass sie dich abholen kommt, und dir alles erklärt.« Sie sagt es so ruhig und bestimmt, dass auch ich mich beruhige, und meine Aufregung Erschöpfung weicht.

Eine halbe Stunde später kommt meine Mutter und holt mich ab. Zwar dürfen Frauen in Riad nicht ohne Fahrer oder Verwandte im Auto sitzen oder sich auf der Straße bewegen. Aber so ein kurzer Fußweg zur Schule ist gestattet. Die Lehrerin weiß, dass wir nicht weit weg wohnen. Sie versucht in solchen Fällen immer, die Mutter zu holen und nicht den Vater, weil sie versteht, wie unangenehm es für die Schülerin wäre, ihre Periode in der Gegenwart eines männlichen Verwandten zu thematisieren. Meine Mutter nimmt mich an die Hand und sagt, ich solle keine Angst haben. »Aber es tut weh«, sage ich, und spüre wieder Tränen hochkommen. Sie sagt, das sei ganz normal. Das werde jetzt einmal im Monat geschehen. In dieser Zeit sei es wichtig, nicht zu beten und auch keine Gebetsbücher zu berühren. Ich bin verwirrt. »Aber ich muss doch beten, es ist verboten, es nicht zu tun«, sage ich und werde wieder panisch. Ich verstehe die Welt nicht mehr. »Nein«, sagt sie. »Es ist ein Verstoß gegen den Koran, unrein vor Allah zu treten. Und während der Tage, an denen du blutest, bist du unrein«, erklärt sie mir. »Das geht jeder Frau so, Rana, es ist ganz normal.« Zu Hause angekommen, schickt sie mich unter die Dusche und gibt mir danach eine große wattierte Binde, die so dick ist wie eine Windel. Sie sagt, ich solle sie in meine Unterhose legen, etwas schlafen und versuchen, den Schmerz zu vergessen.

Weil mir niemand erklärt, was der Sinn dieser Blutung ist, lässt mich der Verdacht nicht los, dass ich dem Tod geweiht bin, dass irgendetwas mit mir nicht stimmt. Was mich ein wenig beruhigt: Ich erfahre von meinen Freundinnen, dass es ihnen geht wie mir. Gemeinsam mit anderen Mädchen tuscheln wir auf dem Schulhof darüber, dass wir vielleicht schon bald sterben müssen, weil wir bluten, unrein sind und deshalb nicht beten dürfen.

Es ist jetzt ein ganz normaler Teil meines Lebens geworden, mich zu verschleiern. Jeden Morgen hole ich die Sachen aus dem Schrank. Zuerst ziehe ich die Abaya an, das große, weite Gewand, das meinen ganzen Körper bedeckt. Dann die Tarha, ein Tuch, das Kopf und Haare verhüllt, und am Ende den Nikab, hinter dem das Gesicht bis auf die Augen verschwindet. Jeden Morgen prüfe ich vor dem Spiegel, ob ich auch alles richtig angezogen habe. In Saudi-Arabien muss eine Frau auch die Augenbrauen bedecken, der Nikab muss richtig sitzen und darf nicht nach oben rutschen. Wer sich nicht richtig verhüllt, bekommt Ärger mit der Religionspolizei. Dann mache ich mich auf den Weg zum Unterricht. Es sind nur fünf Minuten zu Fuß von zu Hause bis zur Schule, deshalb müssen mich mein Vater oder mein Bruder ausnahmsweise nicht begleiten. Im Frühling, im Herbst und im Sommer ist es unter der Abaya geradezu unerträglich heiß. Ich bekomme kaum Luft unter dem schwarzen Stoff, ich muss ständig darauf achten, dass nichts verrutscht, und bin jedes Mal erleichtert, wenn ich in der Schule ankomme und alles wieder ablegen kann. In privaten Schulen haben die Mädchen Garderoben, aber in meiner legen wir unsere Schleier und die Abayas während des Unterrichts einfach über die Lehne der Stühle, auf denen wir sitzen.

In dieser Zeit, während ich kein Kind mehr bin, aber auch noch keine richtige Frau, lerne ich Nona kennen. Wir sind beide sechzehn Jahre alt und besuchen dieselbe Schule. Nona ist immer alleine unterwegs. In den Pausen sitzt sie für sich am Tisch und isst, sie läuft fernab der anderen von dem kleinen Innenhof zurück zum Unterrichtsraum und hat als eine der wenigen in unserer Klasse keine Sitznachbarin. Es ist, als hinge eine Wolke über ihr, sie wirkt traurig, fast deprimiert. Gleichzeitig ist da etwas Abweisendes an ihr, ein Schutzwall aus Trotz und einer sehr kühlen Art. Als wollte sie gar nicht anders sein als so: traurig und alleine. Irgendwie weckt diese Art, sich abzuschotten, in mir den Ehrgeiz, ihr näherzukommen. Ich will ihre Freundin werden. Ich spreche sie eines Tages in der Pause an, aber sie gibt mir nur einsilbige Antworten. »Darf ich mich zu dir an den Tisch setzen?«, frage ich sie. »Ja«, sagt sie und schaut wieder auf das Essen, das vor ihr steht. Es ist ein merkwürdiges Mittagessen. Sie steht auf, ehe ich fertig bin, und geht alleine zum Klassenzimmer zurück.

Aber ich lasse nicht locker. Ein paar Tage später lege ich ihr eine Nachricht in die Schultasche. Darauf male ich zwei Mädchen, die sich an der Hand halten, und schreibe darunter: »Können wir Freundinnen sein?« Am nächsten Tag lächelt Nona mich zum ersten Mal an und nickt. Ab diesem Moment sind wir unzertrennlich.

Wir sehen uns sogar ein bisschen ähnlich. Manchmal scherzen unsere Mitschülerinnen, dass wir aussehen wie Zwillingsschwestern: die gleiche Figur, die gleichen langen schwarzen Haare. Wir schwärmen beide für die Boyband Blue und den Sänger Enrique Iglesias. Manchmal drucke ich mit dem Drucker meines Vaters Bilder von unseren Idolen aus, immer alles zweimal: ein Bild für mich, eines für Nona. Es dauert nicht lange, und wir sitzen auch im Unterricht nebeneinander, in den Pausen sowieso. In den Schubladen unter unseren Schultischen verstecken wir Schokoriegel, Kit-Kat, Mars, unser Favorit ist Twix, das ist »unsere Schokolade«. Wenn die Lehrerin sich umdreht, beißen wir manchmal heimlich in die Riegel und versuchen, dabei nicht laut zu lachen. Wir machen uns über Mitschüler und Lehrer lustig, reden über Hausaufgaben, die neueste Musik, unsere Tagträume. Nach der Schule machen wir die Hausaufgaben so schnell es geht und telefonieren dann miteinander, oft über vier Stunden, bis es Zeit ist für das Abendessen. Manchmal kommt meine Mutter in mein Zimmer und flucht, weil ich so lange die Leitung blockiere. Dann muss ich auflegen. Aber meistens können wir ungestört sprechen. Unsere Mütter denken sich wohl, dass wir so wenigstens nicht auf dumme Gedanken kommen.

Es ist fast so, als hätte ich gespürt, dass Nona jemanden braucht, der sie liebt, mit dem sie lachen und herumalbern kann. Wenn wir zusammen sind, scheint es, als sei die dunkle Wolke über ihr verschwunden, sie ist fröhlich und ausgelassen.

An einem Tag Ende Oktober, da sind wir schon seit einem Jahr befreundet, kommt Nona völlig verheult zur Schule. Sie ist wieder so wie am ersten Tag, als ich neben ihr gegessen habe, und mich fühlte, als würde jede meiner Fragen einfach an ihr abprallen. In der ersten Pause will sie nicht mit mir reden. Aber ich gebe nicht auf, und als wir zusammen zum Mittagessen gehen, frage ich sie noch einmal: »Was ist denn passiert? Kann ich dir helfen?« Sie sagt erst nur, dass etwas Schlimmes geschehen sei, über das sie mit niemandem reden könne. »Aber was kann ich tun?«, frage ich sie. Sie lacht nur abschätzig, scheint es sich aber anders zu überlegen und sich doch dafür zu entscheiden, dass sie mir erzählen will, was los ist. Sie sagt: »Manchmal kommt mein Vater nachts in mein Zimmer und fasst mich an. Nicht so, wie ein Vater seine Tochter anfassen soll, weißt du? Ich kann nichts dagegen tun. Ich kann mich nicht wehren. Mir glaubt sowieso niemand.« Den letzten Satz sagt sie ganz leise. Es ist der Herbst nach dem furchtbaren Sommer in Syrien. Alles kommt zurück. Ich verstehe sofort, wie sie sich fühlt. Ich kann kaum begreifen, wie schlimm es sein muss, das, was mir im Urlaub geschehen ist, immer wieder erleben zu müssen, zu Hause. Es übersteigt meine Vorstellungskraft, dass es der eigene Vater sein soll, der einem das antut. Ich schaue sie an, ich versuche, etwas zu sagen. »Nona, das ist nicht deine Schuld. Es ist mir auch passiert. Wir tragen doch unsere Schleier und halten uns an alle Regeln. Wir können nichts dafür.« Nona nickt, aber nur ganz leicht. Sie weint. Mir bricht es fast das Herz, denn ich weiß, sie hat recht: Niemand kann ihr helfen, sie kann mit niemandem darüber reden und sich nicht wehren. Sie muss es aushalten und hoffen, dass sie nicht daran zerbricht.

Es gibt aber auch lichte Tage. Tage, an denen wir fast so sind wie normale Teenager mit normalem Teenager-Kummer und jeder Menge Unsinn im Kopf. Einmal sind wir gerade auf der Schultoilette, als der Schabernack in mich fährt. Ich spiele ein traditionelles ägyptisches Lied auf meinem Handy ab und tanze auf dem Klo dazu. Nona schüttelt den Kopf und findet das überhaupt nicht witzig. Wenn wir erwischt würden, gäbe es einen Riesenärger, der Direktor würde unsere Eltern anrufen. Es ist ein Verstoß gegen die Scharia, in der Öffentlichkeit zu tanzen. Aber ich habe Glück, und niemand erwischt mich. Eine Woche später muss auch Nona darüber lachen.

Zu dieser Zeit hören wir ständig das Lied »One Love« unserer Lieblingsband, der britischen Boyband Blue, in Endlosschleife und himmeln den Sänger Duncan James an. In meinem Zimmer hängt ein Poster von Enrique Iglesias. Wenn ich die Musikvideos anschaue, in denen er singt, träume ich davon, dass er sich in mich verliebt und wir heiraten. Dass wir in ein großes, schönes Haus ziehen und Kinder bekommen, ein Mädchen und einen Jungen. In etwas realistischeren Momenten grübele ich, wie es wohl sein wird, wenn ich die große Liebe finde. Für Außenstehende mag es merkwürdig wirken, dass so freizügige Pop-Videos in einem Land wie Saudi-Arabien nicht verboten sind, und dass eine gläubige Muslima ihre Ehrfurcht vor Allah mit halbnackten Tänzerinnen in Musikvideos vereinbaren kann. Ich glaube, dass es möglich ist, weil viele dieser Videos im Kern eine Nachricht transportieren, die der Religion und dem Wertesystem des Islam trotz aller Freizügigkeit nicht gefährlich ist. Das Märchen von der Frau, die auf ihren Prinzen wartet. Diese weibliche Passivität, die in so vielen Popsongs, in denen es um Liebe geht, romantisiert wird, passt sehr gut zum Frauenbild der Gesellschaft, in der ich aufgewachsen bin.

Im Islam gibt es eine Dankesformel, die man speziell zu unverheirateten Frauen sagt. Übersetzt bedeutet sie: Ich sehe dich als Braut wieder. Sie ist so selbstverständlich wie im Deutschen der

Ausdruck »Gott sei Dank«, man denkt nicht über den wörtlichen Inhalt nach, wenn man sie benutzt. Und doch lässt es tief blicken, dass man einer Frau, die noch keinen Ehemann hat, diese Worte sagt, um ihr gegenüber tiefen Dank auszudrücken.

Als junges Mädchen dreht sich auch für mich alles im Leben darum, einen Mann zu finden. Ich glaube fest daran, dass eine Hochzeit meine Bestimmung ist, und fiebere auf den Tag hin, an dem ich endlich jemanden finde, der mich heiratet. Ich glaube zu dieser Zeit, dass erst dann mein richtiges Leben beginnt. Erst viel später fällt mir auf, dass ich von meinen Verwandten und Freunden nie etwas darüber höre, was Frauen erreicht haben, dass sie einen tollen Beruf erlernt oder ein fernes Land bereist haben. Die Geschichten, die anerkennend oder ehrfürchtig erzählt werden, drehen sich immer darum, dass eine Frau eine gute Partie gemacht hatte. Ob die Ehe glücklich ist, ist dabei zweitrangig.

Eine Familie, mit der meine Eltern befreundet sind, verheiratet ihre Tochter Amal zum Beispiel an einen saudischen Politiker, der sehr reich und einflussreich ist. Keinen stört es, dass er schon verheiratet ist und Kinder hat, Amal muss sich im Gegenteil glücklich schätzen, einen so angesehenen Ehemann gefunden zu haben. Die beiden schließen eine sogenannte Kurzehe, die *Misyar-Ehe*. Diese Art der Ehe, in der die Partner nicht zwingend zusammenleben müssen, ist in Saudi-Arabien immer üblicher geworden, auch, weil die Brautpreise und die Kosten für eine richtige Hochzeit immer unerschwinglicher werden. Sie erlaubt es auch unverheirateten Paaren, gemeinsam Wohnungen oder Hotelzimmer zu mieten, ohne einen Familienausweis vorzeigen zu müssen, wie es normalerweise Vorschrift ist. Viele Männer nutzen diese Art der Ehe dafür, ihre Ehefrauen mit unverheirateten Frauen zu betrügen, auch Prostitution findet unter dem Deckmantel der Misyar-Ehe statt. Natürlich ist diese Form der Kurzehe nur ein Privileg für den Mann, der neben seiner festen Ehefrau so ohne rechtliche Probleme oder Ärger mit der Religionspolizei ein Verhältnis mit einer anderen Frau haben kann. Oder sie gibt einem noch ledigen Mann die Möglichkeit, mit der Frau, die er regelmäßig trifft, um Sex zu haben, keine dauerhafte, mit vielen Pflichten verbundene richtige Ehe führen zu müssen. Wenn eine Frau hingegen eine solche Kurzehe schließt, ist das alles andere als ein Privileg, denn dann verzichtet sie auf ihr Recht auf finanzielle Unterstützung und das Zusammenwohnen mit dem Mann.

Amal ist neunzehn, als sie ihren Mann kennenlernt, und dreißig, als er sich von ihr trennt. Während dieser zehn Jahre holt er sie immer nur von zu Hause ab, um mit ihr zu schlafen, danach bringt er sie wieder ins Haus ihrer Eltern zurück. Als ich Amal und ihre Familie kennengelernt habe, haben sie in einem kleinen bescheidenen Haus gewohnt. Die Heirat ihrer Tochter hat den Eltern eine schöne Villa verschafft. Amal darf sogar studieren, weil ihr Ehemann eine Sondererlaubnis auftreibt – als Syrerin dürfte sie sonst in Riad keine Universität besuchen, weil die vom saudischen Staat finanzierten Hochschulen saudischen Staatsbürgern vorbehalten sind. Man investiert das Geld lieber in die eigenen Landsleute als in Einwanderer. Oberflächlich betrachtet scheint diese Ehe ein guter Tauschhandel zu sein: Amal studiert, schließt ihr Studium sogar mit einem Doktortitel ab. Sogar ihre Schwestern dürfen die Universität besuchen, weil sie einen so einflussreichen Ehemann hat. Sie bekommt viel Geld von ihm. Das meiste davon gibt sie an ihre Familie weiter. Auch das ist die Realität in Saudi-Arabien: Die Ehe der Tochter kann das Schicksal einer ganzen Familie wenden. Wie es Amal damit geht, dass sie ihren Mann mit einer anderen Frau teilen muss, er keine Kinder mit ihr will, und sie nur abholt, wenn es ihm gerade passt, ist selbst ihren Eltern egal.

Meine Mutter ist sehr fromm. Sie ist es, die darauf achtet, dass wir das Morgengebet beten. Sie weckt die ganze Familie vor Sonnenaufgang, zieht die Vorhänge auf und macht den Fernseher in voller Lautstärke an, damit wir alle wach werden. Ich stehe meistens widerwillig auf und wünsche mir oft, ich könnte noch ein bisschen länger liegen bleiben. Auch meiner Mutter ist es sehr wichtig, dass ich möglichst bald heirate. Sie hat ein strenges Auge darauf, dass ich fromm bleibe und eine gute Partie bin. Manchmal durchsucht sie sogar mein Zimmer. Sie missbilligt es, dass ich Musikvideos von Rihanna schaue, und kommt manchmal einfach so in mein Zimmer, ohne anzuklopfen. Noch nie war unser Verhältnis so innig wie das zwischen mir und meinem Vater. Er ist derjenige, bei dem ich das Gefühl habe, dass er mich wirklich liebt, nicht sie. Papa und ich verstehen uns ohne Worte, und er lässt mich spüren, dass er glaubt, ich sei etwas Besonderes. Ich bin eine eifrige Schülerin, Mathe ist mein Lieblingsfach. Es gefällt meinem Vater, dass ich schlau und ehrgeizig bin, obwohl man das von Mädchen in Saudi-Arabien nicht erwartet. Wenn ich einen Wunsch habe, erfüllt er ihn mir. Meistens sind das Bücher, Sachen für die Schule. Wir haben ein kleines Ritual: Ich schreibe meine Wünsche auf Zettel und verstecke sie in seiner Jackentasche, auf seinem Schreibtisch oder in seinem Aktenkoffer, und manchmal bringt er mir etwas mit, wenn er abends von der Arbeit nach Hause kommt. In meiner Kindheit und Jugend ist mein Vater der einzige wichtige Mann in meinem Leben, bei ihm fühle ich mich sicher und geborgen.

Als ich mit neunzehn die Sommerferien wieder in Damaskus verbringe, wird bei der Hochzeit einer meiner Tanten die Familie meines zukünftigen Ehemanns Wisam auf mich aufmerksam. Unsere Großväter sind Brüder. Mein Vater kennt Wisams Familie schon lange. Meine Mutter sieht in ihm sofort einen guten potentiellen Ehemann und freut sich, als Wisams Mutter sie anruft, um ein Treffen zu vereinbaren.

Es findet in der Ferienwohnung statt, die meine Eltern in Damaskus gemietet haben. In den Jahren vorher haben wir oft bei meinen Großeltern gewohnt, aber meine Mutter hat sich vor zwei Jahren für die Sommerzeit einen Rückzugsraum gewünscht. Sie sei zu alt für den ständigen Trubel, die vielen Nichten und Neffen, das ständige Kommen und Gehen, hat sie zu meinem Vater gesagt. Er hat ihr diesen Wunsch, wie eigentlich die meisten anderen auch, sofort erfüllt.

Zuerst treffen meine Eltern Wisam und seine Eltern, danach werde ich dazugerufen. Wisam sitzt neben meiner Mutter und meinem Vater auf der Couch. Ich traue mich nicht, ihn länger anzusehen, sondern werfe ihm kurze verstohlene Blicke zu. Ich trage meine Abaya und die Tarha, aber meinen Nikab darf ich abnehmen. Ich serviere seiner Familie Tee und Süßigkeiten, um zu zeigen, dass ich eine gute Hausfrau sein kann. Wisam gefällt mir. Vielleicht mag ich auch nur das Gefühl, ihm zu gefallen, denn es ist offensichtlich, dass er mich schön findet. Er schaut mich sehr lange und immer wieder an. Noch nie hat ein Mann mir so offen seine Aufmerksamkeit geschenkt. Er ist der Erste, der sich für mich interessiert, und er möchte mich vielleicht sogar heiraten. Damals bin ich völlig unbedarft und naiv, was den Umgang mit Männern angeht, das weiß ich heute. Alles in mir sehnt sich danach, endlich eine richtige Frau zu sein und kein Mädchen mehr. Wisam arbeitet als Manager in einem Damenmodegeschäft. Er hat zwei jüngere Geschwister und war noch nie verheiratet. Es scheint keinen Haken an ihm zu geben. Er scheint der perfekte Ehemann zu sein. Wenige Tage später ruft Wisams Mutter an und sagt die Hochzeit zu. Ich bin sehr glücklich: Wisam sieht gut aus, verdient nicht schlecht, unsere Familien stehen sich nahe. Ich bin mir sicher, dass wir gemeinsam glücklich werden.

Unsere Familien besprechen die Details. Weil ich noch zur Schule gehe, beschließen sie, dass wir in diesem Sommer heiraten und die Hochzeitsfeier erst im Jahr darauf stattfindet, wenn ich nach Damaskus zu Wisam ziehen kann. So haben wir ein Jahr Zeit, uns besser kennenzulernen.

Die erste Zeremonie findet dann im Haus meines Großvaters statt. Meine Mutter hat mir für diesen Anlass ein Cocktailkleid gekauft, das ich unter meiner Abaya trage. Es ist graugrün, aus einem changierenden Taftstoff, schlicht, bodenlang, ärmellos, und das Dekolleté ist mit Perlen und Pailletten verziert. Bei Anisas Hochzeit dachte ich noch, mein hellblaues Kleid sei das schönste, das ich jemals gesehen habe, aber dieses Kleid ist um einiges eleganter und erwachsener. Ein Notar ist gekommen und wartet im Gästezimmer darauf, dass die Zeremonie beginnt. Im Wohnzimmer ist die Bühne aufgebaut. Wisam und ich treten vor den Notar. Ich bin froh, meinen zukünftigen Ehemann wiederzusehen. Seit der Begegnung mit meinen Eltern haben wir telefoniert, aber uns nicht mehr getroffen. Ich bin auch wahnsinnig aufgeregt. Ich habe Angst, etwas falsch zu machen und mich vor ihm zu blamieren. Wisam ist durch seine Arbeit, wo er jeden Tag mit Frauen spricht, so selbstsicher und souverän im Umgang mit dem anderen Geschlecht. Das lässt mich etwas entspannter werden, gleichzeitig schüchtert es mich aber auch ein. Ich bin froh, dass ich mein Kopftuch noch trage und ihm nicht völlig unverhüllt entgegentrete.

Der Notar stellt uns einige sachliche Fragen. Vor ihm ist ein riesiges Gesetzbuch ausgebreitet. Er fragt mich, ob ich Rana Ahmad bin, geboren im Jahr 1985, ob ich Wisam wirklich heiraten möchte, ob ich dazu gezwungen werde. Diese letzte Frage stellt er Wisam nicht. Als wir beide Auskunft gegeben haben, beglückwünscht uns der Notar und erklärt uns zu Mann und Frau. Wisam steckt mir einen Ring auf den Finger und küsst mein Gesicht. Ich bin glücklich, dass er jetzt mein Ehemann ist, und fühle mich ihm nahe. Wisam lächelt mich an und verspricht mir, dass wir jede Woche telefonieren werden, solange ich noch nicht in Syrien wohne, und dass wir schon bald zusammenleben werden.

In diesem Sommer verlasse ich Damaskus als verlobte Frau. Ich fühle mich erwachsen, aber auch ein bisschen wehmütig, weil ich weiß, dass ich nächstes Jahr um diese Zeit nicht mehr mit meinen Eltern ins Auto steigen werde, um nach Hause nach Riad zu fahren, sondern ihnen hinterhersehen und zum Abschied winken werde.

Im Herbst sitze ich in Riad wieder mit Nona im Unterricht, als sei nichts geschehen. Wir albern herum und essen heimlich Süßigkeiten. Trotzdem ist alles anders. Ich bin jetzt auf dem Weg, eine richtige Frau zu werden. Es ist mein letztes Jahr in Riad, mein letztes Jahr mit Nona und meinem Vater, meinen Geschwistern. Ich freue mich über die Nachrichten von Wisam, aber mir ist auch mulmig zumute. Wir telefonieren viel, er macht mir Komplimente und sagt mir, dass er mich liebt. Ich habe das noch nie von einem Mann gehört. Es schmeichelt mir sehr. Und doch habe ich auch Angst vor diesem neuen Leben als Ehefrau. Zu oft habe ich gesehen, wie Frauen in ihrer Ehe leiden.

Doch ich habe auch Hoffnung. Das Leben in Syrien ist freier als das in Saudi-Arabien. In Riad sehe ich keine Frauen auf der Straße. Frauen dürfen sich nur in Innenräumen aufhalten, oder in Autos, die von Männern gefahren werden. In Syrien gehen Frauen einkaufen, sie verlassen das Haus auch ohne ihren Vater, Bruder, Ehemann. Als junge Frau denke ich manchmal an das Gefühl zurück, mit dem Fahrrad durch Jobar zu fahren. Vielleicht werde ich etwas von dieser Freiheit wiederbekommen, wenn ich verheiratet bin, und mit Wisam in der Nähe von Damaskus lebe.

Meinem Vater ist es wichtig, dass ich mich weiterbilde. Er wünscht sich, dass ich in Syrien studiere und bereitet alle Dokumente, die ich für mein Studium dort brauchen könnte, vor meinem Umzug für mich vor. Er spricht auch mit Wisam und nimmt ihm das Versprechen ab, dass ich nach der Hochzeit eine Universität besuchen darf.

Es ist ein Jahr der Abschiede. Ich weiß, wenn die Schule vorbei ist, werde ich Nona nicht mehr sehen. Selbst wenn ich in Riad bliebe, wäre es schwer, in Kontakt zu bleiben. In Saudi-Arabien dürfen sich Mädchen und Frauen nicht einfach so verabreden oder treffen. Das Leben findet in den Familien statt, wenn man Glück hat, ist eine Schwägerin oder die Frau eines Nachbarn nett, und man findet in ihr eine Freundin. Dass mich Nona in Damaskus besuchen könnte, ist völlig ausgeschlossen, das wissen wir beide.

Deswegen schmerzt es uns sehr, als unsere gemeinsame Schulzeit ihrem Ende entgegengeht. Schon eine Woche vor unserem letzten Schultag, fangen wir an, uns ständig zu umarmen. Manchmal weinen wir dabei. Wir kaufen Unmengen von Schokolade und verstecken sie unter unseren Schreibtischen. Wir essen in einer Woche mehr davon als in den drei Jahren davor zusammen, so scheint es. »Nona, wir sehen uns wieder, wir hören einfach nicht auf unsere Eltern, wir machen alles anders«, sage ich ihr an einem Nachmittag, weil ich nicht wahrhaben will, dass die Welt so ist, wie sie ist. Nona ist weniger überschwänglich, aber sie lächelt an diesem Tag das erste Mal seit Langem. Und sie nickt. Als wir uns an unserem letzten Schultag verabschieden, weinen wir beide ohne Unterbrechung.

Das Jahr zwischen Verlobung und Hochzeit ist schnell vergangen. Ich weiß, dass ich meine Familie sehr vermissen werde, und werde immer trauriger, je näher der Umzugstag rückt. Meine Mutter geht während meiner letzten Wochen in Riad mit mir ins Einkaufszentrum. Sie ist überzeugt davon, dass man hier besser einkaufen kann als in Damaskus. Wie jede Braut gehe auch ich mit einer komplett neuen Ausstattung in die Ehe. Ich lege alles ab, was ich in meinem alten Leben getragen habe. Es gibt viel zu besorgen: Kosmetik, Shampoo, Duschgel, Cremes, Töpfe, Pfannen, Geschirr, Geschenke für Wisam.

Ich suche einen Pyjama und eine teure Jacke für ihn aus. Meine Mutter begleitet mich bei diesen Einkäufen voller Freude. Sie denkt, es würde sich für mich jetzt alles zum Guten wenden. Sie ist unglaublich erleichtert darüber, dass ich endlich heirate. Vielleicht waren wir uns noch nie so nahe wie in diesen Wochen, in denen wir gemeinsam alles besorgen, was ich für mein neues Leben brauche, und sie das Gefühl hat, sie könne aufhören, sich Sorgen um mich zu machen.

Es ist ein heißer Tag im August, als meine Eltern, meine Geschwister und ich uns das letzte Mal gemeinsam in unser vollgestopftes Auto zwängen. Ich werfe einen letzten langen Blick auf unser Haus, unsere Straße, die Ecken der Stadt, an denen ich so oft mit meinem Vater entlanggefahren bin. Ich versuche, nicht traurig zu sein und mich mit den Gedanken an meine Hochzeit abzulenken. Im Auto döse ich ein und genieße die Fahrt mehr als alle anderen der letzten Jahre. Diesmal nervt mich die Enge des Wagens nicht. Im Gegenteil: Ich bin froh, meiner Familie noch einmal so nahe zu sein.

Wir kommen drei Wochen vor dem Hochzeitstermin in Syrien an. Es gibt noch viel zu tun. Ich wohne bei meinen Eltern, aber Wisam besucht mich oft, er bringt mir Geschenke: Pralinen, ein Paar Ohrringe, ein Sommerkleid. Wir trinken Kaffee und unterhalten uns über Alltägliches. Es ist schwer zu glauben, dass ich mir mit ihm bald Tisch und Bett teilen werde. Wisam weiß genau, wie man mit Frauen spricht. Er stellt mir die richtigen Fragen und zeigt Interesse an dem, was ich sage. Ich fühle mich geschmeichelt und entspanne mich bei jedem Besuch etwas mehr. Vielleicht ist meine Furcht vor der Ehe wirklich eher die Angst vor dem Unbekannten, und es wird alles gut werden, wenn es erst einmal so weit ist.

Zwei Wochen vor dem Fest kaufen meine Mutter und ich mein Hochzeitskleid. Ich probiere einige an, ehe wir eines finden, das mir gefällt. Es ist sehr schlicht, ärmellos, bodenlang. Als ich mich im Spiegel sehe, fühle ich mich wunderschön und sehr weiblich. Es ist merkwürdig: Eben war ich noch ein kleines Mädchen, das ihrer Tante Anisa dabei zugesehen hat, wie sie heiratet. Jetzt auf einmal bin ich es, die sich für einen Tag fühlen darf wie eine

Prinzessin, die eine Frau ist und kein kleines Mädchen mehr. Meine Mutter sagt: »Du siehst wunderschön aus, wie in einem Film. Ich finde, das ist es. Das perfekte Kleid.« Sie ist sichtlich zufrieden, und ich spüre, wie viel leichter es ist, mit ihr auszukommen, jetzt, da sie sich keine Sorgen mehr darum machen muss, einen Mann für mich zu finden. Ich beginne, mich auf die nächste Zeit zu freuen und weniger darüber nachzudenken, was sich alles ändern wird.

Am Tag der Hochzeit lassen meine Mutter und ich uns in einem Kosmetik- und Haarsalon frisieren und schminken. Wir sind sechs Stunden dort, scherzen, lachen und reden. Es ist schön, mit meiner Mutter auf einmal so vertraut und gelöst sprechen zu können. Sie scheint mich jetzt als Verbündete zu sehen, als Frau wie sich, die auch bald einen Mann haben wird, dem es zu gehorchen gilt. Ich spüre, wie erleichtert sie ist, dass ich so früh heirate. Nach dem Salonbesuch fahren wir zu meinem Großvater, denn er ist inzwischen zu schwach, um an der Hochzeit teilzunehmen. Deswegen möchte er, dass ich wenigstens bei ihm abgeholt werde, eine pompöse Zeremonie, die die ganze Nachbarschaft mitbekommt. Mein Großvater wünscht mir alles Gute für meine Ehe, er sieht mich voller Freude und Güte an. Er steckt mir eintausend Syrische Pfund zu. »Ich wollte dir selber ein Geschenk kaufen, aber ich bin nicht mehr gut zu Fuß«, sagt er entschuldigend, und ich sehe zum ersten Mal, dass mein Großvater ein alter Mann ist. Wie anders er jetzt mir gegenüber ist als an dem Tag, an dem er mir mein Fahrrad weggenommen und mich seinen Zorn hat spüren lassen. So sanft. Ich muss trotzdem an diesen Tag zurückdenken, an den traurigen Blick in den Augen meines Vaters, der mich verteidigen wollte, aber zu viel Respekt vor seinem Vater hatte, um es zu tun. Mein Vater ist heute auch da und beobachtet, wie Großvater mir den Umschlag mit dem Geld zusteckt. Er sieht schwermütig aus. Ich frage mich, ob er mich wirklich ziehen lassen möchte, oder ob er sich auch jetzt wieder nur den Sitten beugt. Später, als wir uns alle unterhalten, sagt er auf einmal: »Mir ist es sehr wichtig, dass Rana studiert.« Einfach so, ziemlich unvermittelt. Hat er Sorge, dass ich es nicht tun werde, weil ich verheiratet bin und mich um meinen Mann kümmern muss? Je näher ich meiner Mutter komme, so scheint es mir, desto weiter entferne ich mich von meinem Vater. Ihre Vorstellungen von meinem Leben sind andere. Sie decken sich viel mehr mit denen der Gesellschaft, in der wir leben.

Ich bleibe zwei Stunden im Haus meines Großvaters. Anisa kommt mich besuchen. Bei ihrer Hochzeit habe ich das erste Mal davon geträumt, wie es wohl wäre zu heiraten. Jetzt darf sie zu meiner nicht kommen, weil ihr Mann fürchtet, sie könnte dort fotografiert werden. Es macht mich traurig, dass sie nicht dabei sein kann. Ihr Mann ist so streng und wie ich finde übertrieben fromm. Alle meine anderen Tanten dürfen kommen. Anisa wünscht mir viel Glück, und ich freue mich, dass ich sie wenigstens vor der Hochzeit kurz sehen kann.

Dann ist es so weit: Mein Bruder holt mich ab. Er fährt in dem Wagen vor, der meinem Vater gehört. Er ist mit Ballons, Schleifen und Blumen geschmückt. Es ist Tradition, dass die Braut in einem solch üppig geschmückten Auto zum Ort der Zeremonie gefahren wird. Dahinter folgt ein Konvoi weiterer Wagen, die ebenfalls mit Schleifen geschmückt sind. Ich steige mit meiner Mutter ein. Über dem Hochzeitskleid trage ich eine weiße Abaya, und die Gewänder sind so schwer und üppig, dass meine Mutter mich an ihrem Arm zum Auto führen muss. Mein Herz klopft. Ich kann mich nicht auf die Fahrt konzentrieren. Stattdessen frage ich mich, was wohl mein Vater gerade macht? Wahrscheinlich macht er sich bald auf den Weg zur Feier. Ob er sich mit den männlichen Verwandten von Wisam gut versteht? Mag mein Vater meinen Schwiegervater, haben sie ähnliche Meinungen zu Religion, Politik und Familie? In den Gesprächen vor meiner Hochzeit sah es so aus, als hätten sie sich einiges zu sagen und würden viele Dinge ähnlich sehen, aber mir ist trotzdem bang, dass mein Vater in den Stunden vor der Hochzeit etwas feststellt, das er an meiner neuen Familie nicht mag.

Nach einer kurzen Fahrt halten wir vor der Halle, in der heute meine Hochzeit gefeiert wird. Es ist früher Abend, vielleicht kurz nach sieben Uhr. Wisams Familie hat die Räumlichkeiten am Rande von Damaskus gemietet. Wir erwarten um die einhundertfünfzig Gäste. Es ist eine eher bescheidene Feier. In Syrien gibt es viele solcher Hallen, immer mit zwei Räumen, wo Frauen und Männer getrennt voneinander feiern können, bis der Bräutigam seine Braut aufsucht. Manche von ihnen kosten umgerechnet Zehntausende Euro und sind viel pompöser als die einfache Variante, die Wisams Eltern gewählt haben. Vor dem Eingang stehen zwei meiner Tanten und begrüßen die Gäste.

Meine Mutter und ich mischen uns aber nicht unter die anderen, sondern gehen in ein Hinterzimmer. Es ist nicht üblich, dass die Braut gleich unter die Gäste tritt. Sie kommt erst später dazu und verbringt eine oder zwei Stunden im Kreis ihrer engsten Verwandten, ehe sie zur Zeremonie stößt. Meine Mutter und ich unterhalten uns über meinen Großvater, und wie schwach er geworden ist, aber langsam gehen uns die Themen aus. Ich bin aufgeregt, nervös, irgendetwas zwischen freudig und ängstlich. Wir trinken Saft, und ich versuche, nicht darüber nachzudenken, was mir Sorge bereitet: Die Hochzeitsnacht mit einem Mann, der bevorstehende Abschied von meinen Eltern, die Furcht vor dem Ungewissen, dem Leben als Ehefrau. Am meisten Angst bereitet mir die Aussicht, mit Wisam Sex zu haben. Ich habe im Internet gelesen, was man tun muss, ich habe auf Barks Rechner sogar kurz gesehen, wie man dabei aussieht. Und trotzdem bedeutet Sex für mich etwas, wovor man sich als junge Frau fürchtet, eine Sünde, die man nicht begehen will. Die man ständig abzuwehren sucht.

Nach einer Stunde trete ich endlich in den großen Saal der Hochzeitsgesellschaft, zum Klang der Hochzeitsmusik, die von einem Band abgespielt wird. Alle klatschen. Um die siebzig Frauen sind da und bejubeln mich, als ich in den Raum trete und tanze. Ich fühle mich jetzt, da alle Blicke auf mich geheftet sind und ich zeigen kann, wie gut ich tanze, wirklich wie eine der Frauen aus den romantischen Filmen, die ich so gerne sehe. Meine Tanten und Cousinen sind gekommen, Freundinnen meiner Mutter, Frauen, die ich schon kenne, seitdem ich ein kleines Mädchen war und mit dem Fahrrad zu Abbu Amins Gemüseladen gefahren bin. Nach dem Tanz setze ich mich auf das Sofa, das auf der Bühne thront, und nehme die vielen guten Wünsche meiner Gäste entgegen. Es sind so viele Frauen, dass ich kaum dazu komme, etwas von dem Eis zu essen, das wir bestellt haben. Die Zeit vergeht unglaublich schnell. Um mich herum tanzen die Frauen in ihren wunderschönen bunten Kleidern, immer wieder kommt eine, die mir noch nicht gratuliert hat, und zwischendrin zupft meine Mutter an meinem Kleid, als könnte es verrutschen. Es ist ärmellos, das enge Oberteil geht in einen üppigen, weiten Tüllrock über, der mit silbernen Applikationen und Rüschen verziert ist. Das Brautkleid ist genauso opulent, wie ich mir es immer vorgestellt habe. Ich versuche, mich an Anisas Kleid zu erinnern, aber das Einzige, was mir einfällt, wenn ich an ihre Hochzeit denke, sind ihre strahlenden Augen und meine Sehnsucht danach, auch eines Tages eine Braut zu sein.

Als wir hören, dass es an der Tür klopft, erschrecke ich. Alles geht auf einmal so schnell. Tritt Wisam mir wirklich schon in fünf Minuten als Bräutigam entgegen? Als ich meinen Brautschleier überstreife, kommen mir Zweifel an der ganzen Sache. Ist er wirklich der richtige Mann für mich? Der Mann, mit dem ich Kinder bekommen will? Was, wenn er es nicht ist? Dann kann ich nichts tun und muss mich meinem Schicksal still fügen. Ich habe auch Angst davor, das erste Mal in meinem Leben von meinem Vater getrennt zu sein. Bei ihm fühle ich mich geborgen, ich weiß, ich bin in Sicherheit, und es kann mir nichts passieren, solange er in meiner Nähe ist. Um mich herum verhüllen sich die Frauen, alle sind aufgeregt und blicken zur Tür, sobald sie ihre Schleier und Abayas übergestreift haben. Ich denke an Anisas Hochzeit, als ich mit allen anderen den Bräutigam erwartet habe. Damals habe ich in diesem Moment gar keine Augen für die Braut gehabt. Ich bin erleichtert, als mir das einfällt. Denn wenn sich eine der Frauen in diesem Moment nach mir umdrehen würde, könnten sie an meinem Gesicht sicher nicht nur Freude lesen, sondern auch Zweifel, Angst, Zerrissenheit.

Als Wisam in den Raum tritt, sind alle meine Befürchtungen wie weggeblasen. Ich bin glücklich. Er sieht wirklich sehr gut aus, und in seinen Augen kann ich lesen, wie gut auch ich ihm gefalle. In diesem Augenblick siegt mein Bedürfnis nach einem

Mann, der mir Komplimente macht, nach Bestätigung und Freiheit, dem Gefühl, erwachsen zu sein. Ich bin aber trotzdem erleichtert, als ich sehe, dass hinter Wisam auch mein Vater und mein Bruder in den Raum getreten sind.

Wisam kommt auf mich zu, um uns herum klatschen alle im Takt der Musik. Dann streift er meinen Schleier zurück und schaut mir tief in die Augen. Er gefällt mir, mein Bräutigam. Ich folge ihm auf das Sofa, wo wir vor den neugierigen Augen aller anderen unsere Ringe tauschen. Sie sind aus Platin, meiner ist mit einem kleinen Brillanten versehen. Ich schaue auf meinen Ringfinger und mich durchflutet ein Gefühl der Freude. Wisam und ich tanzen. Dann kommen mein Vater und mein Bruder zu uns. Sie wollen mir jetzt mein Brautgeschenk überreichen.

Auch an meinem Hochzeitstag überwältigt mich mein Vater mit seiner Liebe: Am Ende der Hochzeitszeremonie wird die Braut traditionell von ihren männlichen Verwandten beschenkt. Mein Vater hat etwas Goldenes in der Hand, von Weitem kann ich es nicht erkennen. Als er vor mich tritt, sehe ich, dass er mir ein goldenes Diadem gekauft hat, als sei ich eine echte Prinzessin. Noch nie hat eine Frau in meiner Familie ein so großzügiges Geschenk bekommen. Ich bin völlig sprachlos, als er mir die Krone aufsetzt und muss vor Rührung weinen. Mein Vater küsst mich auf beide Wangen, und in seinen Augen sehe ich auch einen kleinen Bruchteil der Furcht, die ich durchlebe beim Gedanken daran, dass wir bald getrennt sein werden.

Die Gäste tanzen immer weiter, und Wisam und ich sehen ihnen vom Sofa aus zu. Er macht mir Komplimente und fragt mich, ob ich einen schönen Tag hatte. Ich erzähle ihm von meinem Großvater und sage zum hundertsten Mal, wie sehr ich mich über das

Diadem freue, das mir mein Vater geschenkt hat. Wisam nickt und lächelt. »Es steht dir wirklich gut«, sagt er. Langsam geht die Zeremonie dem Ende entgegen. Gegen elf Uhr verabschiede ich mich von meinen Gästen, meinem Bruder, meiner Mutter und meinem Vater, und ich folge Wisam zum Auto. Sein Bruder fährt uns zu unserer neuen Wohnung, im gleichen Vorort, in dem auch mein Großvater wohnt.

Die Wohnung gehört Wisams Familie. Als wir reinkommen, ist schon ein kleines Buffet für uns aufgebaut, mit Pommes, Schawarma, Pepsi. Ich bin sehr müde und nehme nur am Rande wahr, dass alles ganz ordentlich und sehr sauber ist. Ich nehme mir vor, mir morgen bei Tageslicht alles ganz genau anzuschauen. Wisam und ich setzen uns an den Tisch und essen das erste Mal als Mann und Frau zusammen. Ich weiß, was danach kommen wird, und obwohl ich den ganzen Tag noch nichts gegessen habe, habe ich keinen Hunger, weil mir so flau im Magen ist. Ich weiß, dass sich der Mann dabei auf die Frau legt, und dass man beim Sex blutet. Darüber habe ich mit Nona und den anderen Mädchen in meiner Schule gesprochen. Jede hatte irgendwo etwas aufgeschnappt: im Internet, von der älteren Schwester, aus Erzählungen anderer Freundinnen. Aber so richtig wusste keine von uns, was das eigentlich wirklich ist und wie es sich anfühlt. Ich mache mich auch auf Schmerzen gefasst. Wir sitzen am Tisch und schweigen. Ich fühle mich erschöpft und doch zu aufgedreht, als dass ich die Müdigkeit wirklich spüren würde.

Nach dem Essen gehen wir ins Schlafzimmer. Er macht das Licht aus, damit ich mich wohler fühle, und hilft mir dabei, mein Hochzeitskleid auszuziehen. Ich versuche zu verbergen, dass mir die Knie zittern. Ich bin furchtbar aufgeregt und fürchte mich davor, mich zu blamieren. Wisam reicht mir ein Nachthemd. Er scheint nichts davon mitzubekommen, wie nervös ich bin. Gut. Vor der Hochzeitsnacht gebietet der Islam einem Ehepaar, gemeinsam ein spezielles Gebet zu beten, die *Dua*. Sie ist kürzer als andere Gebete. Wenn man möchte, dass die Ehe von Allah gesegnet ist, muss man gemeinsam beten, ehe man das erste Mal eine gemeinsame Nacht verbringt.

Wisam und ich knien im Schlafzimmer auf den Teppichen, danach legen wir uns ins Bett. Er küsst mich sanft, es ist mein erster Kuss. Es fühlt sich gar nicht so schlecht an. Wisams Lippen sind weich, und er ist ganz vorsichtig. Aber irgendwie ist es trotzdem merkwürdig, auf einmal etwas tun zu dürfen, ja, sogar tun zu müssen, das bis jetzt immer haram war. Ich denke daran, dass Allah mich lieben wird, wenn ich eine gute Ehefrau bin und Kinder auf die Welt bringe. Ich sage mir, dass ich alles richtig mache, dass alles, was ich tue, im Sinne Allahs ist. Jetzt, da Wisam und ich verheiratet sind, ist es nicht haram, ihn zu küssen. Mein Kopf hat das natürlich schon längst begriffen, aber ich wiederhole es innerlich trotzdem immer wieder, damit es auch in meinem Bauch ankommt. Dann werden Wisams Küsse und Berührungen dringender, fordernder. Er streift mein Nachthemd nach oben, und auf einmal liege ich fast nackt neben ihm. Ich merke daran, wie er atmet, dass ich ihm gefalle. Ich wünsche mir, ich hätte vor der Hochzeit noch ein bisschen mehr abgenommen. Ich fühle mich neben seinem muskulösen Körper so weich, so unförmig. Es ist auch schwer, es nicht merkwürdig und falsch zu finden, so berührt zu werden. Bisher musste ich meinen Körper immer verstecken, er durfte gar nicht begehrenswert sein. Deshalb kann ich mich nicht dagegen wehren, dass sich Wisams Begehren auch jetzt falsch und schmutzig anfühlt. Als ich sein Gewicht auf mir spüre, denke ich: Jetzt mache ich das, wovon alle immer sprechen. Es tut nicht weh, als Wisam in mich eindringt. Aber ich fühle mich die ganze Zeit unrein. Ich versuche, mich in diesem Moment ganz auf meinen Atem zu konzentrieren und daran zu denken, dass Sex keine Sünde ist, wenn man mit dem eigenen Ehemann schläft. Es gelingt mir trotzdem nicht, mich zu entspannen. Ich bin froh, als es vorbei ist, und auch ein bisschen stolz. Darauf, dass ich blute, dass ich eine gute Muslima bin, noch jungfräulich, nicht verdorben, sondern sauber, wie es sich jeder Mann wünscht. Wisam kontrolliert das Laken, als wir fertig sind. Dann zieht er mich an sich. Er küsst mich, auf die Wangen und die Stirn. Er flüstert mir ins Ohr, wie schön ich bin, und sagt, dass wir ein glückliches, ein erfülltes, ein wunderschönes Leben miteinander führen werden. Dass es uns an nichts fehlen wird. Ich möchte ihm in diesem Moment mit meinem ganzen Herzen glauben und tue es auch. Fast.

Am nächsten Morgen kommt seine Familie zu Besuch, um zu kontrollieren, ob ich wirklich geblutet habe. Es ist, als sei das befleckte Laken mein bester Beitrag zur Ehe, so viel Bedeutung wird ihm eingeräumt. Jungfräulich in die Ehe zu gehen ist das Wichtigste, was eine Frau in meiner Kultur für deren Gelingen tun kann.

Wisams Eltern bringen uns Fatayer, Blätterteigtaschen, die mit Spinat und Käse gefüllt sind, und nach denen es in Jobar morgens an jeder Ecke duftet. Meine Eltern kommen auch, wir essen gemeinsam. Dann gehen die Männer spazieren, und ich bleibe mit meiner Schwester, meiner Mutter und meiner Schwiegermutter in der Wohnung. Wir reden über Belangloses, aber nicht darüber, was ich letzte Nacht erlebt habe, wie viel sich geändert hat. Ich kann niemandem sagen, wie verwirrt und überfordert ich bin. Es gibt niemanden, der mir die vielen Fragen beantworten kann, die sich mir stellen. Über Sex reden Frauen im Islam nicht.

Es fällt mir schwer, mich daran zu gewöhnen, dass ein Mann mich nackt sehen und mich berühren darf. Wisam und ich schlafen jede Nacht miteinander. Es dauert lange, bis ich Gefallen daran finde. Zu Beginn fühle ich mich jedes Mal schmutzig, unwohl. Wir gehen viel spazieren in diesen frühen Tagen unserer Ehe. Es ist das erste Mal in meinem Leben, dass ich mit einem Mann, der nicht mein Vater oder mein Bruder ist, so viel Zeit verbringe. Wir reden über unsere Kindheit, unsere Erlebnisse in der Schule, über Filme und Musik, die wir mögen. Jetzt, da ich Nona nicht mehr jeden Tag sehe, fehlen mir die Gespräche mit ihr. Wisam füllt diese Lücke. Ich komme ihm näher, schon weil ich hier sonst niemanden habe, mit dem ich viel Zeit verbringen und dem ich vertrauen könnte. Er löst Gefühle in mir aus, die ich bisher nicht gekannt habe: Wenn er mir sagt, wie schön ich bin, ist es etwas anderes, als es von Nona zu hören. Ich beginne, mich weniger zu fühlen wie ein Mädchen und mehr wie eine Frau. Auch die Nächte beginnen, mir zu gefallen. Die Scham weicht einem anderen Gefühl. Alles daran, mit meinem Ehemann zu schlafen, ist mir zu Beginn fremd gewesen. Mit der Vertrautheit beginne ich, mich zu entspannen und habe manchmal sogar Spaß daran, auch, weil ich spüre, wie gut Wisam es findet. In dieser ersten Zeit unserer Ehe hofiert er mich. Er kauft uns Essen. Ich muss noch nicht für ihn kochen und den Haushalt führen.

Zwei Wochen später fahren meine Eltern zurück nach Riad. Sie brechen wie immer früh auf. Gegen zehn Uhr morgens kommen mein Vater und meine Mutter zu uns, um sich von mir zu verabschieden. Mein Vater sagt nicht viel. Er weiß, wie sehr ich beide vermissen werde, aber ich glaube, er möchte es mir nicht noch schwerer machen und schweigt deswegen. Ich schaue aus dem Wohnzimmerfenster zu, wie unser Auto immer kleiner wird, bis es schließlich um eine Ecke biegt und ich es ganz aus den Augen verliere. Ich muss den ganzen Tag weinen. Wisam versucht, mich aufzumuntern. Er sagt: »Ich bin jetzt deine Familie«, aber das tröstet mich nicht wirklich, auch wenn ich weiß, dass er es gut meint.

Und dann beginnt der Alltag. Jeden Morgen beten Wisam und ich zusammen. Er geht arbeiten. Ich putze die Wohnung und koche für ihn.

Nach einigen Wochen zieht seine Familie zu uns, seine Eltern und sein Bruder. Wisams Mutter Hoda ist Mitte vierzig. Sie hat noch vier andere Kinder, alles Mädchen, alle verheiratet. Wisam ist ihr ältester und einziger Sohn, ihr Augenstern. Zu Beginn ist sie sehr nett zu mir, und ich bin froh, sie zur Schwiegermutter zu haben.

Doch schon bald verändert sich unser Verhältnis. Ich glaube, sie ist eifersüchtig auf mich, die Frau ihres einzigen Sohnes, und sie lässt es mich auf jede erdenkliche Art und Weise spüren.

Manchmal stürzt sie noch im Morgengrauen in mein Zimmer und schreit mich an, ich solle ihr beim Aufräumen helfen. Überhaupt streiten wir uns viel über das Putzen. Sie meint, ich würde ihr dabei nicht genug helfen. Ich finde, ich tue mein Bestes. Sie möchte, dass ich Zeit mit ihr und ihren Freundinnen verbringe, wenn sie sie besucht, aber ich kann mit ihnen nichts anfangen und möchte lieber in der Wohnung bleiben, alleine.

An einem Nachmittag koche ich für uns alle Shakria, einen Eintopf mit Fleisch in einer Joghurtsoße. Ich bin völlig versunken, und merke gar nicht, wie Hoda in die Küche kommt. Sie öffnet den Kühlschrank und sieht, dass ich den Joghurt aufgebraucht habe. Sie schreit mich an: »Wenn du Zutaten brauchst, dann lasse sie dir gefälligst von deinem Mann kaufen.« Ich versuche noch, auf sie einzureden, mich zu verteidigen, zu sagen, dass ich doch für uns alle koche, aber sie lässt es nicht gelten.

Ich darf nie alleine etwas essen oder trinken, das ist nicht üblich als Frau. Wenn ich einen Tee trinken möchte oder etwas Süßes essen will, dann muss ich für alle eine Tafel anrichten. Das macht es unmöglich, sich gegenseitig aus dem Weg zu gehen. Die Kluft zwischen meiner Schwiegermutter und mir wird immer tiefer, weil der Raum zwischen uns immer enger zu werden scheint.

Meine Beziehung zu Wisam leidet unter den Spannungen. An den Tagen, an denen er nach Hause kommt und von ihr erfährt, dass wir uns schon wieder gestritten haben, schläft er nicht mit mir. Als würde er mich dafür bestrafen wollen, dass ich mich wehre. Es ist eine schlimme Ernüchterung, dass meine Ehe so schnell so schwer geworden ist. Noch vor wenigen Wochen dachte ich, alles zwischen Wisam und mir würde schön und leicht werden. Es schmerzt, dass ich mich getäuscht habe. Ich vermisse meine Familie noch mehr als kurz nach ihrer Abfahrt.

Als ich denke, dass es gar nicht schlimmer werden kann, geschieht etwas Furchtbares. Es ist ein Tag mitten in der Woche.

Wisam ist wie immer arbeiten. Hoda ist im Krankenhaus, ihre jüngste Tochter besuchen, die gerade ein Kind zur Welt gebracht hat. Ich bin mit Wisams Vater Karim alleine zu Hause. Ich versuche, ihm aus dem Weg zu gehen, und beschließe, die Küche zu putzen, um Hoda gütig zu stimmen, wenn sie aus dem Krankenhaus zurückkommt. Ich stehe an der Spüle, mache den Abwasch und hoffe, dass sie diesmal keinen Grund hat, in mein Zimmer zu stürzen, weil sie einen winzigen Fleck auf einem der Teller entdeckt hat. Auf einmal geht die Tür auf, Salim kommt in die Küche und reißt mich aus meinen Gedanken. Vielleicht möchte er etwas trinken. »Soll ich dir einen Tee machen?«, frage ich ihn. Aber er antwortet nicht. Stattdessen tritt er näher an mich heran, bis er ganz dicht hinter mir steht. Ich höre seinen Atem und fühle, wie er meinen Hintern berührt. Es ist wie damals, als mein Onkel mich angefasst hat, aber es ist auch anders. Dieses Mal kann ich den Übergriff sofort einordnen und finde ihn noch entsetzlicher und ekelhafter als alle anderen davor. Salim ist mein Schwiegervater. Ich lebe mit seiner Frau, ihm und seinem Sohn unter einem Dach. Mir schnürt es die Kehle zu. Ich kann nichts sagen, aber ich mache mich los und stürze so schnell ich kann aus der Küche. Ich renne ins Schlafzimmer und schließe die Tür zu. Drei Stunden lang liege ich zitternd auf dem Bett, meine Gedanken überschlagen sich. Ich fürchte mich vor Wisams Reaktion und hoffe doch, dass er auf meiner Seite sein wird und sich nicht hinter seinen Vater stellt.

Als Wisam nach Hause kommt, vertraue ich ihm an, was geschehen ist. Er sieht mich ungläubig an und sucht die Schuld sofort bei mir. Ich kann es nicht fassen, dass mein eigener Mann glaubt, ich hätte irgendetwas getan, um die Lust seines Vaters zu provozieren. Wisam schreit mich an. Ich ertrage seine Unterstellungen nicht und schreie zurück. »Du hast das falsch gedeutet«, sagt er aufgebracht. »Was gibt es denn daran zu deuten?«, fahre ich ihn an. Wir streiten uns den ganzen Abend. Wisam ist kühl zu mir. Als wir ins Bett gehen, dreht er sich weg und liegt so weit am anderen Ende des Bettes wie möglich. Ich weine mich in den Schlaf.

Spätestens jetzt bin ich in seiner Familie eine persona non grata. Als Wisams jüngere Schwester von unserem Streit erfährt, schreit sie mich vor der ganzen Familie an und beschimpft mich als Flittchen. Hoda schneidet mich noch mehr als vorher. Es ist geradezu unerträglich, in dieser Wohnung aufzuwachen. Jeden Morgen erschlägt mich die Erkenntnis, dass all das kein schlechter Traum ist, sondern mein Leben. Ich fühle mich in meinem Zuhause wie ein Eindringling, ein unerwünschter Gast, dem nichts als Verachtung begegnet.

Nach einer Woche halte ich es nicht mehr aus. In meiner Verzweiflung rufe ich meinen Vater an, und frage ihn, ob ich für eine Weile nach Riad kommen kann. Ich sage ihm nicht, was passiert ist, nur, dass ich ihn und meine Familie vermisse und gerne etwas Zeit bei ihnen verbringen würde. Mein Vater spricht mit Wisam, der sich offensichtlich schnell überzeugen lässt. Ein paar Tage später schreibt mir mein Vater, dass das Busticket von Damaskus nach Riad gebucht ist. Ich muss vor Rührung weinen, als ich die E-Mail öffne.

Die vier Wochen bis zu meiner Abfahrt vergehen schleppend, aber irgendwann sind sie vorbei. Ich esse kaum während dieser Zeit und nehme stark ab. Ich fühle mich schwach. Wisam und ich reden kaum miteinander. Einmal versucht er, mit mir zu schlafen, aber ich weise ihn ab. Seine Berührungen, ja, sein bloßer Anblick wecken Ekel in mir. Ich bin froh, dass er nicht auf sein Recht als Ehemann besteht, sondern mich in Ruhe lässt. Viele Männer würden sich anders verhalten.

Ich bin auch froh und dankbar, dass er mich nach Riad fahren lässt. Er hofft wohl, dass ich vergesse, was vorgefallen ist, wenn ich eine Weile weg bin. Als der Morgen meiner Abfahrt gekommen ist, bringt er mich mit dem Auto zum Busbahnhof. Wir schweigen. Ich schaue aus dem Fenster, er auf die Straße. Er hilft mir mit dem Gepäck, lädt es in den Bus und lächelt verlegen, als wir uns verabschieden. In diesem Moment tut er mir fast leid.

Der Bus ist klein, außer mir sind nur drei Familien und ein älterer Herr eingestiegen. Mit den Gebetspausen dauert die Fahrt von Damaskus nach Riad vierundzwanzig Stunden. In Syrien ist noch Winter, es ist kalt, als wir vor dem Bus stehen. Je näher wir Saudi-Arabien kommen, desto wärmer wird es. Wir halten zu den Gebetszeiten. Ich kaufe mir während einer Pause ein Hühnchen-Sandwich und beiße halbherzig hinein. Aber ich fühle mich, als hätte die Traurigkeit meinen ganzen Körper gefüllt, so dass kein Bissen Essen mehr in mich hereinpasst.

An der Bushaltestelle in Riad stehen meine Mutter und mein Vater, sie warten schon auf mich. Ich sehe die beiden schon von Weitem, wie zwei Stecknadeln, die einen Ort markieren, aus einer Zeit, in der mein Leben noch in Ordnung war. Zwei Gesichter, in die ich das letzte Mal geblickt habe, als ich noch Vertrauen und Zuversicht in mein neues Leben und meine Ehe hatte. In der Sekunde, in der wir uns umarmen, breche ich in

Tränen aus und kann nicht aufhören zu weinen. Ich sage meinem Vater, dass ich nicht in Syrien bleiben kann. Ich erzähle ihm von den Streitereien mit meiner Schwiegermutter, der vielen Putzerei, dem kühlen Blick, mit dem mich Wisam bedenkt, wenn er nach Hause kommt und ich mich wieder mit seiner Mutter gestritten habe. Nur das, was mit Wisams Vater geschehen ist, verschweige ich ihm. Es ist zu ungeheuerlich. Stattdessen betone ich immer wieder, wie sehr ich ihn vermisse, dass ich nicht mehr ohne ihn und meine Mutter leben will.

Wisam und ich telefonieren in der Zeit, in der wir uns nicht sehen, alle zwei, drei Tage. Er bemüht sich um mich, sagt, dass ich ihm fehle, macht mir Komplimente. Irgendwann verblasst meine Erinnerung daran, wie furchtbar alles war, was mir in seiner Familie geschehen ist, etwas. Ich vergesse es nicht, aber es tritt weit genug in den Hintergrund, dass ich nicht mehr so oft darüber nachdenken muss und wieder daran glauben kann, dass unsere Ehe noch zu retten ist.

Es ist eine ruhige Zeit in Riad. Ich backe mit meiner Mutter und helfe ihr im Haushalt. Ich male mit meinen Nichten und Neffen Bilder, spiele mit ihnen. Es tut gut, wieder Tochter zu sein und sich ein bisschen wie ein Teenager zu fühlen.

Nach und nach vertraue ich mich meinen Eltern immer mehr an. Ich erzähle ihnen, wie harsch Wisams Mutter sich mir gegenüber benimmt, dass sie mich am frühen Morgen aus dem Bett zerrt, damit ich ihr im Haushalt helfe. Dass sie mich anfährt, wenn ich Lebensmittel benutze, die im Kühlschrank stehen, um für uns alle etwas zu kochen. Dass ich keine Logik in ihrem Verhalten erkennen kann, denn egal, was ich ihr zuliebe tue, es ist doch falsch und scheint sie nur noch wütender zu machen. Nach einigen Wochen wünsche ich mir, ich würde mich trauen anzudeuten, was zwischen mir und Wisams Vater geschehen ist. Ich versuche, die Wirkung dieser Geschichte auf meine Eltern einzuschätzen, aber es gelingt mir nicht. Ich schäme mich für das, was geschehen ist und beschließe, es ihnen nicht zu erzählen, aus Angst davor, dass sie mir nicht glauben.

Ich bleibe sechs Monate in Riad. Mein Vater versucht fieberhaft, eine Lösung für meine verfahrene Situation zu finden. Er sagt, ich könne mit Wisam in der Ferienwohnung meiner Eltern leben, wenn es uns hilft, die Ehe wieder zu kitten. Er sagt, es sei einen Versuch wert. Er spricht mit Wisam und überzeugt ihn von dieser Lösung. Ich weiß nicht, wie er es macht, aber er schafft es. Im Sommer fahre ich schließlich mit meinen Eltern nach Damaskus zurück. Wie jedes Jahr verbringen sie den Sommer in Syrien, in der Ferienwohnung, die nach dem Sommer Wisam und mir gehören soll. Er wartet dort schon auf uns, als wir ankommen. Er umarmt und küsst mich, als ich aus dem Auto steige. Er sagt: »Du hast mir so gefehlt.« Und ich merke, dass ich ihn auch vermisst habe. Er hilft uns, das Gepäck nach oben zu tragen, fragt meinen Vater, wie die Fahrt war, und sagt meiner Mutter, dass er sich freut, sie wiederzusehen. Dieser Sommer ist so schön und unbeschwert, dass ich wieder etwas Zuversicht gewinne, und als meine Eltern nach einigen Wochen wieder fahren, bin ich sehr erleichtert darüber, nicht zu Wisams Mutter zurückkehren zu müssen. Eine schöne, ruhige Zeit beginnt. Ich fühle mich endlich sicher und geborgen, es macht mir Spaß, für meinen Mann zu kochen, die Wohnung sauber zu halten, und ich genieße es, niemanden um mich zu haben, der mich ständig kritisiert. Wisam bringt mir Blumen mit, er lobt meine Kochkünste und ist sehr aufmerksam. Im Vergleich zu unserem vorherigen Leben ist es ein Unterschied wie Tag und Nacht. Als wären wir ein ganz anderes Paar, als wir es noch vor einem halben Jahr gewesen sind.

Doch diese friedliche Zeit hält nicht lange an. Kaum einen Monat nach der Abfahrt meiner Eltern gibt es schon wieder Probleme. Hoda kann es nicht ertragen, dass ihr Sohn so oft mit mir zusammen ist. Sie wirft ihm vor, er lasse seine Eltern im Stich und verlangt, dass er wieder zu ihnen zieht. Wisam traut sich nicht, sich seiner Mutter zu widersetzen. Ich weigere mich, noch einmal in diese Wohnung zu ziehen. Er schlägt deshalb einen Kompromiss vor: Ich solle jeden Tag bis fünf Uhr zu Hoda gehen und ihr im Haushalt helfen, abends könne ich dann in unsere Wohnung zurückkehren. Er sagt, wir, seine Mutter und ich könnten uns einander so vielleicht wieder ein bisschen annähern.

Ich stimme ihm widerwillig zu. Als ich das erste Mal vor der alten Wohnung stehe, schlägt mein Herz wild, und alles in mir sträubt sich gegen das, was hinter dieser Tür auf mich wartet. Doch Hoda ist jetzt tatsächlich netter zu mir. Sie bedankt sich an guten Tagen sogar dafür, dass ich ihr helfe. Wisams Vater meide ich, so gut es geht. Sobald wir zu zweit in einem Raum sind, gehe ich in einen anderen Teil der Wohnung. Ich versuche, mich möglichst an Hoda zu heften und so wenig wie möglich alleine zu sein. Wenn wir doch mal ein paar Worte wechseln, bin ich so freundlich zu ihm, wie es geht, aber ich muss mich sehr überwinden.

Im Oktober werde ich schwanger. Obwohl es früher geschieht, als ich dachte, gewöhne ich mich nach und nach an den Gedanken, und kann mich sogar darüber freuen. Vielleicht bringt mich ein Enkelkind Hoda näher, und sie akzeptiert endlich, dass Wisam und ich jetzt eine Familie sind.

Doch in der elften Woche, an einem Nachmittag im Dezember, bekomme ich auf einmal starke Unterleibsschmerzen. Ich blute. Sofort rufe ich Wisam an, ich weine, gerate in Panik. Er holt mich von zu Hause ab, und wir fahren so schnell es geht ins Krankenhaus. Aber die Ärzte können nichts tun. Ich verliere mein Kind.

Als ich im Aufwachraum wieder zu mir komme, bin ich keine werdende Mutter mehr. Der Schmerz ist tiefer und mächtiger, als ich es mir je hätte vorstellen können, er nimmt mich völlig in Beschlag. Ich bin so traurig, antriebslos und möchte nichts tun, was mit dem Leben zu tun hat: Ich will nicht essen, nicht das Haus verlassen, mich nicht bewegen, lesen oder mit anderen Menschen sprechen. Ich liege den ganzen Tag im Bett, starre an die Decke, halte den Schmerz kaum aus. Manchmal kommt Wisam in unser Zimmer und zwingt mich dazu, wenigstens ein paar Bissen zu essen. Dann wagt er noch einen Schritt mehr und fragt mich, ob ich mit ihm in mein Lieblingsrestaurant fahren möchte. Er tut sein Bestes, um mich abzulenken, mich dazu zu bringen, mich um mich selbst zu kümmern. Er kann den Schmerz verstehen. Es hilft mir, wie aufrichtig er sich bemüht, mich zu trösten. Nach einem Monat schaffe ich es, langsam aus meinem Loch zu kriechen und in manchen Augenblicken wieder etwas hoffnungsvoller zu sein, doch die Trauer begleitet mich weiter.

Ich versuche, darüber nachzudenken, was ich mit meinem Leben in Syrien machen könnte. Ich vermisse die Schule und das Gefühl, jeden Tag etwas zu lernen, etwas Neues zu erfahren, etwas, das nichts mit meinem Alltag in der Wohnung zu tun hat. Ich habe nie aufgehört, davon zu träumen, eines Tages zu studieren. In den Wochen nach unserer Hochzeit hat Wisam mir noch versichert, es würde ihn nicht stören, wenn ich studierte. Er hat gesagt, ich solle mir etwas Zeit lassen, mich einleben, dann würden wir darüber reden, schließlich hatte er es meinem Vater vor unserer Hochzeit versprochen. Doch immer, wenn ich das Thema zur Sprache brachte, reagierte er verärgert, und es kam zum Streit. Auch nachdem wir unser Kind verloren haben, als ich dringend etwas brauche, das mich wieder ein wenig aufrichtet, rückt er nicht von seinem Standpunkt ab. Er sagt: »Du wirst niemals zur Universität gehen, solange du meine Frau bist. Dort lernst du nur andere Männer kennen und kommst auf dumme Gedanken.« Ich versuche, ihm zu erklären, dass es mir nicht um andere Männer gehe, dass ich nur Augen für ihn habe, aber alle Versuche scheitern. Er spricht nach jeder dieser Auseinandersetzungen tagelang nicht mit mir. Irgendwann sehe ich ein, dass die Diskussionen hoffnungslos sind. Ich habe keine Energie mehr, mich mit ihm zu streiten, und höre auf, ihn zu beknien.

Ich fühle mich noch immer fremd in Syrien, das hat sich nicht gebessert. Zwar wohnen meine Tanten und Cousinen, meine Großeltern und meine Onkel in der Nähe von Damaskus, aber ich muss Wisam immer um Erlaubnis fragen, wenn ich sie besuchen möchte. Meistens willigt er zwar ein, aber ich habe an den meisten Tagen so viel Arbeit im Haushalt, dass ich gar nicht dazu komme, jemanden zu besuchen. Wenn ich es doch tue, ist die Freude darüber, alle wiederzusehen, vom schlechten Gewissen getrübt, keine gute Ehefrau zu sein. Deswegen gehe ich nur selten zum Haus meines Großvaters, wo wir uns alle treffen und gemeinsam essen. An den meisten Tagen frage ich mich jedoch, was ich eigentlich mache in diesem Land, ob das jetzt für immer mein Leben sein soll. Ich überlege fieberhaft, wie ich entkommen kann aus dieser verfahrenen Situation, dieser Ehe, diesem Leben. An anderen Tagen versuche ich, das Beste aus den Karten zu machen, die mir zugeteilt wurden. Ich freue mich über den Duft der Jasminsträucher auf den Straßen von Damaskus, ein Duft, der so stark ist, dass er alles überstrahlt, wenn der Wind richtig steht, und man am Abend oder in den frühen Morgenstunden die Straße hinunterläuft. Manchmal stehe ich früh auf und kaufe Fatayer, gefüllte Teigtaschen, für Wisam und mich. Ich bitte meinen Vater um Geld, wenn Wisam mir keines gibt, weil wir sparen müssen. Ich telefoniere manchmal mit Nona und vertraue mich ihr an. Wir sprechen viel in diesen Tagen, nachdem ich mein Kind verloren habe. Die Telefonate mit ihr sind eine wichtige Stütze. Ich bin ihr so dankbar dafür, dass wir miteinander sprechen können, dass ich eine Goldkette verkaufe, die mir mein Vater geschenkt hat, als ich noch zur Schule ging, und mit dem Geld eine große Pralinenschachtel für sie besorge. Nona sagt, wenn es wirklich so schlimm ist mit Wisam und in Syrien, dann könne ich mich doch irgendwie scheiden lassen und wieder nach Riad kommen. Aber natürlich wissen wir beide, welches Stigma in unserer Gesellschaft damit verbunden ist. Eine Scheidung ist wirklich der allerletzte Ausweg. Wisam würde das niemals zulassen. Er würde mich nicht gehen lassen, sich nicht der Scham ausliefern, die eine Scheidung über einen Mann bringt. Auch wenn die Schuld in erster Linie der Frau, also mir, zugeschrieben werden würde, würde er, glaube ich, trotzdem das Gefühl haben, dabei sein Gesicht zu verlieren.

In diesem Sommer heiratet mein Bruder Omen in Damaskus. Ich beschließe, mir die Haare für diesen Anlass blond zu färben, wie die Frauen in den Modezeitschriften. Meine Eltern sind zu Besuch, ich gehe mit meiner Mutter einkaufen, und ich kaufe mir unter anderem Hotpants, die ich unter meiner Abaya trage und zu Hause, in der Hitze des Sommers, auch ohne das Gewand darüber. Wisam gefällt mein neues Aussehen. Es ist ein bisschen wie zu Beginn unserer Ehe, er sagt mir, dass er mich schön findet, was mich sehr freut.

Wisam arbeitet während dieser Zeit sehr viel. Er verlässt das Haus schon früh am Morgen und kommt oft erst gegen zehn Uhr abends zurück. An einem Nachmittag besucht mich Onkel Bark, er möchte ein Geschenk abholen, das mein Vater für ihn bei uns hinterlegt hat. Als ich ihm die Tür öffne, trage ich die neuen Hotpants und keinen Schleier. Ich sehe an seinem Blick, dass er das nicht gut findet, denke mir aber nichts weiter dabei, schließlich ist Bark nicht mein Mann, und Wisam gefällt es, wie ich mich kleide.

Wenige Tage später kommt der älteste Sohn meines Onkels Omen, Abdullah, zu Besuch, während Wisam nicht da ist, und sagt, er möchte mir gerne helfen, die Anwendungen auf meinem Computer zu aktualisieren. Weil er sich für IT interessiert und sich mit Computern richtig gut auskennt, wundere ich mich zwar ein bisschen über seine plötzliche Hilfsbereitschaft, freue mich aber auch darüber. Ich ahne auch nichts Böses, als er in den Wochen danach regelmäßig kommt, und bei jedem Besuch einen Tee mit mir trinkt. Wir plaudern über seine Pläne, einen IT-Kurs zu belegen, und über meinen Vater, den alle in der Familie bewundern.

Manchmal besuche ich auch meine Schwester, die mit ihrem Mann und den zwei Kindern nicht weit von uns entfernt wohnt. Ich versuche, die leeren Tage so gut es geht zu füllen. Seit der Fehlgeburt verlangt Hoda nicht mehr von mir, dass ich täglich zu ihr komme und ihr im Haushalt helfe. Das ist eine große Erleichterung.

Eines Nachmittags klingelt Abdullah völlig aufgeregt bei mir. Er sagt, die Schwester seines Freundes Jussuf stecke in einem Dilemma: Ein Mann namens Hassan wolle sie heiraten. Er gefalle ihr zwar sehr, aber sie sei sich nicht sicher, ob er ihr treu sein werde. Er fragt mich, ob ich bereit wäre, den Lockvogel zu spielen, und mich mit ihm zu verabreden. »Aber ich kenne ihn doch gar nicht«, sage ich etwas verwirrt, weil ich mich frage, wie Abdullah gerade auf mich kommt. »Deswegen ist es ja perfekt. Wenn du ihn anrufst und sagst, du hast die Nummer von einem seiner Bekannten und er sich dann sofort mit dir treffen will, dann ist das schon verdächtig«, sagt er. Ich bitte ihn um Bedenkzeit, weil mir nicht ganz wohl ist bei dem Gedanken daran, mich mit einem fremden Mann zu verabreden, auch wenn es nur als Lockvogel ist. So wichtig ist die Sache dann aber doch nicht, ich vergesse sogar, Wisam am Abend davon zu erzählen.

Doch Abdullah lässt nicht locker. Schon am nächsten Tag kommt er wieder und fragt mich, ob ich mich entschieden habe. Irgendwie tut mir die Schwester seines Freundes leid, und ich lasse mich dazu überreden, den Ehemann in spe kurz anzurufen. Ich wähle die Nummer, die mir Abdullah vorliest. Es klingelt dreimal, dann hebt jemand ab. Das Gespräch ist kurz. Wir verabreden uns für den nächsten Tag. Er hat tatsächlich angebissen. Abdullah nimmt das Gespräch auf, er sagt, er werde es Jussufs Schwester vorspielen. Er geht, als sei alles in Ordnung.

Aber das ist es nicht, denn was ich zu diesem Zeitpunkt noch nicht weiß: Abdullah hat mir eine Falle gestellt. Er gibt die Aufnahme Omen, der sie Bark und zwei anderen meiner Onkel vorspielt. Sie rufen meinen Bruder an, sie rufen Wisam an, und stellen mich als Ehebrecherin dar. Warum, weiß ich nicht, aber als mein Bruder mich einen Tag später am Telefon beschimpft, wird mir klar, dass Bark mir etwas anhängen will. Bei meinen Onkeln gelte ich sowieso schon als Rebellin, wer weiß, was ihn veranlasst, jetzt dieses Spiel zu spielen. Spätestens seitdem ich mir für die Hochzeit meines Bruders die Haare blond gefärbt habe, denkt er anscheinend, ich sei ein Flittchen, die alles dafür tut, um die Aufmerksamkeit von Männern zu erregen. Dass ich es wage, kurze Hosen zu tragen und mich modern zu kleiden, reicht ihnen allen anscheinend schon aus als Anlass, um mich anzugreifen. Es war mir davor nicht klar, aber diese kleinen, vermeintlich belanglosen Dinge haben wahrscheinlich dazu geführt, dass ich in ihren Augen bestraft werden muss. Ich bekomme panische Angst, als ich das alles verstehe. Ich bin alleine in der Wohnung. Wer weiß, wozu Bark noch fähig ist. Er hat schon einmal alle Grenzen überschritten.

In meiner Verzweiflung laufe ich zu meiner Schwester. Ich zittere, als ich klingele. »Rana, was ist denn los?«, fragt sie. Ich erzähle ihr unter Tränen, was passiert ist. Sie blickt mich sorgenvoll an. Zwei Stunden später klopft es laut an der Tür. Es sind meine Onkel Omen, Bark, Osim und Raif. Sie brüllen, beschimpfen mich und schreien, ich müsse dafür büßen, was ich Wisam angetan habe. Sie sagen, sie wollen mich mitnehmen. Meine Schwester öffnet ihnen nicht die Tür, doch meine Onkel kommen einfach in die Wohnung, obwohl sie ihnen den Eintritt verwehrt. Bark und Omen stürzen sich auf mich, sie zerren mich an den Haaren und schubsen mich auf den Boden. Sie treten auf mich ein, und ich sehe, dass Bark eine Pistole an seinem Gürtel hat. »Wir bringen dich um«, ruft Bark, immer wieder, irgendwann gebe ich unter ihren Tritten und Schlägen auf, lasse alles geschehen.

Meine Schwester schafft es irgendwie, Wisam anzurufen. Sie sagt: »Du bist der Einzige, der Rana jetzt helfen kann.« Ich weiß nicht genau, wie lange es dauert, bis er kommt, aber als er endlich da ist, lassen meine Onkel von mir ab. Ich krieche zu Wisam und küsse seine Hand. »Sag ihnen, dass ich nichts Böses getan habe, du weißt doch, dass du mir vertrauen kannst, bitte, mein lieber Mann, hilf mir«, sage ich unter Tränen. Er hilft mir wortlos auf die Beine und fährt mich zu seiner Familie, meine Onkel hinterher, sie beschimpfen mich weiter. Sie sagen, dass das noch lange nicht alles war, dass ich bloß nicht denken solle, sie würden mich jetzt in Ruhe lassen. Mein Gesicht ist geschwollen, ich schmecke Blut in meinem Mund, kann kaum gehen, aber ich spüre kein Mitgefühl von meinem Mann.

In der Wohnung seiner Eltern bringt Wisam mich in das kleine Gästezimmer. Meine Onkel folgen uns auch hierhin. Sie drohen Wisam: »Sobald Rana das Haus verlässt, erschießen wir sie.« Drei Tage lang liege ich alleine in dem Zimmer, gefangen wie ein Tier. Niemand sieht nach mir oder bringt mir etwas zu essen. Ich fühle mich wie Abfall. Warum glaubt Wisam meinen Onkeln mehr als mir? Ich verzweifle, falle in einen Zustand, der sich anfühlt wie eine Art Koma, ich schlafe viel, nehme den Raum kaum noch wahr. Als hätte mich mein Körper in eine Trance versetzt, die alles erträglicher machen soll.

Am dritten Tag kommt mein Vater. Er fragt schon an der Tür, wo ich bin, seine Stimme im Flur reißt mich aus der Lethargie. Ich stehe auf und rufe nach ihm. Meine Stimme bricht, so lange habe ich mit niemandem gesprochen. Als er vor mir steht, werde ich ohnmächtig, vor Erleichterung und sicher auch, weil ich zu schnell aufgestanden bin.

Mein Vater beugt sich über mich und streichelt mir die Wange, bis ich aufwache. Sein Blick ist so zornig, als er zu Wisam sagt: »Keiner fasst meine Tochter an, solange ich hier bin.«

Er führt mich aus der Wohnung, ich stütze mich dabei auf ihn und weine, wir müssen ganz langsam gehen. Ich bin so unendlich froh, dass er gekommen ist. Wir fahren zur Wohnung meiner Schwester. Er kauft Schawarma für uns alle und sagt, ich solle mich hinlegen. »Du musst dich ausruhen. Morgen sehen wir weiter.«

Meiner Schwester ist sichtlich unwohl, dass ich wieder in ihrem Haus bin. Sie ist die Brave von uns beiden, hält sich immer an alle Regeln, trägt kein Make-up, macht sich um alles und jeden Sorgen. Sie hat Angst, dass meine Onkel oder Wisam noch einmal in die Wohnung kommen und nach mir suchen. »Dieses Mal werden sie Rana umbringen«, sagt sie beim Frühstück. Ich schaue zu Boden, so, wie ich es die ganze Zeit tue.

Wir bleiben eine Woche. Nachdem ich ihm die ganze Geschichte erzählt habe, geht mein Vater zu Bark und Omen und hört sich die Aufnahme an, die mich angeblich so belastet. Er glaubt ihnen nicht. Sie werden wütend, aber er bleibt dabei: »Meine Tochter würde so etwas niemals machen«, sagt er zu ihnen. Dann regelt mein Vater die Angelegenheit mit Wisam. Wir lassen uns scheiden. Ich weiß nicht genau, was mein Vater ihm versprechen oder wie viel er bezahlen musste, um mich freizukaufen. Aber es funktioniert.

Im Auto nach Riad weine ich von Damaskus bis zur syrischen Grenze. Mein Glaube an die Liebe und das Märchen vom Ehemann, der seine Frau auf Händen trägt, sind zerbrochen. Ich fühle mich verraten, erniedrigt und tief verletzt.

4.

Frauen dürfen hier nicht träumen

Ich bin wieder in Riad, meine Ehe ist gescheitert. Es beginnt eine der dunkelsten Zeiten meines Lebens, doch es gibt zum Glück immer noch Nona. Obwohl er es nicht richtig findet, bringt mein Vater mich manchmal heimlich zu ihr, weil er sieht, wie wichtig dieser Trost für mich ist. Ich kann sie dann wenigstens eine halbe Stunde sehen und mit ihr sprechen. Wenn das nicht geht, telefonieren wir.

So komme ich nach und nach wieder in Riad an. Irgendwann beschließe ich, einen Englischkurs zu besuchen und schreibe so oft es geht Textnachrichten an Nona. Eines Nachmittags sagt sie, ich solle mich um eine Stelle in dem Krankenhaus bewerben, in dem sie auch arbeitet. Ich frage meinen Vater um Erlaubnis, und er gestattet es mir. Frauen dürfen in Saudi-Arabien nur mit der Erlaubnis ihres Vormunds, also des Vaters, Bruders oder Ehemanns, arbeiten. Mein großes Glück ist, dass mein Vater wieder mein Vormund ist, nicht mein Ehemann, und dass Papa es so gut mit mir meint. »Ein bisschen Ablenkung kann sicher nicht schaden«, sagt er, und meine Mutter wagt es nicht, ihm zu widersprechen, obwohl ich weiß, dass sie nichts von der Idee hält.

Also bewerbe ich mich und bin völlig überrascht, als ich wenig später von einer Angestellten aus der Personalabteilung des Krankenhauses angerufen werde, die mich einlädt, an einem zehntägigen Einarbeitungsseminar teilzunehmen. Ich sage sofort zu und schreibe Nona eine Nachricht. »Danke, meine Liebe. Morgen werde ich eingearbeitet, alles nur deinetwegen!«, schreibe ich. Sie antwortet in nicht einmal einer Minute, wir sind beide aufgeregt. Schon alleine, weil ich Nona wieder jeden Tag sehen möchte, so wie früher in der Schule, will ich das Seminar unbedingt gut absolvieren.

Das Krankenhaus ist ein mächtiger Glasbau mitten in Riad. Als mich mein Vater am ersten Einarbeitungstag dort absetzt, schaue ich mir beeindruckt die verspiegelte Fassade an. Das Krankenhaus ist Teil eines Netzwerks medizinischer Einrichtungen von Sulaiman Al-Habib, einem erfolgreichen Mediziner, der auch in Bahrain und den Vereinigten Arabischen Emiraten Krankenhäuser gebaut hat, in denen nur die Reichsten der Reichen behandelt werden. Es hat einen sehr guten Ruf, dementsprechend hoch sind aber natürlich die Anforderungen an das Personal, was mir ein bisschen Angst macht. Der Ausbildungsleiter sagt, dass nur die besten fünf aus dem Seminar einen Arbeitsvertrag bekommen werden. Ich bin deshalb furchtbar aufgeregt, denn ich will unbedingt alles richtig machen. Wir lernen, mit dem Computerprogramm umzugehen, das das Krankenhaus verwendet, um Patientenakten zu organisieren und üben, wie man sich am Telefon meldet und auch, wie man Patienten gegenüber auftritt. Als Gesundheitsassistentinnen haben wir keine medizinischen Aufgaben wie die Krankenschwestern, sondern sind das Bindeglied zwischen den Patienten und dem medizinischen Personal. Nach zehn Tagen, in denen ich mich so sehr ins Zeug gelegt habe wie selten in meinem Leben, ist es dann schon so weit: Wir bekommen die Ergebnisse der Abschlussprüfung mitgeteilt, und ich kann es kaum glauben, aber ich habe wirklich bestanden. Als der Ausbildungsleiter sagt: »Rana, du hast mich wirklich beeindruckt!«, glühen meine Wangen vor Stolz. Ich laufe gleich zu Nonas Station und falle ihr um den Hals. »Ab morgen sind wir Kolleginnen!«, sage ich, und wir kichern beide wie verrückt.

Zu Beginn bin ich furchtbar aufgeregt und nicht sicher, ob ich dem Druck wirklich gewachsen bin. Aber ich lebe mich gut ein. Zunächst ist die Rezeption der Zahnklinik mein neuer Arbeitsplatz, meine Aufgabe ist es, Versicherungsanträge in das System einzutragen. Außerdem bin ich für die Koordination von Operationen zuständig und sehe nach Patienten, um nach deren Befinden zu fragen und die Krankenschwestern zu holen, wenn sie danach verlangen.

Es ist schön, wieder mit Nona zu arbeiten, das macht mich wirklich glücklich. Am Anfang sind wir wie ein frisch verliebtes Paar. Wir umarmen uns innig, als ich meinen ersten richtigen Arbeitstag habe. Nach und nach verfallen wir wieder in unsere Rituale, verstecken Süßigkeiten in unseren Umkleideschränken, die wir an stressigen Tagen mit diebischer Freude verschlingen, machen uns über merkwürdige Kollegen und nervige Patienten lustig, und schwärmen einander von Popstars und amerikanischen Schauspielern vor. Unsere Kolleginnen sagen, man könnte denken, wir seien ein altes Ehepaar, weil wir jede Pause miteinander verbringen, zwischen den Schichten Steak mit Pilzen in der Cafeteria essen und einander alles erzählen, was wir in den Jahren, als ich in Syrien war, am Telefon nicht besprechen konnten. Nach ein paar Wochen macht mir die Arbeit so großen

Spaß, dass ich sogar manchmal die dunklen Stunden vergesse, die ich in Damaskus erlebt habe. Bald wirkt meine Ehe fast nur noch wie ein böser Traum, ich denke immer seltener an das, was mir in Syrien zugestoßen ist, und ich genieße den kleinen Freiraum, die Selbstständigkeit, die mir meine Arbeit im Krankenhaus erlaubt.

Nachmittags und abends arbeite ich nun immer dort, und weil oft Englisch gesprochen wird – viele der Krankenschwestern kommen von den Philippinen oder aus anderen Ländern, in denen man kein Arabisch spricht –, belege ich vormittags einen Englischkurs an einer Sprachschule, die als eine der besten der Stadt gilt.

Dort hinzugehen ist fast ein bisschen so, wie es für junge Frauen in anderen Ländern sein muss, wenn sie zum ersten Mal in einen Club gehen. Es ist ein Gefühl von Freiheit, wir jungen Frauen, die den Kurs besuchen, stylen uns für den Unterricht richtig auf – weil wir unter uns sind, dürfen wir im Klassenraum die Abayas und Schleier abnehmen –, tauschen den neuesten Klatsch aus, wir diskutieren über Stars und Musikvideos. Unsere Lehrerin Sal ist gebürtig aus Saudi-Arabien. Aber sie ist so modisch gekleidet wie kaum eine der Frauen, die ich im realen Leben zu Gesicht bekomme. Das liegt auch daran, dass sie in Amerika gelebt hat. Ihr Vater hat dort für die saudische Botschaft gearbeitet. Sie spricht perfekt Englisch und wirkt sehr kosmopolitisch, so, als habe sie schon sehr viel gesehen, erlebt und gehört. Sie trägt ihre Haare kurz und hat die Spitzen blond gefärbt, sie wirkt fast ein bisschen punkig. Es ist sehr ungewöhnlich, dass eine Frau in Saudi-Arabien sich traut, eine solche Frisur zu tragen, es kommt eigentlich nur in Familien wie Sals vor, in bessergestellten Kreisen, in Familien, die im Ausland gelebt haben und für die Regierung arbeiten. Die Frauen dieser Familien müssen nicht die gleichen Repressalien fürchten, wenn sie ein wenig aus der Reihe tanzen, wie die aus weniger einflussreichen Familien.

Sal wird innerhalb kürzester Zeit eine wichtige Person in meinem Leben, ich bin fasziniert von ihr, denke oft über sie nach, und rätsele die ganze Zeit, warum eine Frau wie sie, die so gut Englisch spricht und im Ausland gelebt hat, nach Saudi-Arabien zurückgekehrt ist und in einer Sprachschule Englischunterricht gibt, statt für die Medien zu arbeiten oder etwas zu machen, das spannender ist und sie fordert. Etwas, das sie freier sein lässt. Sie wirkt nicht wirklich glücklich. An einem Vormittag, als wir gerade eine kurze Pause machen, traue ich mich und frage sie, warum sie zurück nach Saudi-Arabien gekommen ist, wie sie es hier aushält, und ob sie nicht lieber etwas ganz anderes mit ihrem Leben machen würde. Sie lacht nur und winkt ab. Dann ist die Pause vorbei, ohne dass sie etwas dazu gesagt hätte.

Wir haben täglich vier Stunden Unterricht, von neun bis ein Uhr. Meistens bringt mich mein Vater zum Kurs. Die Fahrt dauert an guten Tagen zwanzig Minuten und an schlechten Tagen eine Stunde. Wir fahren die Khurais Road entlang, eine vierspurige Hauptverkehrsstraße, die mitten durch Riad führt, wo sich der Verkehr zur Feierabendzeit manchmal so zäh bewegt, dass man die Hoffnung verliert, jemals irgendwo anzukommen. Im Auto reden wir über Belangloses, manchmal hören wir auch nur Radio und sagen gar nichts, aber das stört mich nicht, weil ich meinem Vater so nahe bin, dass ich auch die Stille mit ihm genießen kann. Der Unterricht vergeht dann immer wie im Flug. Sal ist eine gute und unterhaltsame Lehrerin, mit ihr üben wir Grammatik und lernen neue Vokabeln. Wir haben auch eine Konversations-Lehrerin, eine kräftige Frau Mitte dreißig, die

Rhonda heißt und aus Tansania kommt. Sie ist lustig und fordert uns immer heraus. Wenn sie das Klassenzimmer betritt, und wir sie nicht mit »Good morning, Miss Rhonda« begrüßen, sagt sie laut: »I can't hear my students! What kind of greeting is this?« und beginnt erst mit der Stunde, wenn wir sie laut genug empfangen haben. Sie möchte uns dazu bringen, weniger schüchtern zu sein und laut zu reden, etwas, das uns allen schwerfällt. Meistens gibt sie am Anfang der Stunde ein Stichwort wie »Einkaufen« und zeigt dann auf eine von uns, die fünf Minuten etwas dazu erzählen muss.

Als es mich erwischt, überlege ich: Wann war ich das letzte Mal einkaufen? »Vier Minuten, Rana, ich warte«, sagt Rhonda scherzhaft, während ich angestrengt nachdenke, und sie merkt, dass ich zögere. Dann fällt mir ein, wo ich das letzte Mal einkaufen war, natürlich, in einem der Shops von Aani & Dani, einem Edel-Chocolatier, der in Riad mehrere Filialen hat – ein Paradies! Es gibt dort Trüffelschokolade in Geschmackssorten wie Red Velvet oder Oreo, Schokoladencreme im Glas, Pralinen, die aussehen wie kleine Kunstwerke, Macarons in Pastellfarben und wunderschöne, liebevoll verzierte Kuchen, mit Keksen an der Seite, Schokoladenschleifen, die hundertachtzig Rial kosten, ein Vermögen. Für das gleiche Geld bekommt man bei Eddy, einem Haushaltswaren- und Elektronikladen, einen Staubsauger, einen Toaster oder einen Wasserkocher.

Ich erzähle davon, wie ich mit meinem Vater am vergangenen Freitag nach der Schule spontan dorthin gefahren bin, dass ich mir eine Schachtel Pralinen zusammenstellen durfte. Wie gut es in dem Laden geduftet hat. Dass ich mir ganz viele Brownie-Pralinen ausgesucht habe und überhaupt alles probierte, was so aussah, als würde es besonders intensiv nach Schokolade schmecken. Wie mein Vater sich darüber gefreut hat, dass ich mich freue, wie meine Augen geleuchtet haben müssen. »Schokolade macht mich glücklich!«, sage ich. Meine Erzählung holpert etwas, aber ich schaffe es, vier Minuten zu sprechen. Als ich fertig bin, sagt Rhonda: »Gut gemacht, Rana. Aber warum fährst du nicht *vor* dem Unterricht dorthin und teilst deine Pralinen mit uns?« Sofort kichern wir los, Rhonda steht vor uns, die Hände vor ihrem Körper verschränkt, mit einem triumphierenden Gesichtsausdruck und einem leichten Nicken, als wollte sie sagen: »Seht ihr, so macht man das.« Wir alle lieben sie, nicht nur, weil sie so lustig und herzlich ist, sondern auch, weil sie uns manchmal tatsächlich Schokolade mitbringt, und weil sie jede von uns mit ihren Eigenheiten gut kennt, und uns damit aufzieht. Wir spüren, dass sie mit ganzem Herzen Lehrerin ist.

Ich gehe so gerne in den Kurs, die Zeit vergeht beim Englischlernen wie im Flug. Noch heute erinnere ich mich an den Geruch des Klassenzimmers, es roch immer nach Putzmittel und Edding. Wenn ich früh genug komme, plaudere ich vor dem Unterricht noch mit den anderen Frauen. Dieser Raum ist einer der wenigen Orte, an denen wir uns sehen und austauschen können, ohne unsere Väter, Brüder, Onkel, Ehemänner oder Vorgesetzten im Nacken.

Einmal sitze ich neben Rashida, einem stillen, schüchternen Mädchen mit schönen braunen Augen und Locken. Sie erzählt mir, es sei ihr Traum, Gerichtsmedizinerin zu werden und im Ausland zu studieren. Ihre Augen strahlen. Als ich sie frage, ob sie deshalb Englisch lerne, verfinstert sich ihr Blick auf einmal. »Nein, das ist doch nur so eine Spinnerei. Meine Familie würde mir niemals erlauben, im Ausland zu studieren.« In Saudi-Arabien dürfte sie ja auch gar nicht als Gerichtsmedizinerin arbeiten. Es ist so traurig, das in dieser Deutlichkeit zu hören, aber sie hat recht. Rashidas Träume, so wie die der meisten von uns, werden nie mehr sein als das: Spinnereien, mit denen man sich von traurigen Momenten ablenkt, die man aber unweigerlich irgendwann aufgeben muss, weil es uns Frauen in Saudi-Arabien nicht gestattet ist, diese Träume zu verwirklichen.

Eine andere Mitschülerin, Safa, fällt mir auf, weil sie so selbstbewusst ist und so schnell spricht, auch auf Englisch, als würde es ihr ganz leichtfallen. Sie erzählt, dass sie aus Ägypten kommt und dort schon ein Bachelor-Studium abgeschlossen hat. Ich bin beeindruckt und frage sie, was sie dort gelernt habe. Als sie sagt, dass sie Urdu studiert habe, falle ich aus allen Wolken, ich muss lachen. »Urdu? Aber warum denn Urdu? Wofür denn?«, frage ich. Sie zuckt einfach nur mit den Schultern und sagt, es habe sie eben interessiert, und auf einmal tut es mir leid, dass ich gelacht habe, denn ich bewundere sie eigentlich dafür, dass sie etwas studiert hat, einfach nur, weil sie mehr darüber wissen wollte, und nicht, weil es ihr irgendwie nützlich ist. Der Gedanke ist mir nur sehr fremd, deshalb war ich verunsichert.

Und dann ist da auch noch Daliah, die klingt, als habe sie ihr Leben lang in den USA gelebt, dabei kommt sie aus einer strenggläubigen Familie und darf das Haus nur verlassen, um den Kurs zu besuchen. Dazu hat sie ihre Eltern lange überreden müssen. Sie ist ein großer Amerika-Fan und verbringt jede freie Minute damit, sich Filme auf Englisch anzusehen. Das erklärt ihre makellose Aussprache – aber sie war noch nie an einem Ort außerhalb von Saudi-Arabien, sie wird diese Sprache niemals dort sprechen können, wo ihre Lieblingsfilme spielen –, wahrscheinlich wird es den meisten von uns so gehen.

Eineinhalb Jahre lang besuche ich den Sprachkurs, er ist ein wichtiger Teil meines Lebens geworden. Doch neben aller Freude ist es auch frustrierend, denn ohne meinen Bruder oder meinen Vater komme ich nicht zum Unterricht. Ich darf, anders als Mädchen aus liberaleren Familien, nicht alleine ein Taxi nehmen, um an einen Ort in der Stadt zu kommen, den ich nicht schnell zu Fuß erreichen kann. Manchmal kann mein Vater mich nicht fahren, und mein größerer Bruder hat keine Lust. In diesen Momenten fühle ich mich wieder fast so wehrlos wie nach den Übergriffen meiner Onkel. Wertlos, abhängig von der Willkür der Männer in meiner Familie. Mein Vater fährt mich, sooft er kann, er sagt mir nur ab, wenn er selber wichtige Termine hat, das weiß ich. Aber mein Bruder ist unzuverlässig, bei ihm hängt es immer von seiner Laune ab, ob er mich zur Schule bringt oder lieber noch im Bett liegenbleibt und Filme schaut. Es macht mich wütend, dass er die Macht hat, mir so im Weg zu stehen.

Unsere Lehrerin Sal reagiert großartig auf unsere Probleme. Sie hat immer für jede von uns Verständnis, die den Unterricht verpasst, auch wenn die Gründe für andere, die, die mit unserer Lebensweise nicht vertraut sind, schwer nachvollziehbar wären. Sal versucht uns immer zu unterstützen, und trotzdem bin ich untröstlich, wenn mein Bruder mich wieder versetzt. Wenn ich eine Stunde verpasst habe, frage ich meine Freundinnen aus dem Kurs, worüber sie im Unterricht geredet haben und lasse mir den Stoff erklären.

Diese ganze Zeit ist anstrengend. Ich stehe jeden Morgen um sieben auf, damit ich pünktlich um neun zum Unterricht in der Sprachschule bin, wo ich bis dreizehn Uhr bleibe. Eine Stunde nach Unterrichtsschluss muss ich schon wieder im Krankenhaus arbeiten, und an den meisten Tagen komme ich erst gegen zehn Uhr abends nach Hause. Manchmal frage ich mich, warum ich mir das antue, alles fühlt sich so mühsam an, so anstrengend, auch so sinnlos manchmal. Werde ich diese Sprache jemals sprechen können? Und mit wem außer mit den Krankenschwestern im Krankenhaus? Ist es die Mühe wirklich wert?

Heute blicke ich auf diese Zeit zurück und denke, dass es in vielen Punkten der Anfang von allem gewesen ist. Ohne diese Fremdsprache wäre mir die Welt, die Freiheit, die in anderen Ländern auf mich gewartet hat, für immer fremd und unerreichbar geblieben.

Nicht nur viel Zeit, sondern auch ein großer Teil meines Gehalts geht für die Kursgebühren drauf. Ich verdiene nicht schlecht, aber der Unterricht ist teuer. Wenn wir extra Gebühren bezahlen müssen, reicht mein Geld dafür manchmal nicht, dann muss ich meinen Vater darum bitten. Es ist mir peinlich, weil ich nicht möchte, dass er denkt, ich koste ihn nur Geld und mache ihm Probleme. Ich weiß, dass er in letzter Zeit viele Rechnungen begleichen musste und es uns finanziell nicht so gut geht, weil das Studium meines Bruders so viel kostet. Er gibt mir dann das Geld, aber ich sehe ihm an, dass er es widerwillig tut, und das kommt sehr selten vor. Er sagt dann: »Das muss eine Ausnahme bleiben, Rana.« Abends liege ich im Bett und schäme mich, weil ich meinen Vater schon wieder anpumpen musste, aber ich bin auch wütend, weil mein Bruder so selbstverständlich sein Studium finanziert bekommt, obwohl er sich noch nicht einmal anstrengt, und alle wissen, dass er in Syrien nur Partys feiert und Mädchen abschleppt.

Dennoch ist es das alles wert, denn dieser Englischkurs ist so wichtig für mich, weil er auch eine Flucht aus der Realität ist, eine Ablenkung von meiner schwierigen Situation und dem

Stress im Krankenhaus. An manchen Tagen kaufe ich mir in der Pause einen Donut und einen viel zu teuren Erdbeersaft in der Kantine. Dann träume ich davon, wie es wäre, ein anderes, freieres Leben zu führen, in Amerika zum Beispiel, oder wie es wohl wäre, wenn ich nicht in Saudi-Arabien aufgewachsen wäre, sondern im Libanon oder in Ägypten.

Meine Mitschülerin Sarah zum Beispiel kommt auch aus Ägypten. Sie ist dreiundzwanzig Jahre alt und lebt seit fünf Jahren in Riad. Ihren Mann hat sie noch in Kairo kennengelernt. Sie arbeitete dort für eine Mietwagenfirma, dort haben sich die beiden das erste Mal getroffen. Er hatte sich einen Wagen bei ihr geliehen. Sie ist seinetwegen nach Riad gekommen. In Kairo trug sie ihren Hijab locker um ihr Haar, sie lebte ein Leben, das viel freier war als das, wofür sie es ihrem Mann zuliebe eingetauscht hat. Sarahs Weg war kein einfacher: Ihre Familie war todunglücklich, als sie erfuhr, dass sie einen Mann aus Saudi-Arabien heiraten möchte. Sie selbst war naiv, als sie nach Riad kam, denn sie dachte, so schlimm könne es schon nicht sein, in diesem Land, in dem es nur reiche Menschen zu geben scheint.

Doch das Leben hier ist nicht so, wie sie es sich vorgestellt hat. Die Familie ihres Mannes war ebenfalls nicht besonders glücklich über seine Entscheidung, Sarah zu heiraten. Sie muss noch immer ständig dafür kämpfen, von ihnen akzeptiert zu werden, und langsam wird sie dessen müde, gibt sich keine allzu große Mühe mehr, ihre Schwiegereltern von sich zu überzeugen. Außerdem findet sie es auch nach fünf Jahren in dieser Stadt noch schwer, sich an die strengen Kleiderregeln zu halten, und umgeht diese deshalb, so oft sie kann. Denn sogar in Riad gibt es Orte, zu denen die Religionspolizei keinen Zutritt hat. Einer davon ist das Kingdom Centre, der über dreihundert Meter hohe, berühmte Wolkenkratzer mit halbbogenförmiger Öffnung und Stahlbrücke an der Spitze, das höchste Gebäude Riads, das Wahrzeichen der Stadt. Nachts sieht man die verglaste Fassade, die in vielen verschiedenen Farben angestrahlt wird, von fast jedem Ort in Riad. Ein gigantischer, hypermoderner Leuchtturm. Es hat zehn Jahre gedauert, bis der Bau fertiggestellt wurde. Das Kingdom Centre gehört Prinz al-Walid ibn Talal, einem der reichsten Menschen der Welt. Er ist auch Eigentümer des Savoy-Hotels in London. Dieses Einkaufszentrum ist der Inbegriff von Luxus, es zieht die Menschen an, Touristen, Geschäftsmänner, aber auch uns junge Frauen. Es gibt Edelboutiquen von Dior und Gucci, Juweliere wie Tiffany, aber auch Läden, in denen wir einkaufen können, wie H&M oder The Body Shop. Weil dieser Ort vor allem auch eine Touristenattraktion ist, soll hier niemand von strengen Geistlichen gestört werden.

Sarah geht deshalb gerne ins Kingdom Centre, sobald sie durch die Glastüren tritt, nimmt sie den Gesichtsschleier sofort ab, und schlendert wie die vielen anderen Frauen aus liberaleren Ländern ganz selbstverständlich nur mit ihrem Hijab, der die Haare verhüllt, durch die Boutiquen.

Trotz der Offenheit, die im Gebäude herrschen soll, stehen vor den Eingängen die Männer von der Religionspolizei und lauern darauf, dass Frauen ohne komplette Verschleierung das Einkaufszentrum verlassen. Vor allem für saudische Mädchen ist das gefährlich, jedes Versäumnis wird sofort bestraft. Sarah denkt immer daran, sich wieder komplett zu verhüllen, wenn sie die Mall verlässt, aber man merkt ihren Erzählungen an, wie albern sie das findet. Sie gesteht mir, dass sie zum Beispiel auch nicht versteht, warum ausnahmslos alle Läden hier in Riad zu den Gebetszeiten schließen. »Was, wenn es einen medizinischen Notfall gibt und ich dringend etwas aus der Apotheke brauche?«, fragt sie mich mit hochgezogenen Augenbrauen. Ich gebe zu, ich habe mich auch schon oft geärgert, wenn ich in der Mittagspause mit einer Kollegin und ihrem Fahrer ins Einkaufszentrum gefahren bin, weil wir schnell etwas erledigen wollten, aber dann feststellen mussten, dass alle Läden geschlossen waren. Aber bis ich höre, wie sich Sarah darüber aufregt, habe ich es nie hinterfragt, sondern es einfach hingenommen.

Am letzten Kurstag bringt Sarah ihren Sohn Mustafa mit. Er ist ein süßes Kind, wilde braune Augen, schwarzer Topfschnitt, Pausbacken, denen wir alle nicht widerstehen können, in die wir am liebsten hineinkneifen wollen. Als wir im Klassenzimmer sitzen und auf Sal warten, sind wir aufgedrehter als sonst. Wohl auch, um unsere Wehmut zu überspielen. Sal kommt schließlich etwas verspätet mit einem großen Karton unter dem Arm in den Klassenraum. Wir sind neugierig, kichern und fragen sie, was in der Kiste ist. Sie schaut geheimnisvoll lächelnd und fordert uns auf nachzusehen. In dem großen Karton sind kleine Schachteln, für jede von uns eine. Alle sind sie liebevoll in Geschenkpapier verpackt, mit je einer großen Schleife verziert und fast zu schön, um sie auszupacken. Wir tun es trotzdem, andächtig, es ist auf einmal ganz still im Raum. Sal hat für jede von uns eine kleine Kette gekauft, Modeschmuck, außerdem sind Pralinen in den Schachteln, und für jede ein handgeschriebener Brief.

Wir bedanken uns, können uns gar nicht beruhigen, sind überrascht und gerührt.

Danach essen wir gemeinsam, jede von uns hat etwas mitgebracht. Es gibt Taboulé, Kibbeh, Hummus, Fladenbrot und meine Jalangi, mit Hackfleisch gefüllte Weinblätter, ein typisches syrisches Gericht, um das sich vor allem meine saudischen Mitschülerinnen reißen. In Saudi-Arabien ist syrisches Essen sehr beliebt. Vielleicht, weil es die Menschen an ihre schönen Urlaube in Syrien erinnert. Wir essen und unterhalten uns ungezwungen, auf Arabisch, ohne auf Grammatik und Aussprache achten zu müssen wie sonst, wenn wir Englisch sprechen. Als sich der Vormittag dem Ende neigt, umarmen wir uns alle innig, haben Tränen in den Augen. Denn uns allen ist klar, dass wir uns nicht einfach so miteinander verabreden können, dass wir Sal wahrscheinlich nie wiedersehen werden, dass es in den meisten Fällen ein endgültiger Abschied voneinander ist. Ich finde diese Abschiede grauenhaft. Sie erinnern mich an meinen letzten Schultag und daran, wie weh es mir damals tat, Nona zu verabschieden, ohne zu wissen, wann und ob wir einander wiedersehen werden. In meinem Brief von Sal, den ich an diesem Tag noch oft lese, steht: »Arbeite hart, sei niemals zu weich zu dir selber, wähle den schweren Weg, denn am Ende lohnt sich dieser immer mehr als der leichte.« Ich kann mit ihren Worten zu diesem Zeitpunkt nicht viel anfangen. Ich bin erschöpft, und ich versuche, dem Ende des Kurses auch etwas Gutes abzugewinnen: Nun muss ich nicht mehr jeden Morgen vor der Arbeit früh aufstehen, und meine Tage haben keine zwölf Stunden mehr. Vielleicht werde ich mich in nächster Zeit nicht mehr ständig so wahnsinnig müde fühlen. Ein ziemlich schwacher Trost, aber ich versuche, das Kommende positiv zu sehen, um nicht zu wehmütig zu sein.

Überhaupt versuche ich, mich auf die guten Seiten meines neuen Lebens zu konzentrieren. Es scheint mir der einzige Weg zu sein, die mich immer wieder aufsuchenden schlechten Gedanken an meine gescheiterte Ehe und die schreckliche Zeit in Syrien ein wenig zurückdrängen zu können.

Ich freue mich sehr, als ich mein erstes Gehalt vom Krankenhaus bekomme, denn ich fühle mich jetzt richtig erwachsen. Es sind viertausendzweihundert Rial, umgerechnet fast eintausend Euro, das erscheint mir wie ein riesiger Haufen Geld. Noch nie war ich so reich, ich möchte mein Glück unbedingt mit aller Welt teilen. Als ich erfahre, dass ich bald zweifache Tante werde – mein Bruder und seine Frau Emma erwarten Zwillinge –, kaufe ich einen ganzen Berg an Babykosmetik und -ausstattung in der Drogerie: Shampoo, Babyöl, Babypuder, Windeln, Breigläschen, winzige Lätzchen. Emma strahlt, als ich ihr die Geschenke überreiche, und auch ich bin überglücklich. In der gleichen Woche, am Freitag, als mein Vater, mein Bruder und ich freihaben, führe ich meine ganze Familie zur Feier meiner neuen Unabhängigkeit in ein syrisches Restaurant im Finanzdistrikt Riads, Olaya, aus. Wir bestellen fast alles, was auf der Karte steht, bis man die Tischdecke vor lauter Platten und Tellern nicht mehr sieht: Taboulé, Fattoush, Kibbeh, Lamm, Fisch, Hähnchen, es ist ein Festmahl, und ich sonne mich in dem Gefühl, dass ich meine ganze Familie von meinem eigenen Geld zum Essen einladen kann. Sogar meine Mutter scheint in diesem Moment stolz auf mich zu sein, obwohl sie noch immer dagegen ist, dass ich arbeite.

Morgens sitze ich weiterhin meistens mit meinem Vater im Auto. Je älter ich geworden bin, desto deutlicher hat sich unser Verhältnis zueinander verändert. Es ist fast noch inniger geworden. Er ist jetzt fast so etwas wie ein guter Freund für mich. Ich spreche ihn sogar mit seinem Vornamen an. Manchmal höre ich im Auto Musik auf meinem MP3-Player, an anderen Tagen unterhalten wir uns. Allerdings selten über Stress oder Probleme auf der Arbeit, davon erzähle ich ihm so gut wie nie, denn ich möchte nicht, dass er sich Sorgen macht. Eines Morgens, drei Jahre vor meiner Flucht, sagt mein Vater einen Satz zu mir, der im Nachhinein fast hellseherisch wirkt: Ich müsse etwas tun für mich und mein Leben, ich müsse entweder heiraten oder studieren oder irgendwann eine unbefristete Stelle finden. Er sagt, ich brauche Sicherheit für die Zeit, wenn er und meine Mutter nicht mehr da sind, oder zu alt sind, um sich um mich zu kümmern. Es ist fast so, als hätte er damals schon geahnt, dass ich eines Tages einen großen Schritt in ein neues Leben wagen würde, denn auch wenn ich mit der Arbeit im Krankenhaus zufrieden bin, auch wenn es mir gelingt, manche Momente meines Lebens zu genießen, bleibt doch das bedrückende Gefühl des Gefangenseins, was mich und viele andere saudische Mädchen und Frauen jeden Tag begleitet, bestehen. Immer, wenn ich morgens den Nikab anlege, weiß ich, dass ich in einem Land lebe, in dem Frauen und Männer unterschiedlich behandelt werden. Immer wieder brechen Ereignisse in mein Leben ein, die mir fast den Boden unter den Füßen wegziehen, die mir unmissverständlich vor Augen führen, in welcher Welt ich lebe. So, wie die Geschichte mit Nona.

Sie und ich verbringen nach wie vor fast jede Pause miteinander. Doch manchmal verschwindet sie einfach, ohne mir vorher Bescheid zu sagen, und ich esse alleine. Ich bin irritiert, aber sie ist dann immer so schnell weg, dass ich nie die Gelegenheit habe, sie zu fragen, was sie macht und mit wem sie diese freie Zeit verbringt. Diese Frage steht zwischen uns, bis ich erfahre, worum sie so ein Geheimnis macht. Er heißt Sami, arbeitet für die saudische Regierung, sieht aus wie ein arabischer Romeo, hat dunkle Haare, funkelnde Augen, einen gepflegten Bart und trägt teure, schicke Kleidung. Nona ist ihm verfallen, und als ich ihn zum ersten Mal treffe, sehe ich, dass auch er sie anhimmelt. Sie treffen sich schon seit einem Jahr, immer heimlich, immer in der Mittagspause, in Restaurants oder in Hotelzimmern. Sami gibt Nona als seine Schwester aus. Das irritiert mich zuerst, schließlich wäre es ein Leichtes, wenn er mit ihr eine Kurzehe eingehen würde, ich mache mir sofort Sorgen, schließlich weiß ich, wissen wir alle drei, wie gefährlich diese Treffen vor allem für Nona sind. »Aber das ist doch wahnsinnig, Nona, warum machst du das?«, frage ich sie, als sie mir alles erzählt. Sie zuckt nur mit den Schultern, sie kann nicht anders, sie ist verliebt. Und ich kann nicht anders, als mich für sie zu freuen, denn noch nie habe ich sie so glücklich gesehen wie in dem Moment, als sie mir von ihm erzählt. Es sprudelt nur so aus ihr heraus, sie scheint so erleichtert, ihre Freude endlich mit jemandem teilen zu können. Als ich Sami zum ersten Mal treffe, lädt Nona mich ein, mit ihnen essen zu gehen. Er holt uns ab, und wir fahren eine Dreiviertelstunde durch die Stadt, bis wir in einem edlen Restaurant ankommen. Es ist nicht ganz ungefährlich, mit einem Mann, mit dem wir nicht verwandt sind, im Auto zu sitzen. Aber ich riskiere es, weil Nona es riskiert und sie meine beste Freundin ist. Ich bin glücklich, dass sie mir ihr Geheimnis anvertraut hat, dass es einen wirklich guten Grund für ihre Heimlichtuerei gab. Ich sage Sami, wie sehr ich Nona mag, dass ich möchte, dass er vorsichtig ist, dass er aufpassen soll. Er lacht und sagt: »Natürlich, du musst dir keine Sorgen um deine Freundin machen.« Ich glaube ihm, obwohl ich mein ungutes Gefühl nicht ganz abstellen kann.

Sami überhäuft Nona mit Geschenken, Parfum, einem Smartphone. Sie ist total verliebt in ihn und kauft ihm Klamotten und Aftershave. Bald vergesse ich meine Bedenken ganz und freue mich einfach für die beiden. Manchmal bin ich dabei, wenn sie essen gehen. Wir sitzen in einem Separee, wo wir unsere Schleier abnehmen können. Das Personal denkt wahrscheinlich, dass wir Samis Schwestern sind, niemand hinterfragt, dass ein Mann mit zwei Frauen in das Restaurant geht. Aber würde uns die Religionspolizei erwischen, gäbe es für uns alle drei richtig Ärger. Man würde uns mit auf die Wache nehmen, unsere Eltern anrufen, wir müssten mindestens eine Geldstrafe zahlen. Es ist ein Risiko, das ich nur Nona zuliebe eingehe. Es ist zu schön, meine Freundin so strahlend zu sehen. Ich weiß, dass das, was die beiden tun, gegen die Scharia verstößt, aber sie zu sehen, ist ein bisschen so, wie selber verliebt sein, ihre aufgekratzte Stimmung springt auf mich über, und ich gehe nach den gemeinsamen Essen ganz beschwingt in die zweite Schicht.

Nona wurde von ihrem Vater missbraucht. Den Glauben an den Nutzen, eine perfekte und fromme Muslima zu sein, die Hoffnung, das könnte sie vor Übergriffen und Leid schützen, hat sie früh verloren. Ihre Mittagspausen mit Sami sind für sie ein Weg, sich etwas von dem Glück zurückzuholen, das man ihr viel zu früh genommen hat. Vielleicht wird sie deswegen irgendwann leichtsinnig.

Es ist ein heißer Tag im August, als ich Nona verliere. Im August ist es in Riad so heiß und trocken, dass man so schnell wie möglich vom Auto zum Eingang des nächsten Gebäudes läuft, und auch sonst jeden unnötigen Schritt unter freiem Himmel meidet. Auf der Straße ist es kaum auszuhalten, und die Klimaanlagen in den Gebäuden sind so kalt eingestellt, dass man friert und einen Pullover braucht. Anders erträgt man den Sommer in dieser Wüstenstadt einfach nicht.

Wie fast jeden Morgen bringt mich mein Vater zur Arbeit, die Sonne brennt auch jetzt schon höllisch heiß vom Himmel, und ich laufe ganz schnell vom Auto in die kühle Empfangshalle des Krankenhauses, eine Zuflucht vor der trockenen Luft draußen. Nona und ich sehen uns noch in der Umkleidekabine. Ich sehe an ihrem strahlenden Gesichtsausdruck, dass sie sich heute wieder mit Sami trifft. Ich kann es ihr immer an der Nasenspitze ablesen. Sie fragt mich, ob ich mitkommen möchte. Ich habe schon lange nicht mehr mit den beiden gegessen und freue mich über die Einladung, also verabreden wir uns am Ausgang. Ich habe den ganzen Tag ein mulmiges Gefühl, verdränge es aber.

Am Mittag verlassen wir gemeinsam das Gebäude und steigen hastig in Samis Auto. Es ist wirklich gefährlich, mit ihm zu fahren, selbst die normalen Polizeibeamten halten manchmal Männer an, die mit Frauen ohne Kinder im Auto sitzen, wir müssen also nicht nur die Religionspolizei fürchten, das wird mir in diesem Moment wieder einmal klar. Das ist alles Wahnsinn, denke ich. Das mulmige Gefühl wird während der Autofahrt immer stärker. Ich bin erleichtert, als wir vor dem Restaurant parken, und alles gut gegangen ist. Als wir aussteigen, sehe ich, wie sehr sich Nona freut, dass ich mitgekommen bin, und vergesse für eine Weile meine Anspannung. Wir machen ein paar Witze, und ich denke, dass es wahrscheinlich auch an der Hitze liegt, dass ich mich den ganzen Tag schon unwohl fühle.

Auf den Tischen in dem Restaurant liegen schneeweiße Tischdecken, dort stehen polierte Gläser und glänzende Teller. Die Möbel sind aus dunklem Holz, überall üppige Orchideen. Wir setzen uns in eines der Separees. Sami behandelt uns beide wie ein richtiger Gentleman.

Ich bestelle Fisch, Pommes und Salat. Nona und Sami teilen sich ein Steak. Wir essen und reden, auch über die heißen Temperaturen draußen, auch wenn die für uns natürlich nichts Neues sind, ist es im August doch unmöglich, in Riad nicht über die Hitze zu reden, die alles andere verdrängt. Es ist schon vier Uhr, als wir das Restaurant verlassen. In einer Stunde beginnt die nächste Schicht, wir müssen uns beeilen.

Auf dem Rückweg sitzen wir im Auto und schweigen. Ich bin satt, ein bisschen müde und schaue einfach nur aus dem Fenster, bis wir vorm Krankenhaus halten. Ich bin schon dabei auszusteigen, als Nona sich zu mir umdreht und sagt: »Rana, pass auf, du musst mir einen Gefallen tun: Ich komme heute nicht wieder mit rein, Sami und ich wollen den Abend zusammen verbringen. Sagst du Saleh, dass mir schlecht geworden ist?« Ich zögere nur kurz, ein instinktives Gefühl in der Bauchgegend, dass das hier auch schrecklich schiefgehen kann. Dann sage ich Ja. Ich verdanke Nona die Arbeit, so viele durchlachte Pausen auf dem Schulhof, gemeinsames Schmachten vor Musikvideos, sie ist meine beste Freundin, natürlich mache ich das für sie, ich würde alles für sie tun. Sie sagt, sie werde sich um neun zum Krankenhaus zurückschleichen, wo sie ihr Vater abholt. »Sei pünktlich. Und pass auf dich auf, ok?!«, sage ich noch, dann steige ich aus und werfe die Tür hinter mir zu.

Zurück im Krankenhaus lasse ich mir nichts anmerken. Heute arbeite ich an der Rezeption. Ich bin unruhig und habe die ganze Zeit die Uhr im Blick, kann es kaum erwarten, bis sie endlich neun Uhr zeigt, und Nona zurück ist. Aber das passiert nicht.

Gegen halb acht ruft mich Nonas Schwester an. Sie ist hysterisch und weint. Sie sagt, Nona sei im Gefängnis. Ich werde sofort panisch. Alles in mir will schreien. Nonas Schwester muss gar nichts mehr sagen, ich weiß sofort, was passiert ist. Ich bin mir sicher, dass die Religionspolizei sie und Sami erwischt hat. Ich weine und beiße in meine Faust, damit mich keiner hört. Ich bin wie von Sinnen, weil ich weiß, was das bedeutet. Ich habe Angst um Nonas Leben. Ihre Familie ist strenggläubig und wird ihre Verhaftung als eine Schande verstehen, die gesühnt werden muss.

Ich versuche mich zu beruhigen und ihren Bruder Amir zu erreichen. Er liebt seine Schwester sehr, ich hoffe, dass er auch jetzt Nachsicht mit ihr hat. Er geht sofort ans Telefon. »Ich fahre gleich zu ihr«, sagt er. Ich überrede ihn, noch kurz auf mich zu warten. Ich nehme ein Taxi zu ihm, er arbeitet in einem Geschäft für Männermode in Olaya, dem Börsenviertel mit den vielen Wolkenkratzern, die man von Postkarten kennt. Ich verlasse die Arbeit ohne eine Erklärung, gehe einfach, obwohl ich das nicht darf, setze mich in ein Taxi, obwohl mir auch das nicht erlaubt ist. Ich habe keine glaubwürdige Erklärung, die ich bei meinem Chef vorbringen könnte, also lasse ich es einfach darauf ankommen. Ich kann an nichts anderes denken als an Nona, meine liebe Freundin, fast meine Schwester, die in einem Gefängnis sitzt und wahrscheinlich Todesangst hat. Als ich bei Amir bin, sagt er seinem Chef, seine Schwester habe einen Unfall gehabt, wir fahren sofort los. Ich sitze neben ihm auf dem Beifahrersitz und kann kaum glauben, wie schnell sich der Tag von einem normalen Sommertag in einen absoluten Alptraum verwandelt hat.

Keiner von uns beiden spricht ein Wort. Alles, was wir sagen könnten, wäre entweder zu wenig oder zu viel. Wir fahren die Al Mukarramah Road entlang, vorbei am Zoo, an 24-Stunden-Supermärkten, vorbei an Orten, die ich schon tausendmal gesehen habe, die aber heute an mir vorbeirauschen, ohne dass ich sie wahrnehme. Ich bin wie in einem Tunnel. Das Einzige, was ich sehe, ist das Bild von Nona, wie sie alleine in einer Gefängniszelle sitzt und weint. Ich bin wütend auf Sami, der die Macht gehabt hätte, sie davor zu bewahren. Er hätte sie einfach nur heiraten müssen, einen billigen Misyar schließen, noch nicht mal eine richtige Hochzeit, dann wäre ihr nichts passiert. Er hätte

Nona das alles ersparen können. Aber wie so viele Männer in Saudi-Arabien hat er nur an sich und seinen Vorteil gedacht, und als Nona für ihn keine Frau mehr ist, in deren Gesellschaft er ein paar unbeschwerte Stunden verbringen kann, sondern ein Mensch, dem er helfen muss, hat er sie einfach fallen lassen.

In die Stille fragt Nonas Bruder mich, was geschehen ist. Ich weiß, dass es keinen Sinn hat, eine Lügengeschichte zu erfinden oder auch nur irgendetwas zu beschönigen. Wenn er seiner Schwester helfen möchte, muss er das volle Ausmaß der Katastrophe kennen. Ich erzähle ihm von den Verabredungen, von den Mittagessen, den Fahrten im Auto und den gelegentlichen Stunden im Hotel. Davon, dass Nona heute den zweiten Teil ihrer Schicht geschwänzt hat, um Zeit mit Sami zu verbringen. Was das für einer sei, möchte er wissen. »Er arbeitet für die Regierung. Er sieht gut aus, ist gut angezogen. Ich glaube, er hat sehr viel Geld«, sage ich. Samirs Blick verfinstert sich. Er schaut angestrengt auf die Straße.

Das Gebäude der Religionspolizei hat hohe Mauern. Man kann den Innenhof und den Eingang in das eigentliche Gebäude von der Straße aus nicht sehen. Vor dem Gefängnis stehen einige Beamte der Religionspolizei und halten Wache. Wir parken. Mir ist mulmig zumute. Ich war noch nie hier. Das Gefängnis liegt in einem verlassenen Stadtteil, Moraaba. Es gibt kaum einen Grund hierherzukommen, man versucht, jeden Grund zu vermeiden, der einen hierher führen könnte. Amir spricht die Männer an, er nennt den Namen seiner Schwester und sagt, er möchte gerne wissen, wie es ihr geht und was er machen kann, damit sie freigelassen wird. Mich stellt er als Nonas Halbschwester vor. Die Männer sagen, er müsste eine Reihe verschiedener Dokumente vorlegen, ehe er sie sehen kann.

Wir steigen wieder ins Auto. Amir macht sich jetzt große Sorgen. Er zittert. Er begreift jetzt, wie ernst die Lage ist. Wir fahren zu Nonas Eltern, um die Papiere zu holen. Ihre Mutter stürzt sich sofort auf mich, als wir zur Tür reinkommen und will wissen, was genau passiert ist. Ich sage, Nona habe nichts Unsittliches getan und versuche, sie zu beruhigen. Ich möchte nicht, dass ihre Eltern wissen, was ihr Bruder weiß, und ich glaube, er versucht auch, so viel wie möglich geheim zu halten. Mittlerweile ist es nach neun Uhr. Ich erschrecke, als ich auf die Uhr schaue. Mein Vater ist sicherlich schon vorm Krankenhaus und wartet auf mich. Als ich mein Telefon aus der Tasche hole, habe ich zwanzig Anrufe in Abwesenheit von meiner Mutter. Ich rufe sie zurück und sage ihr, dass Nona in Gefahr ist und wir sie suchen. Sie ist wütend und sagt, dass mein Bruder mich überall im Krankenhaus gesucht habe und nicht finden konnte. Dass keiner wusste, wo ich bin. Ich sage ihr, dass es mir leidtue, dass ich nur meiner Freundin helfen wollte. Dass ich bei Nonas Eltern bin und ihr Bruder mich nach Hause bringen könne. Sie beruhigt sich etwas.

Als ich gegen elf Uhr nach Hause komme, steht sie im Türrahmen und wartet auf mich. Ich sage ihr, Nona hätte einen Unfall gehabt, aber ich weiß, dass sie mir nicht glaubt. »Du machst uns nichts als Ärger«, sagt sie, nicht mehr. Ich gehe so schnell ich kann in mein Zimmer, meine Gedanken rasen. Ich weine, ich wende mich an Gott. »Warum tust du uns das an, warum dürfen wir keinen Spaß haben, warum ist alles, was wir tun, Sünde?«, frage ich Allah.

Ich lege mich ins Bett und wälze mich lange herum, ehe ich endlich einschlafe. Als ich aufwache, spüre ich eine schwere Traurigkeit auf mir liegen. In Gedanken bin ich sofort wieder bei Nona. Es macht mich verrückt, dass ich so hilflos bin und nichts für sie tun kann.

Am nächsten Tag fährt mich mein Vater wie immer zur Arbeit. Wir sitzen im Auto, und ich bin ihm dankbar dafür, dass er nichts sagt, dass er mich einfach Musik hören lässt und keine Fragen stellt. Im Krankenhaus ruft mich Suleyman, unser Chef, sofort zu sich. Er sagt, Nonas Vater habe gestern vor dem Krankenhaus randaliert und eine Szene gemacht. Er habe so laut geschrien, dass das Empfangspersonal die Sicherheitsmänner gerufen habe. Er fragt, wo Nona gewesen sei. Und wo ich gewesen sei. Ihr Vater habe erst ihren und dann meinen Namen geschrien. Ich schweige und schaue beschämt auf den Boden. Es gibt nichts, was ich zu meiner Verteidigung sagen kann.

Suleyman sagt, ich könne nicht mehr für ihn arbeiten. Weil er mich nicht einfach so entlassen kann, sagt er, ich solle eine Erklärung unterschreiben, dass ich gekündigt habe. Ich habe keine andere Wahl, als zu tun, was er von mir verlangt. Es ist furchtbar für mich, meine Arbeit im Krankenhaus zu verlieren. Ich weiß, dass es schwer sein wird, eine ähnlich gute Stelle zu finden, und ich ahne, dass meine Mutter mir verbieten wird, mir etwas Neues zu suchen, wenn sie erfährt, warum mir gekündigt wurde. Ich bin mir ziemlich sicher, dass Nonas Mutter es ihr erzählen wird.

Es ist elf Uhr, als ich alle Formalitäten erledigt habe. Ich muss meinen Mitarbeiterausweis abgeben und meinen Schrank in der Umkleidekabine ausräumen. Mir bleibt nichts anderes übrig, als meinen Vater anzurufen und ihn zu bitten, mich wieder abzuholen. Ich sage ihm, mir sei gekündigt worden. Er klingt besorgt, als er sagt, er würde so schnell wie möglich kommen. Ich habe ein schlechtes Gewissen, weil ich ihm schon wieder Sorgen bereite, versuche aber, meine Tränen zu unterdrücken, während ich in einem Wartezimmer im Erdgeschoss sitze. Es dauert über eine Stunde, bis er endlich kommt. Er setzt an, mich zu fragen, was geschehen ist, doch dann scheint er es sich anders zu überlegen, und wir fahren wortlos nach Hause. Meine Mutter wartet schon auf mich und schimpft mit mir. Ich versuche, das, was geschehen ist und meine Verwicklung in das Ganze, so gut es geht, kleinzureden.

Als sie aufhört, mich anzuschreien und auszufragen, schreibe ich Nonas Bruder eine SMS und frage ihn, ob es etwas Neues gibt. Er antwortet nur kurz. Er wurde heute zu ihr gelassen. Nona ist von einer Amtsärztin auf ihre Jungfräulichkeit untersucht worden. Weil sie keine Jungfrau mehr ist, wurde sie zu einer Strafe von fünfzig Peitschenhieben und drei Monaten Gefängnis verurteilt. Amir hat mit den Beamten verhandelt, schließlich musste er zweitausend Rial Strafe zahlen und die Zahl der Peitschenhiebe wurde auf dreißig reduziert.

Ehe Nona das Gefängnis verlassen darf, werden fünf davon vollzogen. Schon das reicht, dass sie tagelang nicht auf dem Rücken schlafen kann, und sich beim Aufstehen so vor Schmerzen krümmt, dass sie gestützt werden muss. Nona wird systematisch gebrochen. Die Peitschenhiebe sind erst der Anfang.

Als sie aus dem Gefängnis entlassen wird, ruft mich ihre Schwester an. Ihr Vater musste ein Schreiben unterzeichnen, in dem er versichert, dass er seine Tochter nicht tötet. Damit sichert sich die Religionspolizei ab und stiehlt sich aus der Verantwortung, denn viele Frauen werden nach einer solchen Verhaftung von ihrer Familie umgebracht, um die Ehre der Familie zu verteidigen. Ich frage Nonas Schwester, ob ich mit ihr reden kann, aber sie sagt, Nona dürfe nicht ans Telefon. Sie sagt, ihr Vater hätte sie so brutal verprügelt, dass sie seitdem nichts mehr gesagt hätte und nur apathisch in ihrem Zimmer säße.

Es bricht mir das Herz, das zu wissen. Es bricht mir das Herz, dass ich nichts tun kann, ihr nicht helfen kann. Ich mache mir ununterbrochen Sorgen um sie. Oft träume ich davon, wie sie geschlagen wird und sich nicht wehren kann.

Ich weine um Nona, um meine Arbeit im Krankenhaus, um unsere Freundschaft. Ich weiß, unser Leben wird nie wieder so sein, wie es noch vor Kurzem gewesen ist.

Es dauert zwei Wochen, bis ich Nonas Stimme zum ersten Mal wieder höre. Ich sitze gerade in meinem Zimmer, als das Festnetztelefon klingelt. Ich weiß sofort, dass sie es ist, und stürze zum Telefon. Mir fällt ein Stein vom Herzen, als ich ihre Stimme höre. Ich nehme das Telefon mit in mein Zimmer, setze mich auf das Bett. Ich weiß nicht genau, wie ich das Gespräch beginnen soll, dabei habe ich tausend Fragen, ich kann nur leise sagen, dass ich fast verrückt geworden wäre vor Sorge, dass ich Angst hatte, jemand würde sie töten. »Niemand wird mich umbringen, das ist ja das Schlimme. Wenn, dann muss ich es selber tun. Ich wünschte, ich könnte mir einfach das Leben nehmen, Rana. Alles ist besser als dieser Schmerz«, sagt sie leise und in einer Ernsthaftigkeit, wie ich sie von meiner Freundin nicht kenne. Ich erschrecke.

Sie sagt, Sami habe ihr eine SMS geschrieben. Er werde sie auch im Nachhinein nicht heiraten, und er könne auch nichts für sie tun. »Am besten, du löschst meine Nummer«, hätte er noch geschrieben. Nonas Stimme zittert. »Er ist so ein egoistisches Arschloch«, sagt sie und beschreibt, wie sie täglich von ihren Eltern geohrfeigt und an den Haaren gezerrt wird, wie sie ihre Wut zügellos an ihr auslassen, sie als Schlampe beschimpfen. Wie wehrlos sie ist. Nach dem Telefonat weine ich stundenlang. Es tut mir fast mehr weh, dass Nona so leidet, als wenn ich die Schmerzen selber durchstehen müsste.

Ein paar Tage später überrede ich meinen Vater, dass er mich zu ihr fährt. Ich darf nur kurz bleiben, weil ihre Eltern finden, ich sei ein schlechter Einfluss. Sie denken, ich hätte Nona verdorben, weil Frauen aus Syrien in ihren Augen weniger fromm sind als saudische. Nona scheint wie ausgewechselt. Sie ist stumm und abweisend wie damals, als ich sie das erste Mal angesprochen habe. Ich versuche, ihre Schutzschicht irgendwie zu durchbrechen, aber ich erreiche sie nicht. Es ist, als sei sie Tausende Kilometer weit entfernt, obwohl sie direkt vor mir steht.

Ein Jahr später findet sie eine Stelle in einem Call-Center. Dort arbeiten nur Frauen. Sie steht unter ständiger Beobachtung, ihre Mutter ruft stündlich dort an. Früher hatte sie einen Fahrer, jetzt bringt sie ihr Vater überallhin. Das erfahre ich alles von ihrer jüngeren Schwester. Von Nona höre ich nach meinem letzten Besuch bei ihr nie wieder ein Wort. Sie würde jetzt jeden Tag den Koran lesen und habe sich wieder ganz dem Glauben verschrieben, sagt ihre Schwester. Allah hat mir meine beste Freundin genommen.

Und ich glaube heute trotzdem: Wenn Nona wüsste, was ich getan habe, dass ich geflohen bin und ein Leben in Freiheit führe, wäre sie stolz auf mich. Als wir in der Schule waren, haben wir uns ausgemalt, wie es wäre, in Amerika zu wohnen und ein Leben zu führen wie in den Hollywood-Filmen, die wir abends nach der Schule immer geschaut haben. Ich glaube, sie würde sich freuen, dass es wenigstens eine von uns geschafft hat. Ich kann nicht akzeptieren, dass die Nona, die meine beste Freundin war, für immer verschwunden sein soll. Ich glaube fest daran, dass es sie noch immer gibt. Ich hoffe es.

5.

Es gibt keinen Gott

In Saudi-Arabien gibt es kein öffentliches Leben, wie man es in Deutschland, Europa oder auch in liberaleren muslimisch geprägten Ländern wie dem Libanon kennt. Es gibt keine Bars, keine Clubs oder Cafés, keine Kinos. All das verbietet die Scharia. Außer Restaurants und Einkaufszentren finden sich kaum Orte, an denen Menschen sich miteinander verabreden könnten. Für Männer gibt es zumindest Shisha-Bars und Teestuben, in denen sie sich außerhalb ihres Zuhauses austauschen können. Aber das Leben, insbesondere das der Frauen, findet meist in Innenräumen, im Privaten statt. Sich halbwegs frei und ohne die Begleitung eines männlichen Familienangehörigen in der Öffentlichkeit zu bewegen ist ein Privileg der oberen Schichten oder der Frauen, die aus etwas liberaleren Familien kommen und einen Fahrer haben. Aber für alle von uns gilt: Alleine kommt man als Frau in Saudi-Arabien nicht weit.

Meine wichtigste Reise findet deshalb in meinem Zimmer statt, am Computer. Das Netz ist der einzige Ausweg aus meiner hermetischen Abriegelung, es ermöglicht mir im virtuellen Raum den Austausch mit Gleichgesinnten, der mir im realen Leben unmöglich ist.

Nachdem ich aus dem Krankenhaus entlassen werde, verbietet mir meine Mutter zunächst, wieder zu arbeiten. In ihrer Vorstellung hat mich der tägliche Kontakt mit Männern verdorben, und es ist nur noch eine Frage der Zeit, bis ich ähnlich viel Schande über unsere Familie bringe wie Nona über ihre Eltern und Verwandten. Doch wieder ist es mein Vater, der nach einigen Monaten, in denen ich ihn immer wieder anflehe, mir zu gestatten, nach einer neuen Beschäftigung zu suchen, schließlich doch nachgibt.

Ich finde tatsächlich eine neue Stelle, im Kingdom Hospital. Die Arbeit dort ist interessant, ich merke schnell, dass mich die Erfahrung, die ich vorher sammeln konnte, sicherer gemacht hat. Während meines vorherigen Jobs habe ich meistens Rezeptionsdienste übernommen, im Kingdom Hospital traut man mir mehr zu, überträgt mir mehr Verantwortung, und das Team ist international besetzt. Ich habe eine Kollegin aus Eritrea. Mein Chef ist auch Syrer, er kommt wie meine Familie aus der Nähe von Damaskus, wir verstehen uns auf Anhieb gut. Die Tage im Krankenhaus sind stressig, und ich komme erst spät am Abend nach Hause, aber ich bin glücklicher als in der Zeit, die ich nur in meinem Zimmer verbringen durfte.

Abends bin ich oft ausgelaugt, denn ich arbeite wieder in einer geteilten Schicht, manchmal kümmere ich mich um vierzig bis fünfzig Patienten am Tag. Wenn ich abends ins Haus meiner Eltern komme, lege ich zuerst Nikab, Tarha und Abaya ab. Es riecht meistens gut nach Essen, weil meine Mutter jeden Abend etwas Frisches kocht. Oft haben meine Eltern schon gegessen. Ich schaue dann in den Kochtopf und wärme mir etwas von dem auf, was noch übrig ist. Wenn meine Eltern noch wach sind, sitzen wir manchmal gemeinsam im Wohnzimmer und reden. An den meisten Abenden igele ich mich jedoch in meinem

Zimmer ein, ziehe mir sofort den Pyjama an und schaue einen Film auf dem Laptop, im Bett. Manchmal scherzt meine Mutter liebevoll, aber auch ein bisschen vorwurfsvoll: »Wenn wir wegziehen würden, würdest du es gar nicht merken, so selten, wie wir uns sehen!«

Es ist leichter, abends alleine zu sein, auch wenn ich mich oft sehr einsam fühle. Aber gerade die Gespräche mit meiner Mutter strengen mich an. Es kommt manchmal vor, dass wir zu zweit essen, auch wenn unser Verhältnis seit meiner gescheiterten Ehe mit Wisam noch weniger innig ist als vorher. Dann hoffe ich manchmal, wir könnten es wieder kitten. Aber in ihren Augen wiegt das, was ich getan habe, sehr schwer: Meine Mutter ist keine gebildete Frau. Sie ist nicht zur Schule gegangen und hat meinen Vater geheiratet, als sie gerade achtzehn geworden war. Ein Jahr später kamen mein ältester Bruder, dann ich, dann meine Schwester zur Welt. Meine Mutter hat nie gearbeitet, sie war immer Hausfrau. Der Glaube ist ihr sehr wichtig, ihre Kinder sollen ein gutes und frommes Leben führen, das ist ihre Erwartung an uns.

Was ich getan habe, passt nicht in dieses Bild. Als ich wieder nach Riad bin, ist sie deshalb misstrauisch, sie kontrolliert, ob ich gebetet habe, sie fragt mich, ob ich auf der Arbeit mit Männern rede, sie kommt noch immer ohne zu klopfen in mein Zimmer. Sie durchsucht es, wenn ich nicht da bin und arbeite. Ich merke es daran, dass die Dinge ganz anders in meinen Schubladen liegen. Sie gibt sich nicht sonderlich große Mühe, es zu verstecken.

Für meine Mutter ist der Glaube so wichtig, dass jeder kleinste Verstoß gegen die Regeln des Islam in unserer Familie schwer auf ihr lastet. Meine Scheidung zu verwinden, kostet sie wohl fast übermenschliche Anstrengung. Sie macht sich ständig Sorgen, ich würde noch weiter vom rechten Weg abkommen. Ich glaube, sie spürt meinen Hunger, meine Sehnsucht nach einem größeren Leben, noch ehe ich mir selbst darüber bewusst bin. Wie es Mütter eben tun, selbst wenn man das Gefühl hat, man stünde ihnen gar nicht mehr nahe.

Weil ich nicht in die Welt hinaus darf, hole ich sie mir also in mein Zimmer. In Saudi-Arabien ist das Internet nicht vollständig zensiert. Man hat Zugriff auf die meisten YouTube-Videos. Gesperrt sind pornografische Seiten, und manche, auf denen man sexuelle Handlungen sieht. Außerdem kann man Seiten, die die saudische Regierung kritisieren, nicht abrufen. Auf die meisten Inhalte aus der westlichen Welt haben wir aber Zugriff.

Ich schaue mir online vor allem englische Filme an, weil ich die Sprache immer besser beherrsche und mich freue, wenn ich die Dialoge zumindest teilweise verstehe. Ich merke, wie ich durch den Kurs Fortschritte gemacht habe und nicht mehr nur auf die Untertitel angewiesen bin. Ich schaue sehr gerne Horrorfilme, manchmal sehe ich mir auch romantische Komödien an oder Videos von Rihanna, deren Outfits und Frisuren mich faszinieren. Ich bin ein großer Fan ihrer Musik und hoffe inständig, dass Allah ihr für ihre Sünden vergibt und sie nicht in die Hölle kommt. Manchmal träume ich davon, wie es wäre, nach Amerika zu ziehen und mich so schön und sexy zu kleiden wie sie. Es ist nicht so, dass man als Muslima nicht manchmal von diesen verbotenen Dingen träumt. YouTube ist meine Art, aus dem Alltag zu fliehen.

Doch irgendwann reicht es mir nicht mehr, mich in Tagträume zu flüchten. Ich will mehr. Ich will mich mit Menschen austauschen, das Gefühl haben, nicht ganz alleine zu sein mit meinen Sorgen.

Als ich Twitter entdecke, durch eine Kollegin, die mir von dem Netzwerk erzählt, ist das eine Offenbarung. Sie zeigt es mir auf ihrem Smartphone. Die Art, sich so mitzuteilen, kurz, prägnant und doch vielsagend, gefällt mir sofort. Noch am selben Abend lege ich einen Account an. Ich nenne mich *LovHum*, eine Kurzversion von *Love Human*. Mein allererster Tweet ist sehr fromm: »Danke, lieber Gott, für alles, was Du mir geschenkt hast.« Dass ausgerechnet Twitter dazu führen wird, dass ich mich von Gott entferne, ahne ich in diesem Moment noch nicht.

Ich verbringe jeden Tag mehrere Stunden damit, die Tweets anderer zu lesen, teile selber kurze Sätze, es geht meistens um Liebe und Freundschaft. Es ist meine Art, die Scheidung und den Schmerz über den Verlust Wisams zu verarbeiten. Auch, wenn ich nicht mehr zurück in diese Ehe möchte und froh bin, wieder bei meinem Vater zu sein, bin ich auch traurig darüber, dass der Traum der großen Liebe für mich nicht wahr geworden zu sein scheint. Natürlich frage ich mich auch oft, wer mich jetzt jemals noch lieben soll, als geschiedene Frau.

Auf Twitter finde ich Trost und Zuspruch. Alle Menschen kennen Liebeskummer. Es gibt kaum eine Erfahrung, die universeller ist. Das zu realisieren, stützt mich auch in meinen dunkelsten Stunden. Ich bin wie besessen von dem Netzwerk und checke in jeder Pause meinen Feed. Ich freue mich, wenn meine Tweets von anderen mit einem »Like« markiert und geteilt werden. Es ist wie ein Schulterklopfen oder eine Umarmung. In einer Welt, die so streng, so kalt und vom Glauben regiert ist wie meine, fühlt sich Twitter an wie ein freies Paralleluniversum, in dem mir mehr erlaubt ist als verboten.

Nach einem Monat folge ich schon dreihundert Accounts. Es ist wie ein Fenster zu einer Welt, zu der ich im echten Leben keinen Zugang habe. Ich treffe User aus anderen Ländern, Menschen, mit denen ich kommunizieren kann, in einem Land, in dem es kaum Austausch gibt.

Eines Abends liege ich mal wieder im Bett und surfe vor mich hin, auf meinem Computer läuft Musik von Enya, einer meiner Lieblingssängerinnen. Ich stoße auf einen Tweet von einem Account mit dem Namen *Arab Atheist*. Einer meiner Kontakte hat ihn geteilt. Der seltsame Name des Nutzers lässt mich stutzen. Was ist ein Atheist? Das Wort habe ich noch nie gehört. Ich gebe es in Google Translate ein.

Es ist ein ganz normaler Feierabend im Pyjama, einer, wie jeder andere auch. Von außen betrachtet, könnte eine Geschichte kaum weniger spannend sein. Ein Mädchen sitzt am Computer, surft im Internet. Doch an diesem Abend geschieht etwas Bedeutsames. Denn auch das arabische Wort, das mir das Übersetzungsprogramm für Atheist anzeigt, sagt mir nichts. Ich gebe es in die Googlesuchmaske ein und finde eine Definition, die sagt, ein Atheist sei jemand, der nicht an Gott glaube.

Diese Worte sind so ungeheuerlich, dass mein Herz beginnt wie wild zu schlagen. Nicht zu glauben, ist die größte Sünde in dem Land, in dem ich lebe. Das ist ungeheuerlich, dass ich zuerst gar nicht verstehe, was diese Worte mir sagen sollen.

Die Welt, in der ich bis vor zehn Minuten noch gelebt habe, beginnt in sich zusammenzustürzen. Es ist der Beginn einer langen Kettenreaktion. Wie bei einem Dominospiel, bei dem die Steine in der perfekten Konstellation stehen: Wenn nur einer angestoßen wird, fallen alle anderen nach und nach auch um. Mein Weg zum Atheismus ist wie Dominospielen in Zeitlupe, der erste Stein beginnt zu fallen, bald werden alle anderen ihm gefolgt sein. Und es beginnt an diesem Abend.

Auf die Abkehr vom Islam steht in Saudi-Arabien die Todesstrafe. Ich kenne andere Religionen, Christen, Juden, Buddhisten. Aber dass es Menschen geben soll, die gar nicht glauben, kann ich nicht begreifen. Es ist schlicht zu weit weg von dem, was mir mein Leben lang beigebracht und vorgelebt wurde, von den Grundlagen, auf die die Gesellschaft, in der ich lebe, aufgebaut ist. An diesem Abend traue ich mich nicht, weitere Texte über Atheisten zu lesen. Ich versuche einzuschlafen, aber es wird eine schlaflose Nacht, in der ich mich fast nur herumwälze. In der ich merke, dass mich das, was ich gerade eben erfahren habe, nicht loslassen wird, ehe ich herausfinde, wer diese Menschen sind. Ich habe Angst davor, mehr herauszufinden. Denn wenn das, was diese Menschen tun, haram ist, ist es dann nicht sogar schon haram, sich damit nur zu befassen? Doch als ich im Bett liege und keine Ruhe finde, merke ich auch, dass meine Neugier größer ist als die Furcht.

Am nächsten Morgen gehe ich völlig übermüdet zur Arbeit. Mein kleiner Bruder Bakr fährt mich. Selbst er, der sechs Jahre jünger ist als ich, hat mehr Rechte und Freiheiten als ich und jede andere Frau in diesem Land. Ich bin davon abhängig, dass er mich fährt, er darf ohne die Zustimmung meines Vaters arbeiten, sich außerhalb unseres Hauses frei bewegen. All das geht mir an diesem Morgen durch den Kopf, als er mich beschimpft, weil er mein Make-up heute zu auffällig findet. Ich beschwere mich bei meinem Vater und sage ihm, dass ich mich von meinem jüngeren Bruder nicht so behandeln lassen will. Diesmal gewinne ich. Aber was nützt das schon? Trotzdem wird Bakr das Zahnmedizinstudium finanziert, trotzdem muss ich meinen Englischkurs selber bezahlen. Seit er erwachsen ist, steht Bakr wie selbstverständlich über mir, seine Interessen, Wünsche und

Freiheiten über meinen. Es ist ein merkwürdiges Gefühl, wenn ich daran denke, dass ich ihn im Arm gehalten habe, als er ein kleines Baby war. Dass ich ihn gewaschen und gefüttert habe. Dass es eine Zeit gab, als er mir völlig ausgeliefert war. Seine höhere Stellung speist sich einzig und allein daraus, dass er ein Mann ist. Ihm stehen alle Türen offen. Mein Leben hingegen fühlt sich an wie ein einziges Warten vor der Tür.

Und trotzdem ist er eben auch mein kleiner Bruder, den ich liebe, denke ich, als wir unterwegs noch einen Kaffee trinken. Ich weiß, dass für ihn die Welt, in der er lebt, genauso selbstverständlich ist, wie sie es für mich sein sollte. Wir sind so aufgewachsen, warum sollte er es in Frage stellen? Sein Leben in dieser Welt ist leicht. Er muss keine Hindernisse überwinden. Es fallen ihm nicht einmal welche auf, nicht wie mir, die ich mit jedem Schritt über Steine steigen muss. Natürlich neigt niemand dazu, ein System zu hinterfragen, in dem es ihm gut geht. Und selbstverständlich liegt es näher, an diesem System zu zweifeln, wenn es einen abwertet. Ich trinke den Kaffee so schnell, dass ich mir dabei die Zunge verbrenne, denn das heiße, süße Getränk hilft mir auf die Beine.

Und trotzdem wird dieser Tag noch richtig anstrengend – ich kann einfach nicht vergessen, was ich am Abend gelesen habe, das Ungeheuerliche bricht immer wieder in meine Gedanken ein. Ich kann es nicht zurückdrängen. Es überfällt mich plötzlich, und wahrscheinlich benehme ich mich für einen Außenstehenden ziemlich seltsam, denn ich erwische mich ein paarmal dabei, wie ich einfach ins Leere schaue, erstarrt in einer Bewegung, hochkonzentriert. Ich grübele den ganzen Tag darüber nach, wie Menschen, die angeblich nicht an Gott glauben, sich fühlen und was sie denken. Wie kann ich mehr über sie erfahren? Wie viele sind es? Sieht man ihnen ihre Zweifel an? Kenne ich vielleicht sogar welche und weiß es nicht einmal? Bei diesem Gedanken läuft mir ein Schauer über den Rücken. Da ist Angst, aber auch so etwas wie Aufregung. Ich weiß, dass jeder Moslem, der sich öffentlich vom Glauben abwendet, eine Frist von drei Tagen hat, um seine Meinung wieder zu ändern. Konvertiert er zurück zum Islam, wird er von der schlimmsten Strafe der Scharia verschont. Bleibt er bei seiner Abkehr vom Glauben, wird er hingerichtet. Ich weiß zu dieser Zeit zwar nicht viel über die Welt, aber ich kenne die kleine Seifenblase, in der ich aufgewachsen bin, zu gut, um nicht zu verstehen, dass es viel zu gefährlich wäre, jemanden auch nur nach diesen Todgeweihten zu fragen. Allein sich für sie zu interessieren, würde mich in Gefahr bringen.

Und obwohl ich mich fast nicht traue, überhaupt nur zu denken, dass sie recht haben könnten, lässt mich das Thema nicht los, die verbotenen Gedanken ergreifen sogar immer größeren Besitz von mir. Ich versuche mich dagegen zu wehren, suche nach Beweisen für die Existenz Gottes, irgendetwas, das ich dieser ungeheuerlichen Behauptung, es gebe ihn nicht, entgegensetzen kann. Wer oder was ist Gott? Wie äußert Gott sich? Ich grübele und grübele, aber ich merke, dass das, was mir dazu einfällt, ziemlich vage ist, die Beweise halten nicht. Das meiste, was ich mit Gott verbinde, sind Regeln, Pflichten, Gebote. Dinge, die man tun muss, weil er es so will. Aber worin begründen sie sich? Und wie zeigt Gott sich uns? Dazu fällt mir nicht viel ein.

Ich zähle die Stunden bis zum Feierabend. Als ich nach Hause komme, sage ich meiner Mutter, ich sei krank. Ich will nichts essen, nichts trinken, mit niemandem sprechen. Der Account *Arab Atheist* hat eine magische Anziehungskraft auf mich.

Und dann beginnt es.

Die Listen mit Links, die *Arab Atheist* erstellt hat, sind eine Art verbotene Bibliothek zum Thema Atheismus, durch die man sich einfach so klicken kann. Einer seiner Tweets enthält einen Link zu einem Dokumentarfilm über die Lehren von Charles Darwin. Im Video wird der Ursprung der Arten erklärt, es geht um die Prinzipien der genetischen Variation, Mutation, Selektion, das Überleben der am besten angepassten Individuen. Das Video ist amateurhaft gemacht, ein Zusammenschnitt aus mit einer Handkamera gefilmten Seiten aus einem Biologiebuch, unterlegt mit Musik und einem Sprecher aus dem Off.

Es sind nur zehn Minuten, aber sie verändern alles.

Wie kann es sein, dass ausgerechnet ein so wenig professionelles Video aus dem Internet, das wirkt, als hätte es ein Schüler aufgenommen, meine Welt in ihren Grundfesten erschüttert? Dass etwas so Großes in einem so kleinen, so banalen Kontext geschieht, und doch so viel glaubwürdiger erscheint als jede Predigt, die ich in meinem Leben gehört habe?

Man stellt sich Erleuchtungsmomente, die großen Wendepunkte im Leben, immer so außergewöhnlich vor. Meiner vollzieht sich auf meinem Bett, in meinem Jugendzimmer. Ich trage einen Pyjama, als mein Leben sich für immer verändert.

Unter dem Video sind zahlreiche Kommentare gepostet. Manche bitten den Nutzer, der es hochgeladen hat, noch mehr solcher Filme zu produzieren. Andere, viele, diskreditieren das, was dort zu sehen ist, und behaupten, das alles sei eine riesengroße Lüge. Ein User schreibt: »Ich glaube, die Evolutionstheorie besagt zweifellos, dass Atheisten und Humanisten vom Esel abstammen.« Auch ich bin schockiert von dem Gezeigten, das muss ich zugeben, ich will nicht wahrhaben, was ich sehe, und suche nach Argumenten, die das alles widerlegen. Aber es ist wie ein Schneeball, aus dem nach und nach eine Lawine wird. Als er ins Rollen kommt, finde ich nur noch Argumente, die dafür sprechen, dass die Evolutionstheorie das genaue Gegenteil einer Lüge ist.

So sehr ich mir auch wünsche, dass alles, was ich mein Leben lang gelernt habe, stimmt, so wenig halten die Lehren des Koran darüber, wie der Mensch und die Arten entstanden sind, meiner Suche nach Erkenntnis stand. Mir wurde immer beigebracht, dass nur die *Kuffars*, also die Ungläubigen, daran glauben, dass wir vom Affen abstammen, und dass alles, was mit ihnen in Verbindung gebracht wird, schlecht, verboten und gefährlich ist.

Heute weiß ich, wie früh Kindern in anderen Ländern die Evolutionstheorie beigebracht wird, wie selbstverständlich und frei verfügbar dieses Wissen dort ist. Es muss für Menschen, die dort aufgewachsen sind, schwer zu verstehen sein, wie es sich anfühlt, wenn man nach vielen Jahren Dunkelheit das Licht sieht. Für mich fühlt es sich damals an, als sei ich in einem Gefängnis aufgewachsen, ohne überhaupt gewusst zu haben, dass ich eingesperrt bin. Als hätte ich plötzlich erfahren, dass es da draußen eine ganze Welt gibt, von der ich mir nicht einmal vorstellen kann, wie sie aussehen soll. Zu bemerken, dass es diese Welt gibt, ist aufregend, aber es tut auch weh, macht mir wahnsinnige Angst. Es schmerzt zu ahnen, was man in all den Jahren der Unwissenheit verpasst hat. Alles in Frage stellen zu müssen, auf das sich mein altes Leben noch stützt, um irgendwann ein neues zu beginnen, ist ein Schock. Heute weiß ich, manchmal muss man alles verlieren, bevor man etwas gewinnen kann.

Ich liege in dieser Nacht wieder bis vier Uhr wach. Jede Frage führt zu einer neuen. Wenn die Welt nicht von Allah geschaffen wurde, auf wen kann ich mich dann verlassen? Was ist dann der Sinn des Lebens? Woran kann ich überhaupt noch glauben? Ist das mit dem Urknall nicht genauso irrsinnig und nur eine menschengemachte Theorie wie die Vorstellung, dass Gott die Erde erschaffen hat?

Diese Fragen begleiten mich mehrere Wochen lang. Ich lese Artikel auf Englisch, übersetze sie Satz für Satz, Wort für Wort mit Google Translate, weil mein Wortschatz trotz des Englischkurses nicht immer ausreicht, um die komplizierten Texte zu verstehen. Es ist ein mühsamer Prozess, ich mache mich auf die Suche, ohne wirklich zu wissen, in welche Richtung ich gehen soll. Quellen widersprechen einander, es gibt so viele Stimmen, die sich aufeinander beziehen, voneinander abwenden, es fällt mir schwer, Orientierung zu gewinnen. In diesen Wochen esse ich abends meistens nur ein bisschen Brot und gehe nach der Arbeit sofort in mein Zimmer, um weiterzulesen.

Ich sehe eines Abends einen Dokumentarfilm über die Entstehung verschiedener Hautfarben, Augenformen und Knochenstrukturen bei Menschen, die in unterschiedlichen Teilen der Welt zu Hause sind, und es ergibt alles sehr viel mehr Sinn als das, was ich im Koranunterricht gelernt habe. In der Schule hatten wir jeden Tag drei oder sogar vier Stunden religiöser Erziehung. Wir haben den Koran gelesen, die Lehrerin hat uns Passagen daraus erklärt und immer wieder betont, wie wichtig es sei, sich an die Regeln des heiligen Buches zu halten. Wir mussten zu Hause einzelne Suren auswendig lernen und sie am nächsten Tag in der Schule vortragen. Wenn wir Fehler gemacht haben, hat die Lehrerin vor der ganzen Klasse abschätzig mit uns geredet, bis wir vor Scham im Boden versunken sind. In keinem anderen Fach wurden wir für Fehler so sehr gerügt wie im Koranunterricht. Uns wurde gesagt, dass Ungläubige, Christen und Juden uns unterlegen seien und in die Hölle kämen. Dass man ihre Feste nicht feiern und sie nicht wie Menschen behandeln dürfe. Menschen, die keine Moslems sind, gehen in Saudi-Arabien in spezielle Schulen für Einwanderer anderen Glaubens. Sie kommen nicht mit uns in Berührung, und wir nicht mit ihnen. Alles ist darauf ausgelegt, dass keine Zweifel am Glauben aufkommen. In der Schule haben wir das Wort Evolution nie gehört. Uns wurde gesagt, dass Gott die Welt erschaffen habe und es verschiedene Arten gebe, weil in jedem Teil der Welt andere Bedingungen vorherrschen.

Je mehr ich lese, desto hungriger werde ich auf neue Informationen, niemals bin ich satt. Manchmal fühle ich mich so klein und dumm. Mir fehlen die Grundlagen, um das, was ich lese, schnell verstehen und einordnen zu können. Ich lade *Die Entstehung der Arten* als Pdf-Datei herunter. Das Buch ist in Saudi-Arabien verboten.

Ich weiß spätestens jetzt, dass ich den sicheren Boden des harmlosen Internetsurfens verlassen habe.

Es ist sehr mühsam für mich, Darwin auf Englisch zu lesen. Ich merke, wie wenig ich weiß, wie wenig ich von der Welt, den Menschen und dem Universum verstehe. Ich fühle mich verhöhnt von meiner Religion, die einst alles für mich war. Der Eindruck, man habe mich absichtlich dumm gehalten, damit ich mich nicht gegen das rigide Gerüst meines Glaubens auflehne, wird immer stärker.

Ich fühle mich, als sei ich endlich aufgewacht, und seitdem bin ich auch ganz buchstäblich wach. Ich schlafe kaum, nächtelang lese und recherchiere ich. Ich suche und verstehe Zusammenhänge, die ich mein Leben lang nie gesehen habe, weil ich mir bestimmte Fragen nicht gestellt habe. Ich suche gierig nach Antworten und finde dabei nur neue Fragen, jede mir bisher unbekannte Information lässt mich vor neuen Rätseln stehen. Wenn Gott so groß ist, wo war Er dann vor dem Urknall? Welche Rolle spielt Gott überhaupt, wenn Er die Menschen und Tiere nicht erschaffen hat? Wenn es eine so große Sünde ist, an Ihm zu zweifeln, wieso hat Gott mich dann immer noch nicht bestraft? Ich bitte Gott, mir ein Zeichen zu geben, wenn es Ihn gibt.

Und ich gehe noch weiter, höre heimlich auf, fünfmal am Tag zu beten, tue es nur noch, wenn meine Mutter mich fragt, ob ich ihr zur Gebetszeit Gesellschaft leiste. Je mehr ich über Atheismus, die Evolution und die wissenschaftliche Erklärung unserer Welt erfahre, desto stärker fühlt sich das Beten für mich an wie ein verlogenes Ritual. Und deshalb warte ich auf eine Strafe. Ich warte eine Woche, zwei Wochen, einen Monat. Das Zeichen Gottes kommt nicht.

Wenig später entdecke ich das wichtigste Buch, das ich jemals gelesen habe. Richard Dawkins *Gotteswahn*. Ich verschlinge es.

Er bringt das, was ich bisher nur erahnen und nicht in Worte fassen konnte, auf den Punkt. Besonders beeindruckt bin ich, als ich lese, dass der Glaube an einen Gott, der das Universum geschaffen hat, ein Weg ist, sich der Verantwortung dafür zu entziehen, eine Erklärung für die Welt, das Leben mit all seinen Wundern, zu finden. Es ist, als spräche er mir aus der Seele. Als hätte er es geschafft, den Unmut, den ich dem Islam, ja, jeder Religion gegenüber fühle, in Worte zu fassen. Dawkins feiert den Verstand über die Wundergläubigkeit, und zeigt auf, wie sehr Menschen auf der ganzen Welt in Systemen leiden müssen, die ihnen als Wahrheit verkauft werden und gegen die sie glauben, machtlos zu sein.

Dawkins schreibt über die spaltende Kraft der Religion, und auf einmal sehe ich das Schicksal meiner Tanten, Nichten, Freundinnen, die nur wegen der strengen Form des Islam so leiden müssen, in einem neuen Licht. Auch mein eigenes Schicksal kann ich auf einmal aus einer ganz neuen Perspektive betrachten.

Wie mit allem, was mich der Wahrheit näherbringt, ist es auch mit diesem Buch so, dass es zwar viele meiner Fragen beantwortet, aber auch unendlich viele weitere aufwirft.

Wenn man sich meine Abkehr vom Glauben so vorstellt, als würde ich einen Ozean überqueren, als würde ich von einem Ufer zum anderen schwimmen, von einem Leben als Gläubige weg, zu einem Leben als Atheistin hin, dann bin ich jetzt schon auf hoher See. Das Ufer, das ich verlassen habe, kann ich nicht mehr sehen. Um mich herum toben Wellen aus dunklem Wasser, die drohen, mich zu verschlingen. Ich habe Todesangst, fürchte mich davor, mich zu verirren, aber ich kann nicht zurück. Jetzt, da ich schon so weit geschwommen bin, will ich das andere Ufer erreichen. Zu neugierig bin ich darauf, was dort auf mich wartet.

Ich weiß, diese Bücher herunterzuladen, ist gefährlich. Alleine, sie zu lesen, ist ein Risiko. Aber je mehr ich über diese andere Sicht auf die Welt erfahre, desto weniger schwer wiegt meine Angst, desto genauer weiß ich, wohin ich schwimmen muss. Mein Wissensdurst ist stärker als die Furcht zu ertrinken.

Und trotzdem weiß ich sehr genau, dass dieses neue Wissen und meine immer größer werdenden Zweifel an Gott mein

Todesurteil sein können. Wer in Saudi-Arabien anders ist, lesbisch, schwul oder nicht gläubig zum Beispiel, der muss sich entscheiden: zwischen dem sicheren Tod und der Bereitschaft, eine Lüge zu leben.

Auf Twitter traue ich mich jetzt, meine Zweifel an Gott zu äußern. Twitter ist sicherer als Facebook. Ich muss bei der Anmeldung nicht meine wahre Identität preisgeben. Trotzdem ändere ich meinen Usernamen relativ oft, aus Angst, die Regierung könnte meinen Account schließen oder, noch schlimmer, Rückschlüsse auf meine Identität ziehen. Ich teile Zitate wie das des französischen Philosophen Jean-Jacques Rousseau: »Seitdem sich die Menschen herausgenommen haben, Gott eine Sprache zu verleihen, hat ihn jeder auf seine Weise sprechen und sich von ihm sagen lassen, was er gewollt hat.« Ich frage öffentlich, ob man wissen kann, was nach dem Tod kommt, und schließlich formuliere ich zum ersten Mal öffentlich die Frage, ob es Gott überhaupt gibt – ein großer Schritt für mich. Ich schmeiße Steine ins Wasser, um Wellen zu schlagen. Es ist mir jetzt nicht mehr genug, nur nach Antworten zu suchen. Ich möchte meine einsame Suche nach außen tragen, sie mit anderen teilen. Ich kann mit niemandem in meinem echten Leben offen darüber sprechen. Die Tatsache, dass es da draußen, auf der ganzen Welt, in vielen anderen muslimischen und nicht-muslimischen Ländern, Menschen gibt, die wie ich an der Existenz Gottes zweifeln, hilft mir, mich nicht ganz allein zu fühlen.

Und diese Menschen hören mich nicht nur, sondern geben mir auch wertvolle Ratschläge. Als ich mit einem User aus den Vereinigten Arabischen Emiraten chatte, rät der mir, geduldig mit mir selber und meiner Suche zu sein: »Die Wahrheit findest du nicht innerhalb einer Minute oder eines Tages. Es ist ein Prozess, ein langer Weg, auf den du dich einlassen musst.«

Dieser Satz hilft mir sehr, denn in meiner Verzweiflung werde ich ungeduldig. Mein ganzes Leben lang habe ich mich nach dem Koran und den Regeln der Scharia gerichtet und nie eine Alternative dazu gesehen. Als ich meine alte Weltanschauung dann als Illusion enttarnt sehe, bin ich erst einmal ohne Halt und voller Misstrauen, denn wer sagt mir, dass die Evolutionstheorie nicht auch bloß eine Geschichte ist? Wenn ich mich schon einmal so gründlich getäuscht habe, woher soll ich dann wissen, ob ich nicht gerade im Begriff bin, es wieder zu tun?

Es fällt mir schwer, mich auf diesen langen Prozess der Wirklichkeitsfindung einzulassen, weil so viel davon abhängt, mein ganzes Leben. Ein neuer atheistischer Freund aus den Vereinigten Arabischen Emiraten hört mir geduldig zu und empfiehlt mir ein weiteres Buch, das ich in wenigen Nächten durchlese. Der Text bringt mir auch die westliche Sicht auf die Anschläge des 11. September näher. Ein Ereignis, das in meiner Heimat, in meiner Schule, von allen gefeiert wurde als ein Erfolg der Gläubigen über die Ungläubigen. Ich beginne zu verstehen, wie weit die Taten reichen, die Fundamentalisten im Namen des Korans begehen. Warum geschieht im Namen von Religionen so viel Schlechtes? Was haben Glauben und Gewalt miteinander zu tun? Ich beginne mich zu fragen, was Religion für die Menschen eigentlich bedeutet. Ich kenne viele, die in ihrem Glauben gemäßigt sind, sie haben die Religion meistens von ihrer Familie und ihrem kulturellen Umfeld übernommen und praktizieren sie, ohne sie zu hinterfragen, genau, wie ich es getan habe. Das alles sind schwerwiegende Fragen, von denen ich ahne, dass ihre Antwort differenziert ausfallen muss. Ich teile nicht alle Standpunkte aller atheistischen Autoren, die ich lese, aber das scheint in Ordnung zu sein, denn diese neuen Weltbilder lassen Raum für andere Meinungen. Es ist vielleicht das, was mich am meisten vom Atheismus überzeugt: Er ist kein strenges Glaubenssystem, das mit Strafen arbeitet, es ist nicht an eine autoritäre Gruppe oder Gemeinschaft gebunden, ich kann jederzeit beschließen, doch keine Atheistin zu sein, ohne Strafen fürchten zu müssen, und wenn ich etwas Gutes tue oder mich auf eine bestimmte Art verhalte, dann tue ich das, weil ich selbst mich dazu entscheide, nicht, weil es ein System oder ein Vertreter eines Systems von mir verlangen.

Ich traue mich erst einige Monate später, *Arab Atheist* zu kontaktieren, den Menschen hinter dem Account, der den Stein ins Rollen gebracht hat. Am 21. Dezember schreibe ich, aufgeregt und mit zitternden Händen: »Wie wurdest du vom gläubigen Moslem zum Atheisten? Wie kam es dazu, dass du dich um 180 Grad gedreht hast?« Ich schicke die Fragen ab und werde immer nervöser, verdränge wie immer sofort den Gedanken, irgendjemand könnte meine Identität mit dem Account, von dem aus ich schreibe, in Verbindung bringen.

Und er antwortet tatsächlich: »Auch ein großes Feuer beginnt mit einem einzigen Funken. Ich habe mich oft gefragt, wieso Frauen in unserer Gesellschaft so wenig wert sind. Ich habe es nie verstanden. Als ich anfing zu suchen, ging die Welt, in der ich davor zu Hause war, in Flammen auf.«

Er spricht mir aus der Seele, ich vergesse fast zu atmen, als ich seine Zeilen lese. Ich muss sogar den Laptop kurz zuklappen, weil ich Angst habe, vor Aufregung nicht mitzukriegen, wenn jemand ins Zimmer kommt.

Ab diesem Moment sind wir in Kontakt, er rät mir, meine Fragen zu sortieren, ihnen eine Struktur zu geben und weiterzusuchen. Es ist das, was mir auch alle anderen Atheisten sagen, mit denen ich mich auf Twitter vernetzt habe. Ich versuche, diesen Rat so gut ich kann zu befolgen, und grabe mich mit jedem Abend im Internet tiefer in ein Doppelleben.

Während dieser Zeit beginnt meine Mutter, den Verdacht zu hegen, dass es in meinem Leben einen Mann gibt. Immer öfter kommt sie ohne Vorankündigung in mein Zimmer gestürzt und versucht, einen Blick auf den geöffneten Laptop zu erhaschen. Ich habe deswegen immer eine Seite mit harmlosen Musikvideos geöffnet, so dass ich schnell das Fenster wechseln kann, wenn ich sie an der Tür höre. Bisher hat sie mich nicht erwischt.

An einem Tag im Juni, an dem ich freihabe und draußen die Sonne scheint, sitze ich in meinem Zimmer, und denke lange nach. Ich habe den Computer nicht angeschaltet, sondern konzentriere mich nur auf mich und meine Gedanken. Zwei, drei Stunden lang wende ich alles, was ich den letzten Monaten gelesen und erfahren habe, hin und her, besehe es von allen Seiten. Ich denke darüber nach, dass sich nichts von dem, was im Koran steht, nachprüfen oder beweisen lässt, dass es im Gegenteil Beweise gibt, die dafür sprechen, dass die Geschichte, die der Koran erzählt, nicht stimmt. Und genau das frage ich mich: Ist Gott nicht einfach eine von vielen Geschichten, die Menschen sich erzählen? Eine besonders gut erzählte, eine mächtige und alte Geschichte, die einfach besonders viele Menschen glauben? Und eine Geschichte, die sich von anderen unterscheidet, weil es eine Sünde ist, zu sagen, dass sie eben das ist, eine Geschichte? Es ist einfach nur eine Geschichte. In meinem Zimmer ist es ganz still. Alles steht noch dort, wo es schon immer gestanden hat. Der Teddybär, neben dem ich jeden Abend einschlafe, liegt immer noch neben dem Kopfkissen, über dem Schreibtisch hängen Fotos von meinen Tanten, Onkeln, Nichten und Neffen. Nichts weist auf die ungeheuerliche Entwicklung hin, die ich hier in diesem Raum in den letzten Wochen durchlaufen habe. Ich bin fast erstaunt, dass man das Ringen der unterschiedlichen Stimmen in meinem Kopf von außen nicht sieht, dass es dafür keine Spuren gibt in meinem Kinderzimmer. Dabei ist das, was in mir geschehen ist, so groß, so unerhört und verboten. Nach endlosen Grübeleien komme ich schließlich zu einem Schluss: Ich bin Atheistin.

Ich poste den Satz auf Twitter. Mir fällt ein Stein vom Herzen, als ich es danach laut zu mir selbst sage. Sofort antworten zehn, fünfzehn User auf meinen Tweet, manche der Reaktionen sind ermutigend, andere kritisch. Jetzt gibt es kein Zurück mehr.

Ich bin Atheistin.

Ab jetzt bin ich in dieser strenggläubigen Gesellschaft, die einmal mein einziger Kompass war, gewissermaßen tot. Und doch ist dieser Satz der Anfang meines neuen Lebens.

6.

Die Dunkelheit der Nacht

Der ältere Bruder ist für jede Frau, die so aufwächst wie ich, eine wichtige Person. Denn große Brüder wachen über die Ehre der Familie, vor allem sehen sie sich oft als Aufpasser. Vielleicht legen sie im Gegensatz zu den Vätern sogar ein noch ungestümeres und aggressiveres Verhalten an den Tag, weil sie ihre Männlichkeit in jungen Jahren testen und unter Beweis stellen wollen. Sie haben Lust an der Macht und leben in einer Gesellschaft, in der sich ihnen niemand in den Weg stellt. Am seltensten die Mütter, die ihre Söhne verwöhnen und bevorzugen, sie fast nie kritisieren. So erziehen manche Frauen selbstverliebte, machtbesessene und grausame Söhne, die sich auf Kosten ihrer Schwestern ausleben, weil sie Bestätigung daraus ziehen, dass die Frauen in der Familie Angst vor ihnen haben und sich ihnen unterwerfen müssen.

Mein Bruder Omen ist drei Jahre älter als ich. Als wir klein sind, liebe ich ihn sehr. Er ist ein fröhliches, beliebtes Kind. Ein wilder Junge, der lieber Fußball spielt als Hausaufgaben macht. Er ist der Wildfang, ich bin die Brave. Er spielt mit ferngesteuerten Autos und kommt mit aufgeschlagenen Knien nach Hause. Aber nachmittags sitzen wir oft gemeinsam auf der Couch und schauen Zeichentrickserien. Er bringt mir das Einmaleins bei, als ich noch nicht zur Schule gehe. Nach meinem Vater ist er für mich der wichtigste Mann auf der Welt. Ich fühle mich wohl in seiner Gegenwart, und geborgen.

Als Omen zwanzig Jahre alt ist, geht er nach Syrien, um dort Architekturtechnik zu studieren.

Mein Vater schickt ihn dorthin, wohl in der Hoffnung, dass Omen seine ungestüme Energie in etwas Sinnvolles steckt. Doch das Gegenteil geschieht: Das liberalere Leben in Damaskus tut Omen nicht gut. Statt zu schätzen, dass unser Vater sein Studium finanziert, investiert er das Geld in Alkohol. Nachbarn erzählen meinem Vater, dass sie ihn manchmal in Begleitung von Frauen in die Wohnung gehen sehen. Es tut mir weh zu sehen, wie viel Kummer er meinen Eltern bereitet. Ich finde es ungerecht, dass er all diese Freiheiten genießt, zur Uni gehen darf, was ich mir so sehr wünsche, aber niemals werde tun dürfen, und dass er all das einfach so wegschmeißt.

Nach zwei Jahren entscheidet mein Vater, dass es besser ist, wenn Omen zurück nach Riad kommt. Omen belegt einen Informatikkurs und wohnt wieder bei meinen Eltern – so, wie ich es wenig später auch tun werde, zu diesem Zeitpunkt bin ich jedoch noch in Damaskus.

Doch der Ärger mit ihm hört auch zu Hause nicht auf. Er gerät in ein Wortgefecht mit einem Polizisten, der seiner Meinung nach unsere Mutter beleidigt hat. Ich erfahre erst später davon. Auch in dieser Sache halten sich meine Eltern jedoch bedeckt. Omens Temperament und sein Jähzorn sollen ihm in dieser Situation zum Verhängnis geworden sein, anscheinend hat er den Polizisten sogar geschlagen. Zu dieser Zeit habe ich mit meiner Familie nur losen Kontakt und bin vor allem mit meinen Eheproblemen beschäftigt. Bis heute weiß ich nicht, was genau geschehen ist. Nur, dass Omen sechs Monate ins Gefängnis muss. Mein Vater tut alles, um ihn davor zu bewahren, aber er hat keine Chance.

Ich glaube, die Monate im Gefängnis haben viel damit zu tun, dass mein Bruder plötzlich so strenggläubig wird. Er betet dort viel, studiert den Koran und wird noch viel frommer, als er es vor seinen Ausbrüchen sowieso schon war. Es ist, als würde er dort Buße tun für sein Verhalten während des Studiums. Er saugt alles Religiöse in sich auf wie ein Schwamm.

Wenige Monate, nachdem er entlassen wird, heiratet Omen dann Emma. Emma ist in den Augen meiner Mutter die Traumfrau für ihren ältesten Sohn: Sie hat an der tief religiösen Islamischen Universität Imam Muhammad in Saud studiert. Dort stehen neben Fächern wie Medizin und Informatik auch Studiengänge wie die Scharia und Islamwissenschaften auf dem Lehrplan. Zu den Absolventen zählen auch fundamentalistische Gelehrte, die Standpunkte vertreten wie den, dass es legitim ist, wenn ein Ehemann seine Frau schlägt, sollte sie sich nicht an seine Regeln des Islam halten. Manche der dort Lehrenden sind auch gegen eine Altersbegrenzung für Mädchen, die verheiratet werden dürfen. Man hört Gerüchte, dass jemand von dieser Uni unter dem Verdacht steht, Hasspredigten zu halten und junge Moslems dazu aufzurufen, sich zu radikalisieren. Ungläubige werden von einigen dort mit Tieren verglichen, erzählt man sich, Frauen, die nach westlichen Regeln leben, werden angeblich als Flittchen bezeichnet.

Auch einer der fünf Entführer und Selbstmordattentäter vom 11. September soll dort Kurse belegt haben. Und der Präsident der Religionspolizei hat diese Universität ebenfalls besucht.

Ich weiß nicht, ob all die Behauptungen stimmen, die man sich über die Universität erzählt, aber der Unterricht muss tief religiösen Vorschriften entsprechen, das ist bekannt. Man merkt, dass Emma, die ich eigentlich sehr gerne mag, dort studiert hat: Sie ist in ihrem Glauben so streng, dass sie anscheinend keine Barmherzigkeit gegenüber Nicht-Moslems gelten lassen kann. Einmal frage ich sie, ob sie wirklich glaubt, dass Gott ausnahmslos alle Christen in die Hölle schickt, selbst kleine Kinder oder Menschen, die gar nicht wissen, dass sie auch nach dem Koran leben könnten. Sie antwortet, ohne mit der Wimper zu zucken: »Jeder kennt den Islam. Natürlich müssen sie in die Hölle.« Ich bin fassungslos angesichts ihrer Härte.

Emmas Eltern sind mit meinen Eltern befreundet, ihr Vater ist Dichter und arbeitet an der König-Saud-Universität. Mein Vater mag Emmas Vater sehr. Die beiden kennen sich aus der Nachbarschaft, beide kommen aus Syrien und sind vor zehn Jahren etwa gleichzeitig in unser Viertel gezogen. Emma hat zwei Schwestern und drei Brüder, alle sind strenggläubig.

Meine Mutter ist entzückt, als Omen Emma heiratet, in ihren Augen könnte es gar keine bessere Braut für ihn geben. Auch mein Vater ist erleichtert. Er mietet eine Wohnung für seinen Sohn und seine Schwiegertochter und richtet sie komplett ein. In den Jahren, in denen Omen noch nicht so viel verdient, zahlt mein Vater sogar die Miete.

Drei Monate nach der Hochzeit wird Emma schwanger. Sie hat selber eine Zwillingsschwester, und als wir erfahren, dass auch Omen und seine Frau Zwillinge erwarten, freuen wir uns alle sehr. Bis auf ihre Mutter, die Emma warnt: »Stelle dich darauf ein, dass es eine schwere Schwangerschaft und eine noch schwerere Geburt wird.« Sie lacht, als sie das sagt.

Emma ist für mich wie eine neue beste Freundin. Als sie

schwanger ist und ich gerade wieder bei meinen Eltern eingezogen bin, tröstet sie mich oft. Ich besuche sie, wenn ich nicht gerade arbeiten muss, wir kochen und backen gemeinsam. Ehe ich beginne, an Gott zu zweifeln, bin ich ihr und auch meinem Bruder sehr nahe.

Einmal kommt Emma sogar zu einer Untersuchung in das Krankenhaus, in dem ich arbeite. Zu Beginn trage ich dort immer noch meinen Gesichtsschleier und meine Abaya, doch weil kaum eine der anderen Frauen, die dort arbeiten, ihr Gesicht vollständig verhüllt, mache ich es nach einer Woche auch nicht mehr. Ich trage nur das Kopftuch. Weil das Krankenhaus dem saudischen Investor Prinz al-Walid ibn Talal gehört, hat die Religionspolizei zu diesem Gebäude keinen Zutritt, deshalb haben wir nichts zu befürchten. Ich gewöhne mich schnell an diese neue Freiheit, denn ich fand es schon immer sehr schwierig, unter dem Nikab zu atmen, vor allem während der Arbeit, wenn ich mit Menschen in Kontakt bin und schnell Dinge erledigen muss, ist er mir oft im Weg. Ich bin unglaublich froh, den Tag ohne ein Stück schwarzen Stoffs vor der Nase verbringen zu können. Außerdem mag ich es viel lieber, mir morgens mein Outfit auszusuchen, und zu wissen, dass es auch jemand sieht und ich nicht nur immer in meinem Schleier und der Abaya arbeite. Ich habe nur zwei, die ich immer im Wechsel anziehe. Viele Frauen in Saudi-Arabien haben zehn oder mehr Abaya-Modelle: eines für die Uni, eines für die Freizeit, ein weiteres für die Arbeit. Für Menschen aus dem Westen mögen sie sich kaum voneinander unterscheiden und einfach aussehen wie sich gleichende Gewänder aus schwarzem Stoff, aber Frauen aus Saudi-Arabien erkennen den Unterschied zwischen einer günstigen Abaya aus Polyester und einer richtig teuren aus schwarzer Seide sofort. Für Feste wie den Eid al-Filtr, das Fastenbrechen, gibt es sogar Abayas und Tarhas mit kleinen Strasssteinen und aufgenähtem Schmuck. Diese darf man aber nur zu besonderen Anlässen und nicht auf der Straße tragen. Die reichen Mädchen haben Modelle aus Seide, die Tausende Rial kosten. Meine beiden Abayas und Kopftücher sind aus Viskose.

Auf der Arbeit lege ich jetzt jeden Morgen alles zusammen, erst die Abaya, dann das Kopftuch und dann den Nikab, und schließe die Kleidungsstücke dann in mein Fach ein. Es ist nötig, die Kleider in dieser Reihenfolge zu falten und aufeinanderzulegen, so gebietet es die Sitte. Weil es so wichtig ist, sich zu verschleiern, ist es auch von Bedeutung, den Schleier mit einer gewissen Achtung zu behandeln. Zu Hause hänge ich meine schwarzen Gewänder an einem Haken auf. Ich bin jedes Mal froh, wenn ich den Nikab wieder abnehmen kann, so auch an diesem Morgen.

Ich denke mir gar nichts dabei, inzwischen ist es mir zur Normalität geworden, doch als mein Bruder und Emma mich so sehen, ist Omen sofort in Rage, und Emma sieht völlig schockiert aus. Sie drehen um und verlassen das Krankenhaus sofort wieder, ohne auf ihren Termin zu warten. Auf dem Weg nach draußen dreht sich Omen noch einmal nach mir um und wirft mir einen verachtenden Blick zu. Als mich mein Vater später abholt, schweigt er. Ich weiß, es wird Ärger geben. Und kaum bin ich zur Tür hineingekommen, stürzt sich auch schon meine Mutter auf mich und schimpft mit mir. Ich sage ihr, dass ich unter dem Nikab kaum Luft bekomme und es sehr anstrengend ist, den ganzen Tag mit dem Schleier vorm Gesicht zu arbeiten. Und dass die anderen Frauen dort auch nicht verschleiert sind. Meine Mutter lässt das nicht gelten, sie ist außer sich und nimmt mir das Versprechen ab, dass ich in Zukunft immer nur verschleiert arbeite. Sie redet auch auf meinen Vater ein, aber er rügt mich nicht.

Einige Tage später sagt mein Bruder, dass ich meine Augen zu stark betone. In meiner Heimat schminken wir Frauen uns sehr sorgfältig und auffällig die Augen. Es ist ja auch das Einzige, was man von uns sieht, wenn wir in der Öffentlichkeit sind. Ohnehin ist es paradox: Obwohl wir uns ständig verhüllen müssen, ist Frauen in Saudi-Arabien ihr Aussehen sehr wichtig. Wir geben sehr viel Geld für Kosmetik aus, ein stark geschminktes Gesicht ist die Regel, keine Ausnahme. Mein Bruder unterstellt mir, dass ich mich nur deswegen so stark schminke, um die Aufmerksamkeit von Männern auf mich zu ziehen. Um alle zu befrieden, höre ich ganz auf, mich vor der Arbeit zu schminken. Ich mache es heimlich in der Umkleidekabine und nehme mein Make-up am Ende der Schicht wieder ab, ich kann diese Anfeindungen und Auseinandersetzungen zu Hause einfach nicht mehr ertragen. Dann tue ich die Dinge eben heimlich. Ich arbeite auch trotz meines Versprechens weiter ohne den Nikab.

Doch damit ist es nicht getan, ich glaube, der Nachmittag, an dem er und seine Frau einen Untersuchungstermin im Krankenhaus platzen lassen, nur, weil ich keinen Schleier trage, ist der erste Bruch zwischen Omen und mir, auch wenn mir das erst später klar werden soll. Denn kurz darauf kommen die Zwillinge auf die Welt. Wir bringen Emma Schokolade und Blumen, alle sind außer sich, wie süß diese beiden Kinder sind.

Es ist ein schöner Trost für mich, Emmas Kinder zu füttern und zu baden. Ich bringe sie manchmal sogar ins Bett. Ich liebe die beiden über alles, doch gleichzeitig ist es auch manchmal schwer, sie um mich zu haben, zuzusehen, wie sie wachsen, sich entwickeln und die Welt entdecken. Wenn ich dann in mein Zimmer zurückkehre, kommen mir manchmal die Tränen, und der Kloß in meinem Hals wird wieder größer. Aber es ist trotzdem vor allem eine schöne Ablenkung und eine große Freude, Fatimas und Hamzas Tante zu sein. Ich genieße es sehr, Zeit mit den beiden zu verbringen.

Und auch mit meinem Bruder und seiner Frau: Manchmal fahren Omen, Emma und ich zur Sahara-Mall, einem großen Einkaufszentrum, das Emma und ich lieben. Ich freue mich über die Einladungen, meistens ruft Emma donnerstags an und fragt mich, ob ich sie zum Einkaufen begleiten möchte. Heute frage ich mich manchmal, ob diese Ausflüge nicht auch insgeheim ein Versuch Omens waren, mich zu kontrollieren, auf mich aufzupassen und zu verhindern, dass ich auf dumme Gedanken komme. Denn diese Furcht scheint er seit dem Nachmittag zu haben, an dem er mich ohne Schleier gesehen hat.

An einem Abend im Juli holt mich mein Bruder einmal von der Arbeit ab. Mein Handyakku ist leer, und ich bitte einen Kollegen, den ich in der Lobby treffe, mir kurz sein Ladegerät zu leihen, damit ich meinem Bruder Bescheid sagen kann, dass ich schon auf ihn warte. Ich unterhalte mich gerade mit ihm und warte, dass das Handy endlich angeht, als Omen schon in die Lobby kommt. In seinem Blick steht alles, was ich wissen muss – er missbilligt es, dass ich mit einem männlichen Kollegen spreche, denn das ist mir nicht erlaubt. Er ist so zornig, dass er seinen Ärger nicht mal im Ansatz verbergen kann. Ich mache eine entschuldigende Geste in Richtung meines Kollegen und folge meinem Bruder wortlos nach draußen. Auf dem Weg nach Hause macht mir seine Wut Angst. Er sagt zwar kein Wort, rast aber über die Straße, den Blick verbissen nach vorne gerichtet. Er fährt bei Rot über die Ampel, sein Blick wird noch finsterer. Als wir zu Hause sind, erzählt er sofort alles meiner Mutter, und ich falle wieder einmal in Ungnade.

Spätestens jetzt weiß ich, dass Omen mir misstraut. Ich bekomme Angst, dass er herausfinden könnte, welche Bücher ich lese, mit welchen Menschen ich mich auf Twitter vernetze. Ich bin fast froh, dass er gar nicht in diese Richtung zu denken scheint. Er glaubt, ich sei auf andere Weise vom Weg abgekommen. Er telefoniert jetzt häufig mit meinen Onkeln aus Damaskus. Ich beginne zu glauben, dass sie noch einmal versuchen wollen, bei ihm den Verdacht zu säen, dass ich mich heimlich mit Männern treffe, dass ich wirklich ein Flittchen bin, so, wie sie es schon immer gedacht haben. Ich glaube, sie halten mich für ein leichtes Mädchen. Anders als meine Schwester achte ich sehr auf mein Aussehen, färbe mir die Haare, schminke mich. Auch darin sehen sie ein Anzeichen, haben es schon immer getan, dass ich nach der Aufmerksamkeit von Männern giere. Dass ich einfach aus eigenem Antrieb ein bisschen eitel bin und mich gerne hübsch mache – auf diesen Gedanken kommen sie nicht. Sie scheinen wie besessen davon, mich zu quälen, und da sie nun weit entfernt von mir sind, versuchen sie, Omen dazu zu bringen, mir das Leben schwerzumachen. Und sie scheinen Erfolg zu haben: Es missfällt ihm immer mehr, dass ich arbeite. Immer wieder sagt er meinen Eltern, ich solle endlich aufhören mit meinen Eskapaden und leben wie eine gute, fromme Muslima.

Mein Bruder und Emma wohnen gegenüber dem Haus meiner Eltern. Omen hat den Schlüssel zu unserer Wohnung und kommt oft unangemeldet vorbei. Jeden Freitag, wenn mein

Vater und mein Bruder vom Freitagsgebet zurück sind, gehe ich mit meinen Eltern spazieren. Omen weiß das.

An einem dieser Freitagnachmittage muss er sich währenddessen in mein Zimmer geschlichen haben. Aber das finde ich erst später heraus. Er installiert Wanzen, um mich abzuhören. Durch sie muss er ein paar Tage später auch ein harmloses Telefonat mithören, das ich mit einem Kollegen führe. Ich lache wohl dabei. Es ist ein völlig unschuldiges Gespräch, deshalb vergesse ich es sofort wieder, auch heute erinnere ich mich nur vage daran. Doch mein Bruder scheint das anders wahrzunehmen, ihm scheint es als Vorwand zu genügen. Manchmal essen wir nach dem Freitagsgebet alle zusammen, so wie an dem Tag nach dem Gespräch. Die anderen sitzen schon auf dem Boden, das Essen ist schon gerichtet, ich gehe wie immer nach unten und setze mich zu ihnen. Es gibt Hummus, Ful, Käse und Eier. Ich setze mich neben meinen Bruder. Sofort spüre ich, dass etwas nicht stimmt. Aus seinen Augen spricht Zorn, sie glänzen, als würde er Blitze in meine Richtung schießen. Es ist mir körperlich unangenehm, neben ihm zu sitzen. Auch meine Mutter scheint zu merken, dass irgendetwas nicht in Ordnung ist mit ihm. Sie fragt ihn: »Omen, mein lieber Sohn, was ist los mit dir?« Er sagt, er habe Ärger auf der Arbeit und schweigt. Ich fühle mich so unwohl, dass ich ganz hastig esse und sofort aufstehe, als ich fertig bin. Dabei ist das Frühstück am Freitag eine der wenigen Gelegenheiten in der Woche, mich mit meinen Eltern auszutauschen. Normalerweise sitzen wir stundenlang zusammen. Auf dem Weg in mein Zimmer frage ich mich, was ich getan habe, dass er schon wieder solch eine Wut auf mich hat. Ich bin mir keiner Schuld bewusst, überlege aber fieberhaft, ob irgendjemand etwas Schlechtes über mich erzählt haben könnte. Ich komme einfach nicht darauf, was die Ursache für seinen Zorn sein könnte. Als ich so auf meinem Bett sitze und nachdenke, stürzt er auf einmal in mein Zimmer.

Sein Zorn ist nicht verflogen, im Gegenteil. Hass entstellt sein Gesicht. Er beginnt, mich anzuschreien. »Ich weiß alles, du bist eine Schlampe, ein Flittchen. Was sind das für Männer, mit denen du telefonierst? Du bringst Schande über unsere Familie!«, brüllt er. Er ohrfeigt mich, dreimal, viermal, ich versuche, meine Hände vors Gesicht zu halten, schaffe es aber nicht, er ist außer sich. Dann zerrt er mich an den Haaren und wirft mich auf den Boden.

Wenn ich heute darüber nachdenke, was danach geschieht, kommt es mir fast vor wie eine Szene aus einem schlechten Film, so unbegreiflich finde ich das, was mein Bruder tut und wie sehr er sich dabei im Recht fühlt. In einer Gesellschaft, in der Frauen unterdrückt werden und Gewalt gegen sie alltäglich ist, wirkt das alles bei Weitem nicht so ungeheuerlich wie es das auf mich heute tut. In einer freien Gesellschaft zu leben, hat meinen Blick dafür geöffnet, welches Verhalten gegenüber anderen in Ordnung ist, und wo die Grenzen liegen. In Saudi-Arabien höre ich so oft von Freundinnen, dass die eigenen Verwandten ihnen gegenüber gewalttätig sind, dass ich irgendwann abgestumpft bin, es war und ist dort noch immer der Normalzustand. Erst in Deutschland werde ich wieder feinfühliger dafür, wie schlimm das ist, was in meiner Heimat zum Alltag fast jeder Frau gehört. Aus purer Lust daran, über einen anderen Menschen Macht auszuüben, erlauben sich manche Väter, Brüder, Onkel und Cousins in diesem Land alles, ohne ein schlechtes Gewissen zu haben, ohne Sanktionen fürchten zu müssen, selbst wenn es diese in einem geringen Maß gibt. Sie rechtfertigen ihr Verhalten mit dem Koran und legen ihn so aus, dass er als Grundlage dafür herhalten muss, dass Männer sich immer im Recht wissen und Frauen dazu verdammen können, sich kontrollieren zu lassen und sich unterwerfen zu müssen.

Als ich auf dem Boden liege, tritt mein Bruder mich wie ein Stück Vieh, immer wieder, er schreit und schlägt wie losgelöst. Ich rufe nach meinen Eltern so laut ich kann. Ich habe Todesangst. Ich versuche, meinem Bruder klarzumachen, dass ich nichts mit Männern habe, aber ich kriege kaum ein Wort heraus zwischen seinen Tritten, ich liege auf dem Boden und kann mich nicht schützen vor seiner unbändigen Wut.

Omen hat die Tür zu meinem Zimmer verriegelt, bevor er sich auf mich gestürzt hat. Es sind vielleicht fünf Minuten, die er auf mich einprügelt. Als er die Schritte meines Vaters auf der Treppe hört, beginnt er, mich noch härter und schneller zu treten und zu schlagen. Er schreit: »Ich bringe dich um!«, und mir scheint, dass er versucht, mir so viel Schmerz wie möglich zuzufügen, als er realisiert, dass er keine Zeit haben wird, mich zu töten. Ich gerate in Panik und kann kaum atmen.

Wieder einmal ist mein Vater meine Rettung. Er rüttelt an der Tür. Er schreit, mein Bruder solle sie öffnen. Der dreht sich um und lässt ihn herein. Mein Bruder ist immer noch wie von Sinnen, er schreit sogar meinen Vater an: »Ich habe das gute Recht, sie zu schlagen, lass dir zeigen, was sie macht, dann wirst du sehen, dass es richtig ist, was ich tue.«

Mein Vater packt meinen Bruder und schubst ihn weg von mir. Er beugt sich über mich, prüft, ob ich noch atme, sagt immer wieder meinen Namen. Ich liege am Boden, ich fühle mich leer, nicht einmal den Schmerz spüre ich, ich verstehe überhaupt nicht, was gerade passiert ist. Wahrscheinlich ist es normal, dass man nicht weiß, was man fühlen soll, wenn ein Mensch, der einem so nahesteht, so grausam zu einem ist. Was gerade passiert ist, ist ungeheuerlich, und ich weigere mich, es zu begreifen.

Ich liege im Bett, höre meinen Vater und meinen Bruder im Nebenzimmer diskutieren, Omar gibt zu, eine Wanze in meinem Zimmer versteckt und mich abgehört zu haben. Er will meinem Vater das Tonband vorspielen, sagt, er werde dann alles verstehen. Ich bin am Ende, und obwohl ich jedes Wort höre, verstehe ich überhaupt nicht mehr, was um mich herum passiert, verwirrt suche ich mit den Augen die Ecken meines Zimmers ab, Omar hat mich überwacht? Was hat er noch alles mitbekommen? Meine Gedanken rasen. Ich spüre Panik in mir aufkommen, aber auch eine seltsame Ruhe. Benommen stehe ich auf, schaffe es, mit zitternden Beinen zu meinem Schreibtisch zu kommen. In der Schublade mit meinen Bastelsachen habe ich eine neue Rasierklinge. Es passiert instinktiv. Alles in mir sagt: So kannst du nicht leben. In diesem Moment ist für mich klar, dass ich lieber sterbe, als so weiterzuleben. Ich kann nicht mehr. Ich schaue mich noch einmal in meinem Zimmer um, ohne irgendetwas wahrzunehmen. Ich bin völlig benommen, gleichzeitig sehe ich ganz klar. Ich setze mich auf den Boden, mit dem Rücken zur Tür, damit niemand reinkommen kann. Ich bin wie in Trance, als ich ansetze. Meine rechte Hand hält die Klinge, ich drücke sie kraftvoll in die Pulsader meines linken Unterarms und ziehe sie senkrecht durch das Fleisch. Ich spüre keinen Schmerz. Es ist so, als würde ich einer anderen Person dabei zusehen, wie sie in einen Körper schneidet, der nicht mir gehört. Ich starre auf das Blut, das aus meinem Handgelenk fließt, es ist viel, und ich spüre, wie ich langsam matt werde. Ich bin fast glücklich, es fühlt sich an wie eine Erlösung.

Die Stimmen meines Vaters, meiner Mutter und meines Bruders aus dem Nebenzimmer dringen kaum noch durch zu mir. Es ist mehr ein wirres Gemurmel als Sätze, die ich verstehen kann. Ich spüre keinen körperlichen Schmerz, nur eine endlose Trauer über all das, was mir widerfahren ist. Das tiefe Gefühl, in diesem Haus, in dieser Gesellschaft, auf dieser Welt nichts wert zu sein. Und ich spüre, dass ich dieses Gefängnis gerade verlasse. Dann verliere ich das Bewusstsein.

Es können nur wenige Minuten vergangen sein, bis mein Vater kommt und die Tür öffnet. Obwohl ich davor sitze, schafft er es irgendwie. Er muss gespürt haben, dass etwas nicht in Ordnung ist. Als er sich zu mir herunterbeugt und mir in die Augen schaut, sehe ich in seinem Blick, dass er glaubt, ich sei schon tot. Von ganz weit weg höre ich, wie meine Mutter zu ihm sagt: »Wir können sie nicht ins Krankenhaus bringen. Was ist, wenn sie Omen verhaften? Warum glaubst du ihm nicht? Was ist, wenn sie wirklich mit fremden Männern geschlafen hat, wie er sagt? Wenn er recht hat, dann ist es keine Sünde, sie sterben zu lassen. Sie hat uns schon so viel Ärger bereitet.« Mein Vater sagt, das höre ich ganz deutlich: »Ich lasse meine Tochter nicht sterben. Wir fahren ins Krankenhaus.« Ich kann nichts sehen, nehme nur seine vertraute, warme Stimme wahr, wie durch Watte. Dann werde ich wieder ohnmächtig.

Als ich zu mir komme, ist es Abend. Ich liege in einem Krankenhausbett. Das Erste, was ich denke, ist: Warum bin ich noch am Leben? Dann sehe ich den zornigen Blick meiner Mutter und die angsterfüllten Augen meines Vaters, als habe er damit gerechnet, ich würde nie wieder aufwachen. Meine Mutter spricht zuerst, sie sagt streng und hart: »Du wirst so etwas nie wieder tun. Ich hoffe, du hast endlich deine Lektion gelernt.«

Mein Vater bringt mir etwas zu essen und streichelt mir über den Kopf. Meine Eltern schaffen es, den Arzt davon zu überzeugen, nicht die Polizei zu rufen. Das Krankenhaus ist nicht wie die größeren Häuser videoüberwacht. Sonst hätte der Arzt gar keine andere Wahl gehabt, und Omen wäre für das, was er getan hat, bestraft worden. Denn ganz ohne Strafe kommt man auch in Saudi-Arabien nicht davon, wenn man versucht, jemanden umzubringen. Er hätte mindestens eine Geldstrafe zahlen müssen, vielleicht hätte man ihn auch für ein paar Monate ins Gefängnis gesteckt. Auch ich hätte wohl zu einem Imam gemusst, weil ich mir das Leben nehmen wollte. Der hätte versucht, mich wieder auf den rechten Pfad zu bringen, mithilfe des Korans. Meine Eltern reden das, was geschehen ist, vor dem Arzt klein, und er glaubt ihnen, will ihnen wohl auch einfach glauben und keinen Ärger haben. Er hat so etwas wahrscheinlich schon öfter erlebt. Ich bleibe zwei Tage im Krankenhaus.

Warum nur bin ich noch am Leben? Es ist der einzige Gedanke, den ich in diesen Tagen fassen kann. Ich wünschte, ich wäre gestorben. Ich fühle mich, als wäre ich an der einzigen Möglichkeit, ein würdiges Ende zu finden, gescheitert.

Die ersten Tage zu Hause bin ich wieder ein kleines Mädchen. Ich habe Angst vor der Dunkelheit der Nacht, vor Alpträumen und bösen Geistern, die mich heimsuchen. In meinem Zimmer ist ein großer Blutfleck auf dem Teppich, genau vor der Tür, den ich oft und lange ansehe, wenn ich tagsüber auf dem Bett sitze.

Ich weiß, ich habe meinen Bruder Omen für immer verloren. Was er getan hat, hat einen Graben zwischen uns hinterlassen, der niemals wieder überwunden werden kann. Ich denke an Nonas Bruder, der manchmal grundlos ihre Handtasche durchsuchte und sie schlug, wenn er Lippenstift darin fand. An die vielen Geschichten von Freundinnen und weiblichen Verwandten, die von ihren Brüdern geschlagen und getreten wurden. Daran, dass ich nicht verstehen kann, warum das normal sein soll und alle wegsehen.

Als ich Omen nach dem Vorfall das erste Mal wieder begegne, schaue ich ihn nicht an. Immer, wenn ich ihn danach im Haus meiner Eltern sehe, gehe ich sofort in mein Zimmer, ich ertrage ihn nicht. Wenige Tage nach dem Angriff höre ich ihn laut mit meiner Mutter reden. Er sagt: »Wenn Rana das Haus verlässt, bringe ich sie um.« Meine Mutter sagt nur, dass sie mich nicht aus dem Haus lassen werde. Alleine seine Stimme zu hören, flößt mir Todesangst ein. In den Jahren danach fahre ich nie wieder alleine mit ihm im Auto. Wir sprechen nicht mehr miteinander und ignorieren einander, so gut es geht.

Auch meine Mutter kann ich nach all dem nur schwer ertragen. Sie hat mir nicht beigestanden, weil ihr Sohn ihr wichtiger ist als ich. Das war mir vorher wahrscheinlich auch schon klar, sie hat nie ein Geheimnis daraus gemacht, aber es in dieser Deutlichkeit gespürt zu haben, ist fast unerträglich. Wenn ich sie sehe, bin ich unendlich traurig, ich fühle mich leer und kann die Frage nicht vergessen: Warum lebe ich noch? Es ist schwer, ihr in unserem kleinen Haus aus dem Weg zu gehen. Jedes Gespräch mit ihr reißt die Wunde immer wieder auf und lässt mich in ein tiefes Loch fallen.

In den ersten Tagen, in denen ich wieder zu Hause bin, erlauben meine Eltern mir, nachts in ihrem Bett zu schlafen. Sie ziehen ins Wohnzimmer um. In meinem Zimmer halte ich es am Anfang nicht aus. Jedes Mal, wenn ich mich dort im Dunkeln aufhalte, werde ich panisch, bekomme keine Luft mehr. Die Wanzen hat mein Bruder angeblich entfernt, aber ich kann ihm nicht glauben, warum sollte er sie nicht einfach in meinem Zimmer gelassen haben? Ich spüre, dass mein Bruder mich kriegen wird, wenn er es will. Selbst wenn ich mir nichts zuschulden kommen lasse, wird er einen Vorwand finden, irgendetwas, das er mir anhängen kann.

In meinem Kopf lehnt sich jetzt alles noch stärker auf gegen diesen Gott, der mich angeblich beschützen soll. »Wieso hast du mir in meiner dunkelsten Stunde nicht geholfen, Allah?«, frage ich in diesen ersten Tagen immer wieder, gebetsmühlenartig. Dass Allah mir jetzt nicht beisteht, mir keine Antwort auf meine Fragen geben kann, bestärkt mich in meiner Abkehr vom Glauben. Die Fragen, die ich ihm in meiner Verzweiflung stelle, sind eine Art letztes Aufbäumen. Aber in diesen Tagen, in denen ich Gott so dringend bräuchte, bleibt er stumm.

7.

Der Weg nach Mekka

Nachdem ich aus dem Krankenhaus entlassen wurde, macht mir meine Mutter sehr deutlich, dass ich nicht einmal mehr an meine Arbeit zu denken brauche und zu Hause zu bleiben habe. Der erste Monat ist der schlimmste: Sie nimmt mir den Laptop und das Smartphone weg. Ich bin abgeschnitten von der Außenwelt, völlig isoliert. Keine Musik, keine Ablenkung auf Twitter oder Facebook, niemand, mit dem ich über meinen Schmerz sprechen kann. Es fühlt sich an, als sei ich in einer Zelle gefangen. Meine Mutter beschallt mich den ganzen Tag mit Koranrezitationen, als wollte sie mir einen Fluch austreiben. Der Tag beginnt mit den Suren des Korans. Und er endet mit ihnen. Es ist das Einzige, was ich in diesen Tagen höre, außer der vorwurfsvollen Stimme meiner Mutter. In meinem Kopf versuche ich, die Melodien meiner Lieblingspopsongs über die dumpfe Traurigkeit zu legen, die mich umgibt. Vergeblich.

Die Tage und Nächte überlagern einander, werden ununterscheidbar. Ich liege fast nur im Bett, in mich zusammengerollt wie ein Säugling, und weine.

Ich trauere um so vieles. Ich weine in der Erinnerung an den ersten Moment, in dem ich merkte, dass ich als Mädchen nichts wert bin: als Großvater mir das Fahrrad wegnahm und für meine Traurigkeit nichts übrig hatte als Zorn. Ich trauere um meine Freundin Nona, mit der ich keinen Kontakt mehr habe, die Frau meines Onkels, der ich vorspielen musste, ich sei nicht mehr an einer Freundschaft mit ihr interessiert. Um das, was in der Nacht kaputtging, als mein Onkel Osim mich im Ehebett, neben seiner Frau liegend, angefasst hat.

Ich weine auch, weil ich ahne, dass ich an einen Punkt gelangt bin, an dem es kein Zurück mehr gibt. Es ist, als sei nach Jahren in einer dunklen Höhle ein Lichtstrahl in meine Welt gefallen, der mir Hoffnung gibt und mir gleichzeitig Angst macht. Ich bin schon zu weit in die Richtung der Wahrheit gegangen, um mich umzudrehen und freiwillig wieder in Dunkelheit zu leben. Doch ich beginne auch zu begreifen, wie unglaublich schwer es sein wird, die Höhle endgültig zu verlassen. Ich weiß, dass ich eine unermesslich große Kraft in mir mobilisieren, und dass ich alles aufgeben muss, wenn ich mich für die Wahrheit entscheide. Meine Freunde, meine Familie, die Stadt, in der ich geboren bin, meine Freundinnen. Die Straßen, die ich jeden Tag aus dem Auto an mir vorbeiziehen sehe. Riads Wolkenkratzer. Die klimatisierten Geschäfte und die Hitze, die mir auf dem Weg zum Auto meines Vaters entgegenschlägt. Meinen Vater. Alles, was ich kenne. Ohne zu wissen, wie es wirklich ist, im Licht zu leben. Ohne Garantie oder die Zusicherung eines guten Lebens, nur für die Hoffnung, dass es irgendwo besser ist als hier.

Ich falle in ein tiefes Loch. Einen Monat lang verlasse ich mein Bett nur, um auf die Toilette zu gehen. Ich esse kaum, dusche selten. Mir ist völlig gleichgültig, wie ich aussehe. Der Gedanke, mich zu schminken oder mir die Haare zu waschen, überfordert mich. Ich nehme in diesen Wochen zehn Kilo ab. Heute erinnere ich mich kaum an diese Zeit, an keine Gedanken, nichts. Sie ist ein tiefes dunkles Loch in meiner Erinnerung, und ich frage mich noch immer, wie ich sie durchgestanden habe.

Meine Chefs aus dem Krankenhaus rufen bei uns zu Hause an und fragen, wann ich wieder zur Arbeit komme. Meine Eltern sagen ihnen, ich hätte geheiratet und würde nie wieder kommen. Ohne mein Handy und meinen Laptop habe ich keine Möglichkeit, die Sache aufzuklären und mich dafür zu entschuldigen, dass ich von einem auf den anderen Tag verschwunden bin. Als meine Mutter mich bittet, ihr meine Arbeitsuniform, einen weißen Kittel und weiße Schuhe, zu geben, damit sie beides zurückschicken kann, breche ich in Tränen aus. Ich muss das, was ich aus eigener Kraft erreicht habe, wieder abgeben, und das fühlt sich an, als würde alles Eigene, was ich habe, einfach ausgelöscht. Ohne dass es Spuren hinterlässt. Die Arbeit hat mich erfüllt, ich habe Geld verdient, es war eine schöne Zeit, eine kleine Insel der Freiheit und Selbstbestimmung in meinem grauen Alltag. Jetzt bin ich in Isolationshaft.

Ich weine ständig. Manchmal beiße ich in mein Kissen, weil ich so laut schluchze, dass es mir selber unerträglich ist. Es ist schwer zu sagen, welche Stunden meines Lebens die schrecklichsten waren. Aber der Monat Hausarrest nach meinem Selbstmordversuch ist mit Gewissheit die einsamste Zeit meines Lebens. Auf den Schmerz und die Gewalt durch meinen Bruder folgt ein seelischer Schmerz, der mich alles Gute in dieser Welt infrage stellen lässt. In mir reift der Glaube, dass es keinen Gott gibt, der mich retten kann, dass es keine Gnade einer höheren Kraft gibt, die uns läutern und aufrichten kann. Ich erkenne mit jeder Faser meines Körpers, dass ich mich nur selber retten kann. Dass es unendlich schwer sein wird, das zu tun, vielleicht unmöglich. Ich bin mir nicht sicher, ob ich den Mut und die Kraft dafür habe. Wie zieht sich ein Ertrinkender nach oben, wenn seine Lunge schon voll Wasser ist? Wann ist der Punkt erreicht, an dem er erkennt, dass er keine andere Wahl hat, als aufzugeben?

Doch was ist die Alternative?, frage ich mich. Ein Leben in einer quälenden Lüge, der ich nie entkommen kann. Ich müsste mir selbst immer vorhalten, dass ich zu feige war, nach der Wahrheit zu greifen. Ich weiß nicht, wie ich das ertragen sollte. Wie ich noch in den Spiegel sehen könnte, wenn ich wüsste, dass ich mich und alles, woran ich glaube, verraten habe. Es erscheint mir zu schmerzhaft, mich jeden Tag selbst zu verleugnen. Denn während ich meiner Mutter vorspiele, dass ich ernsthaft vorhabe, mich dem Glauben wieder richtig zuzuwenden, bekomme ich einen kleinen Vorgeschmack darauf, wie es sein muss, wenn man diese Lüge lebt. Ich fühle mich wie eine Fremde in meiner Haut. Die Frau, die ich im Spiegel sehe, ist mir zuwider und mir gleichzeitig so fremd. Ich bin nur eine Hülle meiner selbst, bin jetzt auch innerlich das, was wir saudischen Frauen nach außen sein müssen, wenn wir gezwungen werden, uns hinter dem Schleier zu verstecken: Ein Schatten, eine Person, definiert durch ihre Umrisse, die Tausenden anderen gleicht, und bloß einer Rolle zu entsprechen hat. Ich muss diese Rolle spielen, selbst wenn ich nicht an deren Richtigkeit glaube.

Es gibt keine Alternative. Ich kann so nicht mehr leben, das wird mir immer klarer. Und doch: Es kann sein, dass ich den Weg in die Freiheit mit dem Leben bezahle, auch das ist mir klar. Es gibt nur zwei Möglichkeiten für mich: Entweder einen erneuten Selbstmordversuch zu unternehmen, damit ich das Leid dieses Lebens hinter Gittern, in diesem Gefängnis aus Stoff, hinter mir lassen kann. Oder ich setze alles auf eine Karte, versuche, vor meiner Familie und der Scharia zu fliehen, riskiere, dass mich mein Bruder dieses Mal wirklich tötet. Ich weiß jetzt, wozu er fähig ist. Aber eigentlich war es mir auch vorher schon klar, denn in Saudi-Arabien gibt es immer wieder Morde an Frauen, die die vermeintliche Ehre ihrer Familie verraten. Sie bleiben oft ungesühnt, warum also sollte jemand wie mein Bruder nicht glauben, dass er das Recht dazu hat, mich zu töten?

Es ist, als hätte mein Wissensdurst zwei Menschen, von denen ich immer glaubte, sie liebten mich bedingungslos, in kühle Feinde verkehrt, meinen Bruder und meine Mutter. Weil es niemanden gibt, mit dem ich diese Gedanken teilen kann, fühle ich mich in meinen schwächsten Stunden verfolgt, fast verrückt, vor allem aber alleingelassen.

Obwohl ich den ganzen Tag im Bett liege und viel döse, bin ich immer müde und schwach. Die einzige Person, die ich noch ertragen kann, ist mein Vater. Er kommt mit Tellern voller Speisen in mein Zimmer, und an manchen Abenden gelingt es ihm, mich zu überzeugen, wenigstens ein bisschen zu essen. »Lulu, wenigstens ein bisschen, niemand kann ohne Nahrung überleben, tu mir den Gefallen«, sagt er. Und weil er es war, der mich gerettet hat, bringe ich es nicht mehr übers Herz, wieder Nein zu sagen. Er sitzt an der Bettkante und sieht mir dabei zu, wie ich lustlos und langsam Hummus und Brot kaue.

Eines Abends, als wir wieder so beieinandersitzen, schaue ich ihm länger ins Gesicht. Seine Augen sind traurig und müde. Und so weh es mir tut, die Traurigkeit in seinem Gesicht zu sehen, so sehr berührt es etwas in mir, dass mein Schmerz nicht ungeachtet bleibt. Wenigstens an meinem Vater geht mein Leid nicht spurlos vorüber. Denn was mir diese ganze Situation unerträglich gemacht hat, ist das Wissen darum, dass das, was mir und vielen anderen widerfahren ist, niemanden wirklich kümmert. Bis auf meinen Vater. Auf einmal sage ich: »Papa, ich will vor dir sterben.« Ich sehe, dass ihm dieser Satz das Herz bricht. Er bleibt ganz still sitzen und schaut auf das Bettlaken. »Rana, du weißt nicht, was du da sagst«, sagt er und streichelt mir über die Wange.

Ich spüre, dass es auch ihm schwerfällt, meinem Bruder zu verzeihen. Dass auch in ihm etwas zerbrochen ist, weil er gesehen hat, wozu sein Sohn fähig ist. Meine Mutter hat meinen Bruder immer in Schutz genommen, er war ihr Liebling. Sie tut noch immer alles, damit es ihm gut geht. Das bestärkt ihn in seinem Verhalten. Mein Vater sieht seine schlechten Seiten viel deutlicher. Er musste schon immer das Chaos und die Probleme beseitigen, die mein Bruder hinterlassen hat, wohin er auch ging. In Syrien hat er während seines Studiums nichts als Mist gebaut, aber meine Mutter hat das alles nicht gesehen. Für sie ist er der anständige Vorzeigesohn mit der religiösen Vorzeigefrau, der als Landschaftsingenieur Gärten anlegt und ihr zwei Kinder geschenkt hat.

Obwohl sie sich nicht mehr täuschen könnten, sind meine Mutter und mein Bruder noch immer davon überzeugt, dass ich einen Freund habe. Nach einem Monat Hausarrest ohne Computer und Handy erlaubt mir meine Mutter trotzdem, wieder Arbeit zu suchen. Unter der Bedingung, dass ich eine Firma finde, in der nur Frauen tätig sind. »Wenn du etwas findest, werden dein Vater oder dein Bruder sich dort erst einmal umsehen, ehe wir dir die Zustimmung geben«, sagt sie.

Was mir wesentlich mehr Sorgen bereitet als der Verdacht meiner Familie, dass ich einen Freund habe, ist ihr Misstrauen in meinen Glauben. Denn anders als bei den unterstellten Männergeschichten liegen sie hier richtig. Mein Bruder hat nicht nur mein Zimmer abgehört. Drei Monate nach meinem Selbstmordversuch fragt er mich eines Abends, ob er sich meinen Laptop ausleihen kann. Er wirkt verzweifelt, als er in mein Zimmer kommt. Es ist das einzige Mal, dass ich nach dem Übergriff mit ihm rede. »Rana, bitte, ich brauche ihn wirklich ganz dringend, ich habe morgen eine wichtige Prüfung.« Ich leihe ihm widerwillig das Gerät. Auch wenn wir uns nicht mehr nahe sind, ich ihn verabscheue und auch Angst vor ihm habe, oder vielleicht gerade deswegen, versuche ich, jeden Konflikt zu vermeiden.

Mein Bruder benutzt meinen Computer aber nicht, um zu lernen. Er ist wie besessen davon, dass ich weiter Schande über die Familie bringe, und bei der Suche nach Beweisen ist ihm alles recht. Er hackt meinen Computer. Das, was er findet, präsentiert er meiner Mutter, stolz wie ein Kater, der eine Maus gefangen hat. Er findet tatsächlich einiges, womit er sich brüsten kann. Er erzählt meiner Mutter, dass ich Zweifel an Gott habe. Er liest meine Tweets zu Atheismus und sieht, dass ich einen Downloadlink zu Richard Dawkins *Gotteswahn* geteilt habe. Mein einziges Glück ist, dass er mir all das nicht wirklich abnimmt und dass er nur einen meiner Nutzernamen rausgefunden hat, einen aus der Anfangszeit, eher harmlos, weil ich damit nur vorsichtige Posts verfasst habe. Nicht mehr zu glauben, ist in Saudi-Arabien etwas derart Ungeheuerliches, dass selbst mein Bruder mir das nicht zutraut. Er sagt: »Das machst du doch nur, damit du viele Follower hast, du dumme Kuh!«

Danach bin ich noch vorsichtiger, verstecke jeden Beweis für mein Interesse am Atheismus. Meine Mutter durchkämmt mein Zimmer noch akribischer. Als ich im frühen Sommer wieder Arbeit finde, nehme ich persönliche Gegenstände und meinen Laptop jeden Tag mit dorthin, um ihr so wenig Anlass wie möglich zu geben, mir irgendetwas vorwerfen zu können.

Sie ist trotzdem beunruhigt und beschließt, dass nur eine Pilgerfahrt nach Mekka mich wieder auf den richtigen Weg bringen kann. »Rana muss vor der Kaaba beten, damit sie wieder näher bei Gott ist. Mekka ist die einzige Lösung«, sagt sie zu meinem Vater eines Abends beim Abendbrot. Auch sie will nicht wahrhaben, dass ich mich abgewendet habe von Gott, dass ich ihn nie wieder in mein Herz lassen werde, lassen kann, nach all dem, was geschehen ist. Natürlich, sie kann es sich nicht vorstellen.

Auch für mich selbst ist es nicht einfach, genau zu verstehen, was ich glaube. Ich muss oft daran denken, dass mir die Menschen, die meine ersten Tweets gelesen haben, gesagt haben, ich solle Geduld mit mir selbst haben. Denn es ist nicht so, dass man sich einfach freischwimmen kann von dem, was man sein Leben lang gelernt und erlebt hat. Selbst Frauen, die das Geld und die Mittel hätten, das Land zu verlassen und in Freiheit zu leben, die durch eine List entkommen könnten, selbst diese Frauen tun es meistens nicht. Denn das Gefängnis, in dem wir leben, besteht nicht nur aus den Landesgrenzen, den Vorschriften der Scharia, dem Nikab und der Abaya, den Gebetszeiten und Regeln, die selbst das intimste Schlupfloch jeder Person zu regulieren suchen. Die mächtigste Repression ist die, die im eigenen Kopf beginnt. Jede Frau ist überzeugt davon, sie laufe jeden Tag Gefahr, Sünde, Schande und Scham über ihre Familie zu bringen.

Mit dieser Vorstellung werden wir erzogen, diese Angst vor uns selbst haben wir verinnerlicht. Egal, was geschieht, wie sehr wir uns darum bemühen, uns von diesem Denken freizumachen – ganz können wir die Fesseln der Gedanken, die man in jeder Koranstunde, jedem Gespräch, jeder Sekunde in dieser Gesellschaft einatmet, nicht ablegen. Auch mir fällt es schwer.

Und so mischt sich unter meine Trauer über das, was mir widerfahren ist, auch ein tiefes Gefühl der Schuld, immer wieder spüre ich die Unsicherheit darüber, ob es wirklich sein kann, dass der Weg, den ich erkannt zu haben glaube, der richtige ist. In diesen Wochen ist mir Twitter eine wichtige Stütze. Ich tausche mich nun regelmäßig mit dem Menschen hinter *Arab Atheist* aus, dessen Identität niemand kennt. Ich nehme an, dass sie geheim bleiben muss, weil er in einem Land lebt, in dem es tödlich wäre, sich offen zum Atheismus zu bekennen. So wie in meinem Heimatland.

Ich checke seine Tweets täglich. Einmal albern wir über die Direct Message-Funktion miteinander herum. Ich frage: »Wenn wir für das, was wir tun, in die Hölle kommen, wer darf dann dort neben Angelina Jolie sitzen, und wer neben Richard Dawkins?« Er schickt mir ein Lach-Smiley zurück, und so banal das klingen mag, es bedeutet viel, dass es da draußen jemanden gibt, mit dem ich so unbeschwert über so Ungeheuerliches sprechen kann. Das Gefühl, mit meinem Geheimnis und in meiner Lage nicht allein zu sein, sondern verstanden zu werden, ist nach dem Monat ohne Kontakt zur Außenwelt sehr wertvoll. Ich bin zwar immer noch im Gefängnis, aber nicht mehr in Isolationshaft. Es ist einer von vielen Schritten in die richtige Richtung, auch wenn ich das jetzt noch nicht absehen kann. Denn wenige Dinge sind auf dem Weg in die Freiheit wichtiger als ein Netzwerk. Auch einen einsamen Kampf gewinnt man nie alleine, nie nur für sich, sondern immer auch für andere, mit anderen gemeinsam.

Ich befasse mich immer mehr mit verschiedenen Netzwerken für Atheisten und entdecke auf Facebook den Account *Atheist Republic*. Es ist ein weltweites Netzwerk Nichtgläubiger, darunter sind auch Ex-Muslime, viele, die mittlerweile in freien Gesellschaften leben und anderen helfen wollen, einen Weg aus der religiösen Unterdrückung zu finden. Ich habe einen geheimen Facebook-Account mit einem falschen Namen, um es meinem Bruder und meiner Mutter schwerer zu machen, mir hinterherzuspionieren.

Doch ich muss ständig aufpassen. Die beiden lassen nicht locker. Meine Mutter glaubt nach wie vor, nur der Hadsch, die große islamische Pilgerreise, könne mich heilen, mich dem Glauben wieder näherbringen. Im Oktober 2014 fahren wir deshalb nach Mekka.

Auf der Fahrt sträubt sich alles in mir gegen diese Reise. Es verlangt mir viel ab, freudig zu tun angesichts dieser Pilgerfahrt. Aber es ist das Einzige, was ich machen kann, um den Verdacht meiner Mutter so wirkungsvoll wie möglich zu zerstreuen. Ich sitze auf dem Rücksitz unseres Autos und habe den Koran auf dem Schoß. Ich tue so, als würde ich darin lesen, dabei höre ich heimlich mit den Kopfhörern unter meinem Nikab das neue Album von Elissa, einer Pop-Sängerin aus dem Libanon, die sich so kleidet wie die Sängerinnen aus westlichen Ländern. Die Frau meines Bruders sagte einmal über sie: »Ihre Musik ist ganz nett, aber sie wird in die Hölle kommen, weil alles, was sie tut, haram ist.«

Mir ist inzwischen alles zuwider, was mit dem Islam zu tun hat, und ich weiß, in Mekka wird mich der Glaube umhüllen, vereinnahmen, dort gibt es kein Entkommen. Mir graut davor. Drei Millionen Muslime werden mich vor der Kaaba umzingeln, und ich werde so tun müssen, als sei ich eine von ihnen.

Bis zur letzten Minute habe ich versucht, dieser Reise zu entkommen, aber es war zwecklos. Ich wollte bei Freunden wohnen, während meine Eltern pilgern. Aber meine Mutter duldete keine Widerrede.

Was für ein Unterschied zu meiner ersten Reise nach Mekka, denke ich, als wir im Auto sitzen.

Mit achtzehn Jahren war ich überglücklich, als meine Eltern sagten, wir würden nach Mekka fahren für den Hadsch. Wir reisten damals mit einer befreundeten Familie, die auch eine Tochter in meinem Alter hatte, Rashida. Es war eine große Sache, auf die ich mich wochenlang freute. Der Hadsch ist die fünfte Säule des Islam, die große Pilgerreise, die jeder Moslem auf dieser Welt wenigstens einmal im Leben absolvieren sollte, wenn er körperlich und finanziell dazu in der Lage ist. So steht es im Koran. Wer den Hadsch begangen hat, kommt bis zu seinem Tod nicht mehr vom rechten Pfad ab. Man sagt, dass man danach für immer ein guter Moslem oder eine gute Muslima bleibe. Für viele Gläubige ist die Rolle des Hadsch so zentral, dass sie die schlimmsten Strapazen auf sich nehmen, um einmal im Leben nach Mekka zu kommen. Manche verkaufen alles, was sie besitzen, um sich die Reise leisten zu können, andere riskieren ihr Leben, weil sie eigentlich zu gebrechlich sind für dieses Massenevent. Sie arbeiten über Jahre achtzehn Stunden am Tag, um das Geld für die Reise nach Saudi-Arabien zusammenzukratzen. Gerade für Moslems aus ärmeren Ländern hat der Hadsch eine Strahlkraft, die alles andere übertrifft.

Zwei bis drei Millionen Moslems strömen jedes Jahr nach Mekka. Die große Pilgerreise kann nur vom achten bis zum zwölften Tag des heiligen Monats Dhū l-Hiddscha stattfinden. In diesen fünf Tagen ist Mekka zum Bersten voll. Schon vor den Toren der Stadt staut sich der Verkehr mehrere Kilometer in alle Richtungen. Von überallher strömen Gläubige in die Heilige Stadt. Der Staat Saudi-Arabien lässt sich die Ausrichtung der Pilger-Reise viel Geld kosten. An der Stadtgrenze steigen die Reisenden in Busse, die sie ins Zentrum bringen – die vielen Autos werden vor den Toren der Stadt geparkt. Sonst würde der Verkehr dort völlig kollabieren.

Die Busse brachten auch uns damals zum Vorplatz der Al-Haram-Moschee, der Heiligen Moschee, dem wichtigsten und heiligsten Bauwerk der islamischen Welt. Der unendlich weite Platz war voller Menschen, die sich drängten, es war unglaublich laut und eng. Die Moschee stammt aus dem sechzehnten Jahrhundert und hatte ursprünglich eine Fläche von über dreihundertfünfzigtausend Quadratmetern. Doch mit dem Wachstum der Bevölkerung und der Islamisierung vieler Länder ist die Al-Haram-Moschee mittlerweile zu klein geworden, sie wird deshalb erweitert, um noch mehr Gläubige aufnehmen zu können, über eine Million Pilger sollen gleichzeitig Platz darin finden.

In der Mitte der Al-Haram-Moschee steht die Kaaba, das würfelförmige Gebäude, das Haus Gottes und das größte Heiligtum im heiligsten Gebäude des Islam. Von außen sieht man das schwarze, aufwendig verzierte Tuch, das wir Kiswa nennen. Darauf sind mit goldenem und silbernem Draht Suren aus dem Koran und Ornamente gestickt – jedes Jahr wird dieses Tuch neu hergestellt, weil die Luftfeuchtigkeit in Mekka so hoch ist. Einhundert Männer arbeiten das ganze Jahr daran, verarbeiten vier Zentner reinen Gold- und Silberdraht. Ein Aufwand, der ein Vermögen kostet – umgerechnet vier Millionen Euro pro Jahr, um genau zu sein. Das ist viel Geld, mit dem man viel Gutes tun, viel Barmherzigkeit zeigen könnte, wie es doch eigentlich im Sinne des Koran ist, denke ich manchmal.

Wir trafen damals am Morgen in Mekka ein, auf dem Vorplatz der Al-Haram-Moschee.

Um den Hadsch machen zu dürfen, muss man sich vorher in einen Weihezustand begeben, der Ihram heißt. Nach der großen rituellen Waschung kleiden sich Männer in ein Gewand aus zwei Baumwolltüchern. Eines wird um die Hüfte gebunden und reicht bis zum Knie, das andere bedeckt die linke Schulter und wird auf der rechten Seite des Oberkörpers gebunden. Sie dürfen keine festen Schuhe tragen. Für Frauen gelten weniger strenge Vorschriften. Sie dürfen nur keine Handschuhe tragen. Es ist die einzige Situation, in der sie sich vor fremden Männern unverschleiert zeigen dürfen, ja, sogar müssen.

Wie jeder Moslem und jede Muslima habe ich die Moschee vorher schon tausendmal auf Fotos gesehen, aber in der Realität, mit den unüberschaubaren Menschenmassen davor, wirkte dieses Gebäude so beeindruckend auf mich, dass ich ganz ergriffen war und mir fast die Tränen kamen.

Später saßen wir alle zusammen und tranken Tee. Es gab Obst, wir redeten über die Pilgerreise und was uns wohl erwarten würde. Meine Brüder, Rashida und ich lauschten meinem Vater andächtig. Wir, die Jungen, hatten den Hadsch noch nie begangen, und waren neugierig.

Die Pilger fahren dann weiter mit Bussen weiter nach Mina. Im Bus dorthin roch es nach Schweiß, die vielen männlichen

Pilger waren quasi nackt, es war sehr heiß und drückend. Das Ritual hatte etwas Archaisches. Wir kamen am frühen Abend an. In der Wüste wurden hier spezielle Nachtlager aufgebaut, es war eine sehr komfortable Zeltstadt. Jeder Pilger bekam einen Beutel mit Zahnbürste, Zahncreme, Duschgel und anderen Kosmetikartikeln. Einer der Zeltstadt-Betreiber wies uns den Weg zu unserer Kabine. Wir schliefen nach Geschlechtern getrennt, die Frauen auf der einen und die Männer auf der anderen Seite. Ehe wir alle einschliefen, redeten wir darüber, wie schön Mekka ist, wir Kinder liebten es, den Stimmen der Erwachsenen und den fremden Geräuschen der Zeltstadt zu lauschen, ehe wir einschliefen, müde und erschöpft von der Reise und der ganzen Aufregung.

Am nächsten Tag wachten wir früh auf, beteten und stiegen dann wieder in einen Bus. Die nächste Station der Pilgerreise war der Berg Arafat, fünfundzwanzig Kilometer von Mekka entfernt. Auch hier sah man die Weite wegen der vielen Menschen gar nicht richtig. Auf der Ebene davor drängten sich so viele Pilger in weißen Gewändern, dass es fast so wirkte, als sei der Sand von Schnee bedeckt. Es war ein beeindruckendes Bild, und ich umklammerte die Hand meines Vaters, als ich auf diese Szene blickte. Auch hier gab es wieder Zelte für die Pilger, auch als Schutz vor der Sonne. Es war eine wüste Szenerie: Menschen in Baumwollgewändern, von denen manche auf dem Boden lagen, weil ihnen die Hitze so zusetzte. Die Sonne brannte gnadenlos vom Himmel. Zwischen den Menschen lag Müll. Wir beteten den ganzen Tag und baten Allah um Vergebung. Das Verweilritual ist das zentrale Ritual des Hadsch, ohne den Tag auf der Arafat-Ebene hat die ganze Pilgerfahrt keine Gültigkeit. Man nennt sie Wuqūf, das »Stehen vor Gott«. Ein Prediger spricht die

Chutba, eine Freitagspredigt, in Gedenken an die Abschiedspredigt des Propheten Muhammad, der diese hier kurz vor seinem Tod hielt.

Es war unglaublich heiß an diesem Tag. Helfer verteilten Wasser und Saft, sogar Eiscreme. Nach zwei Tagen in einer Menschenmenge von zwei Millionen Pilgern fühlt man sich anders – man ist Teil dieser Masse, kein Individuum mehr, sondern eher der Teil von etwas Größerem. Es ist ein merkwürdiges Gefühl, das den meisten Nicht-Muslimen wohl fremd ist. Aber die geteilten Riten, die Gebete, die Hitze und der körperliche Ausnahmezustand, den man durch das Gedränge und die vielen Eindrücke erreicht, führen einen in ein Bewusstsein, das man so noch nie erlebt hat. Der Hadsch lehrt einen Demut und Ehrfurcht vor Gott, auch weil man sich aufgrund des schieren Ausmaßes der Veranstaltung mit blindem Vertrauen in die Obhut einer größeren Macht begeben muss. Jedes Jahr sterben auch Menschen bei der Pilgerfahrt, jeder weiß das – sie werden totgetrampelt oder kollabieren in der Hitze. Da viele aus armen Ländern mit schlechter medizinischer Versorgung kommen, sind unter den Pilgern auch Menschen, die eigentlich zu schwach für so einen Kraftakt sind, ihn aber aufgrund ihres Glaubens dennoch leisten wollen.

Als die Sonne unterging, ging es für uns weiter in das heilige Tal von Muzdalifah. Wer sich aufmacht, den Hadsch zu absolvieren, braucht vor allem eines: unendlich viel Geduld. Bis dorthin sind es nur drei Kilometer, doch die schiere Masse an Menschen führte dazu, dass die Fahrt mit dem Bus acht Stunden dauerte. Wir waren fast die ganze Nacht unterwegs. Flutlichter an hohen Laternen waren das Einzige, das durch die Dunkelheit schnitt.

Im Bus war es laut, alle sangen Koranverse. Es war, als sei man in einem Bienenstock, in dem alles durcheinanderschwirrt, stundenlang, ununterbrochen. Unmöglich, hier Ruhe zu finden.

Als wir in Muzdalifa ankamen, war es immer noch dunkel. Überall lagen schlafende Menschen, die schon vor uns diese Station der Reise erreicht hatten. Mein Vater, meine Mutter, meine Geschwister und ich, Rashida und ihre Eltern bewegten uns mit Bedacht durch dieses Labyrinth aus schlafenden und wachen Menschen, Zelten und Gebetsteppichen. Es war jetzt wieder Zeit zu beten. Wir legten unsere Teppiche auf den Rand der Autobahn. Es war eine merkwürdige, andächtige Atmosphäre. Man konnte wirklich überall beten, egal wo man war. Die Stille wurde nur durch die Motorengeräusche der haltenden Busse und das leise Murmeln der anderen Betenden unterbrochen.

Danach sammelten wir kleine Steine. Jeder Pilger braucht sieben Steine für das nächste Ritual, das wieder in Mina stattfindet, das symbolische Steinigen des Teufels. Diese wirft man gegen die Dschamarat-Brücke. Wie Ibrahim, der hier laut der Überlieferung der islamischen Tradition der Versuchung durch den Teufel widerstanden hat. Es ist ein Engpass, immer wieder kommt es an dieser Brücke zu Massenpaniken, bei denen Hunderte Menschen sterben. Deswegen bestand mein Vater darauf, diesen Teil des Hadsch stellvertretend für uns alle zu begehen. Er schmiss die Steine für uns Kinder. Ich war trotzdem neugierig, aber ich konnte ihn durch die Menschenmassen unmöglich beobachten. Aber auf einem der Bildschirme, auf denen das Ritual für alle übertragen wurde, konnte ich zumindest aus der Entfernung sehen, was gerade geschah.

Dann kaufte mein Vater ein Opfertier, das für ihn geschlachtet wurde. Es ist die Aufgabe der Männer, das zu tun. Sie bringen einen Teil des Fleischs zurück, und die Frauen kochen daraus einen Eintopf. Meine Mutter hatte einen Topf mitgebracht und bereitete das Mahl zu. Den größten Teil des Fleischs spenden die Pilger jedoch an Bedürftige.

Dann folgte der große Moment: die siebenmalige Umrundung der Kaaba.

Anschließend ließen wir uns symbolisch eine Haarsträhne abschneiden, um den Weihezustand zu verlassen, wir zogen unsere normale Kleidung an, und wir Frauen verhüllten uns wieder. Das war der Abschluss der Pilgerreise.

Am Ende des Hadsch fühlte ich mich Gott sehr nahe, ich war unglaublich stolz auf mich und meine Familie. Ich fühlte mich erwachsen und bestärkt in dem Gefühl, eine gute Muslima zu sein.

Jetzt, zehn Jahre später, erscheint mir die Erinnerung an meinen Hadsch wie die Erinnerung an ein anderes Leben. Wieder sitzen wir alle in dem alten Ford, der uns schon so oft nach Syrien gebracht hat in den Sommerferien. Seitdem ist so viel passiert, so viel verloren gegangen. In manchen Stunden habe ich den Glauben an das Gute verloren. Den Glauben daran, dass die Unschuld mich schützen kann. Dass ich es in der Hand habe, ob mir Gutes oder Schlechtes widerfährt. Dass fromm zu sein ein Schutzschild sein kann gegen das Böse. All das habe ich einmal geglaubt, jetzt fällt es mir schwer, weiter daran festzuhalten.

Während dieser Fahrt denke ich auch darüber nach, was für ein ungewöhnlicher und herzensguter Mann mein Vater ist. Er hat nichts von der Härte, die man von arabischen Familienvätern kennt, und auch wenn viele ihm das als Schwäche auslegen würden, liebe ich ihn genau dafür so sehr. Mein Leben wäre ohne ihn ein anderes.

Wir fahren wieder sehr zügig, das Ziel immer vor Augen. Unterwegs halten wir nur, um zu tanken, zu beten und zu essen. Es ist der einzige Grund zur Freude, dass es in der Nähe unseres Hotels meine liebste Fastfood-Kette, Al Baik, gibt. Als wir am frühen Abend endlich ankommen, ruhen wir uns kurz aus und beten. Ich teile mir das Zimmer mit meiner Mutter. Mein Vater und Omen teilen sich das andere Zimmer. Es ist anstrengend, auf so engem Raum mit meiner Mutter zu leben. Ich verschanze mich im Bad und sage, ich muss dringend duschen, ehe wir essen gehen.

Im Bad lege ich Nikab und Abaya ab, dann ziehe ich meine Jeans und mein T-Shirt aus. Ich stehe in Unterwäsche vor dem Spiegel und starre mein Spiegelbild an. Dann meine Abaya, die ausladend und schwarz an der Tür hinter mir hängt. Wie konnte es nur so weit kommen?, frage ich mich. Doch die Person im Spiegel hat keine Antwort. Unter der Dusche weine ich, heimlich, übertönt vom Wasserrauschen. Ich dachte, ich hätte mittlerweile Routine darin, meine Gefühle zu verstecken, aber dieses Mal fühlt es sich doch anders an, schlimmer, als wäre das, was ich verleugne, mächtiger und wichtiger als ich.

Meine Mutter drängelt schon, als ich wieder angezogen aus dem Bad komme. Ich packe meine Handtasche und folge ihr. Im Auto sind wir alle sehr still, müde von der Fahrt, hungrig. Wir halten vor dem Restaurant in der Nähe der Kaaba. Al-Baik ist so etwas wie das saudische Kentucky Fried Chicken. Obwohl es die Restaurants lange nur im Westen des Landes gab, und erst in den vergangenen Jahren auch an anderen Orten Restaurants der Kette eröffnet wurden, kennt jeder in Saudi-Arabien das verrückte Huhn, das Maskottchen des Restaurants. Es gibt Hähnchenschenkel und Nuggets, Pommes, panierten Fisch, panierte Jumbo-Shrimps. Manchmal habe ich das Gefühl, dass Essen in Saudi-Arabien für fast jeden auch eine Art Hobby ist – weil es kaum etwas anderes gibt, das man in der Öffentlichkeit tun kann. Kinos und Konzerte sind haram, Alkohol und Bars sowieso, auch Tanzen ist abseits von privaten Festen untersagt. So bleibt die einzige Unterhaltung, die nicht haram ist, zu schlemmen, sich über neu eröffnete Restaurants zu freuen und sich zum Essen zu treffen.

Im Restaurant herrscht reger Betrieb, viele Pilger ergreifen die Gelegenheit, nach dem langen Gebet Unmengen zu essen. Ich nehme mein gewohntes Lieblingsmenü: sieben Chicken Nuggets mit Pommes und eine Pepsi. Mein Vater und mein Bruder bestellen für uns und bringen das Essen zur Family-Area. Es tut gut, das fettige Essen in mich hineinzustopfen. Nach dem Heulkrampf unter der Dusche und der üppigen Mahlzeit fühle ich mich angenehm matt und müde. Es ist das erste Mal, seitdem wir Riad verlassen haben, dass meine Gedanken zur Ruhe kommen.

Am nächsten Morgen beginnen wir mit dem Hadsch. Auf dem Weg zur Kaaba muss ich mit den Tränen kämpfen und wünschte, mir würde etwas zustoßen, irgendetwas Furchtbares, das verhindert, dass ich diesen Ort, dieses Heiligtum der Religion, die mir so viel Leid antut, besuchen muss. Das Ritual hat sich natürlich in den zehn Jahren nicht geändert, die Organisation ist höchstens etwas moderner geworden, die Sicherheitsvorkehrungen besser.

Ich absolviere das tagelange Martyrium in einem Zustand der Geistesabwesenheit. Heute kann ich mich kaum daran erinnern, so sehr habe ich diese Tage der Tortur verdrängt, außer einen Moment. Denn während meiner zweiten Hadsch ist tatsächlich etwas Großes mit mir geschehen, etwas, das mein ganzes weiteres Leben verändert hat. Es ist das letzte Ritual des Hadsch. Als Pilger umrundet man die Kaaba siebenmal entgegen dem Uhrzeigersinn, danach betet man. Es kann zu dieser Zeit für mich keinen schlimmeren Ort geben. Das Gefühl tiefer Einsamkeit überkommt mich, obwohl ich umgeben bin von Millionen von Menschen. Aber ich bin nicht gläubig wie sie. Ich gehöre nicht dazu, bin eine Ungläubige, eine Sünderin, Abschaum. Ich kann mich nicht als die zeigen, die ich wirklich bin, mein Leben wäre in Gefahr. Ich muss alles, woran ich glaube, verleugnen. Ich fühle mich, als wollte mir jeder Einzelne in dieser Menge an Gläubigen, die mir jetzt vorkommen wie Fremde, etwas Böses. Ich fühle mich ihnen hoffnungslos unterlegen und beginne zu glauben, dass ich mich niemals vom Glauben, von diesen vielen Menschen, befreien kann.

Als wir die Kaaba siebenmal umrundet haben, sage ich meinen Eltern, ich würde auf die Toilette gehen. Wir machen einen Treffpunkt aus. Auf der Toilette habe ich einen Geistesblitz. Ich beschließe, alles auf eine Karte zu setzen und etwas zu wagen, das so mutig ist, dass es eigentlich an Irrsinn grenzt. Auf einen Zettel schreibe ich die Worte: »Atheist Republic«. Ich tue das in diesem wichtigsten Zentrum meiner Religion, im Herz des Glaubens, ich halte die Luft an, überlege einen letzten Moment, jetzt muss alles ganz schnell gehen. Die Kaaba und ihr Umkreis sind ausnahmslos videoüberwacht, aber auf dem Weg zur Toilette habe ich eine Ecke gesehen, in der gebaut wird, und in der wenig los ist. Als ich dort bin, sehe ich tatsächlich keine Kameras. Ich ziehe schnell den Zettel unter meiner Abaya hervor. Ich suche hastig nach meinem Smartphone, halte den Zettel so, dass man hinter ihm im Bild die Kaaba erkennt und die Massen von Pilgern sieht. Als ich das Bild gemacht habe, zittere ich am ganzen Körper. Ich zerreiße das Stück Papier in winzig kleine Schnipsel, es sind nur zwei Worte, mit einem einfachen Kugelschreiber darauf geschrieben, aber wenn sie jemand hier lesen könnte, wäre ich verloren. Ich schicke das Bild sofort an den Facebook-Account von *Atheist Republic*, schreibe dazu: Veröffentlicht das bitte erst in ein paar Tagen, wenn ich nicht mehr hier bin. Ich logge mich sofort aus meinem Account aus, lösche mit zittrigen Händen, aber auch euphorisiert das Bild auf meinem Handy. Ich kann kaum atmen, zittere noch immer. Für einige Minuten bin ich überzeugt davon, dass gleich jemand kommt und mich tötet. Doch wieder passiert nichts.

Warum habe ich das getan? Am heiligsten Ort ein solches Foto gemacht, riskiert, dass man mich entdeckt? Ich weiß es nicht. Es war nicht geplant. Der Mut, auf diese Art zu protestieren, war einfach über mich gekommen, in mir angeschwollen und verließ mich wenige Minuten später, als alles vorbei war. In dem kurzen Zeitfenster, in dem ich ihn in mir getragen habe, war dieser Mut mein Weg, in die Welt hinauszuschreien, dass ich keine Muslima bin. Ich habe mich befreit. Ein Zeichen gesetzt für andere Ex-Moslems: Ihr seid nicht alleine. Als Atheistin in arabischen Ländern fühlt man sich immer alleine, immer in Gefahr, man ist in Gefahr. Deshalb ist das Wissen, dass man nicht alleine ist, so wichtig, denn der Mensch braucht andere Menschen zum Leben, Menschen, denen er sich anvertrauen kann. Vielleicht habe ich deswegen dieses Foto gemacht. Als es wenige Tage später online gestellt wird, überwältigt mich die

Reaktion. Über eine Million Likes bekommt das Foto. Die Reaktionen reichen von Anerkennung bis zu Unglauben und Entsetzen. Es ist das erste Mal, dass ich merke: Wer schreit, wird gehört.

8.

Mein gefährlicher Weg in die Freiheit

Ohne Liebe gibt es keine Bewegung in der Welt. Ohne Liebe sind wir verloren. Sie ist die Kraft, mit der wir unsere eigenen, unsere inneren Grenzen überwinden. Und sie kann auch physische Grenzen außer Kraft setzen, Grenzen aus Stein, Stacheldraht und Gesetzen. Auch meine Geschichte wäre ohne die Liebe mitfühlender Menschen eine andere. Mir wäre die Flucht niemals gelungen. Man mag es Schicksal nennen oder Zufall. Aber am Anfang und am Ende meiner Reise steht eine Liebe, die mich stützt. Sie ist zu Beginn eine andere als später, sie wandelt sich stetig und ist doch nie unstet.

Einige Monate vor meiner Flucht fange ich an, nebenbei für eine Webseite zu arbeiten, die die Forschung der amerikanischen Raumfahrtbehörde NASA für ein arabisches Publikum übersetzt, aufarbeitet und verständlich macht. Ich habe schon davor für eine ähnliche Webseite gearbeitet, deren Macher auf mich aufmerksam wurden, weil ihnen mein Twitter-Account gefiel. Nun übersetze ich kurze Texte, entwerfe mit Photoshop Grafiken und tausche mich mit anderen Menschen aus, die sich auch für Themen wie Wissenschaft und Raumforschung interessieren. All das heimlich, natürlich, meine Mutter würde es niemals erlauben.

Saudi-Arabien sieht sich in diesem Punkt gerne als fortschrittlichstes Land im Nahen Osten. Es gibt ein jährliches Wissenschafts-Festival, zu dem Forscher aus aller Welt eingeladen werden und auf dem verschiedene Institute ihre neuesten technischen Innovationen präsentieren, das Saudi Festival for Science and Innovation.

Man fragt sich, wie das sein kann, dass ein Land, in dem die Scharia praktiziert wird, die Religionspolizei auf den Straßen patrouilliert und die Evolutionstheorie nicht gelehrt wird, gleichzeitig so offen ist, was die Wissenschaften und Forscher aus westlich geprägten Ländern angeht. Ich glaube, der saudischen Regierung ist durchaus bewusst, dass sich das Land nicht vor dem Fortschritt verschließen kann, wenn es wettbewerbsfähig bleiben will. Trotz der Engstirnigkeit im Inneren gibt es doch auch eine wirtschaftliche Weitsicht der Leute, die wissen, dass sich dieses Land nicht ewig auf den Reichtum aus der Zeit des Öl-Booms stützen kann.

Ich träume schon seit Langem davon, auch einmal das Science Festival besuchen zu können. In diesem Jahr hält dort der Physiker Michio Kaku, den ich sehr verehre, einen Vortrag. Ich grübele wochenlang, wie ich es anstellen kann, zu seinem Vortrag zu kommen. Ich weiß, dass meine Mutter es mir nicht gestatten würde, dass ich es nur mit einer List schaffen kann.

Meine Kollegin Wasan hilft mir. Sie weiß von meinen Problemen zu Hause und mag mich sehr. Sie bringt mir oft eine Thermoskanne arabischen Kaffee mit zur Arbeit oder backt uns beiden etwas, weil sie weiß, wie sehr ich Süßigkeiten liebe. Sie weiß, dass ich aufgehört habe zu beten und akzeptiert es. Sie stellt keine Fragen, aber ich glaube, sie ahnt, was in mir vorgeht. Wenn sie mir gegenübersitzt, dauert es meistens nur wenige Minuten, und wir brechen wegen irgendeiner Kleinigkeit in hysterisches Lachen aus. Wasan und ich bestellen uns manchmal Fastfood ins Büro und genießen es, diese ungesunden Dinge gemeinsam zu essen. Dank ihr und den anderen Kolleginnen fühle ich mich bei meiner neuen Arbeit sehr gut aufgehoben. Ich habe inzwischen eine Arbeit als Sekretärin in einer Förderschule gefunden, dort sind nur Frauen beschäftigt, deshalb hat es meine Mutter zugelassen. Das Vorurteil, dass in einem weiblichen Kollektiv zickiges Verhalten und Intrigen vorherrschen, kann ich nicht bestätigen. Wir helfen einander und lösen Probleme gemeinsam. Der Großteil meiner Arbeit passiert am Computer, und ich mache mich so gut, dass mir für das nächste Schuljahr eine Beförderung in Aussicht gestellt wird.

Wasan weiß, wie sehr es mich aufmuntern würde, wenigstens einen Vortrag auf dem Wissenschaftsfestival sehen zu können. Seit Wochen rede ich über nichts anderes. Wir schmieden einen Plan für den Tag des Kaku-Vortrags: Sie sagt, ich solle einfach wie immer um neun Uhr zur Arbeit kommen, um sie und ihren Fahrer dort zu treffen und mit ihm zum Messezentrum zu fahren. Sie erzählt unserer Vorgesetzten dann, dass ich mich nicht gut fühle und etwas später zur Arbeit komme. Der Plan ist perfekt!

Als ich in das Auto steige, bin ich aufgeregt wie ein kleines Kind.

Ich muss gestehen, es liegt nicht nur an dem Vortrag, auf den ich mich wirklich sehr freue. Einer der ehrenamtlichen Helfer, der auch für die Webseite arbeitet, schreibt mir seit einigen Wochen nette Nachrichten, hilft mir, wenn ich mit Photoshop nicht weiterkomme. Ich weiß, dass er auch da sein wird, und bin aufgeregt, wie es sein wird, ihn wirklich zu treffen.

Es ist Februar, das Wetter ist mild, fast wie im Frühling. Ich spüre eine leichte Brise auf der Haut, die sich durch das Autofenster unter meinen Nikab verirrt.

Amir heißt der Kollege, auf den ich mich so freue. Ich weiß nicht viel über ihn, nur, dass er erst neunzehn Jahre alt ist und auch aus Syrien kommt, jetzt aber in Riad lebt. Ich freue mich auf ihn, wie man sich auf einen Bekannten freut. Ich bin neunundzwanzig, und er erscheint mir so jung, dass ich gar nicht auf die Idee komme, ich könnte ihn anders wahrnehmen als einen kleinen Bruder.

Wasans Fahrer lässt mich am Haupteingang raus, wir tauschen Handynummern aus. »Ich bleibe in der Nähe«, sagt er, und ich verabschiede mich hastig. Jetzt ist es mit meiner Geduld endgültig vorbei, ich möchte jetzt endlich zum Vortrag. Ich zeige am Empfang meine Einladung vor. Hostessen weisen mir den Weg zum Auditorium. Als ich endlich ankomme, geht es schon fast los.

Männer und Frauen sitzen auch bei dieser Art von Veranstaltungen getrennt voneinander. Ich werde Amir also erst nach dem Vortrag sehen können. Kaku spricht über die Zukunft der Physik des Bewusstseins, und ich höre ihm gebannt zu. Es geht um Telekinese, Telepathie, künstliche Intelligenz. Darum, was in gar nicht allzu langer Zeit dank der Möglichkeiten moderner Technologien Realität sein wird: Träume aufzunehmen wie einst das Fernsehprogramm mit dem Videorekorder, Gedanken von einem Soldaten zum anderen zu beamen, Gehirne durch das Internet miteinander zu verbinden, so, wie wir heute schon Computer miteinander vernetzen können. Eine schöne neue Welt, die mir nicht bedrohlich erscheint, sondern voller ungeahnter Möglichkeiten, eine Welt, in der Technologie Dinge möglich macht, von denen die Menschen schon lange geträumt haben. Als Kaku nach zwei Stunden mit seinem Vortrag endet und sich an das Auditorium wendet, ist es, als würde ich aus einer Trance erwachen, so versunken und konzentriert war ich.

Ich erkenne Amir sofort, als ich mich unserem Treffpunkt nähere. Ich lächele und sage: »Hallo, lieber Kollege«, und er lächelt ganz zaghaft und schüchtern zurück. Er sieht so jung aus! »Wie hat dir der Vortrag gefallen?«, fragen wir beide fast zeitgleich. Wir müssen lachen. Amir erzählt, was ihn besonders begeistert hat, und er nennt genau die Punkte, die mir auch am meisten imponiert haben. Ich bin nicht wirklich entspannt, weil ich weiß, dass draußen der Fahrer schon auf mich wartet, und ich bei der Arbeit schon seit zwei Stunden erwartet werde. Wir bitten einen anderen Besucher, ein Erinnerungsfoto von uns zu machen, viel mehr Zeit bleibt nicht. »Es war sehr schön, dich kennenzulernen«, sagt Amir. »Wir schreiben«, sage ich im Weggehen.

Auf der Arbeit muss ich meine gute Laune verstecken, damit niemand merkt, dass ich gar nicht gekränkelt, sondern geschwänzt habe. Ich bedanke mich überschwänglich bei Wasan, immer und immer wieder, bis sie nur noch abwinkt und lachend die Augen verdreht.

Schon am Abend chatte ich wieder mit Amir. Er kommt aus Deir ez-Zor, einer Stadt im Osten Syriens, in der sich die Freie Syrische Armee und Assads Truppen schon seit Jahren Kämpfe liefern und die mittlerweile vom IS besetzt ist.

Amir hat seine Heimat verlassen und ist mit seinen Eltern nach Riad gekommen. Er fühlt sich fremd in Saudi-Arabien und vermisst sein Zuhause, seine Freunde, sein früheres Leben. Wir schreiben uns immer häufiger. Er vertraut sich mir an, erzählt von einem Gefühl der Antriebslosigkeit und Schwere, das ihn immer mehr in Beschlag nimmt und gegen das er nicht ankommt. Er erzählt einmal, dass er das Haus seit einer Woche nicht verlassen hat. Ich mache mir Sorgen, denn ich sehe sein Potenzial, er ist unglaublich schlau und perfektionistisch in allem, was er tut. Wenn er Grafiken für die NASA-Webseite entwirft oder Videos schneidet, arbeitet er tagelang bis tief in die Nacht hinein, und lädt seine Inhalte erst hoch, wenn er wirklich mit ihnen zufrieden ist. Ich bin ungeduldiger, weniger akribisch, und bewundere seine stille, genaue Art, seine Bescheidenheit und die Disziplin, mit der er sich an Deadlines hält. Weil ich sehe, was für ein beeindruckender, liebenswerter Mensch er ist, versuche ich, ihn aufzumuntern. Ich merke, dass er noch nicht so oft durch den Schmerz gegangen ist wie ich, dass sein Herz noch nicht begriffen hat, dass selbst nach den dunkelsten Tagen wieder helle kommen, weil es Teil der menschlichen Natur ist, für die meisten zumindest, nicht ewig betrübt zu sein. Dass das, was man für einen Moment des Glücks braucht, nach den schlimmen Stunden nur eine Kleinigkeit sein kann. Wenn die Welt wirklich finster ist, reicht oft ein Satz, ein Lächeln, mit dem man nicht gerechnet hat, ein Vogel, den man vom Fenster aus beobachtet, um einen aufzumuntern, einen den Schmerz für eine Weile vergessen zu lassen. Es ist, als würde sich in der Trauer das Herz zusammenziehen, bescheidener werden, damit es danach wieder wachsen kann. Sich mit dem begnügen, was ist, kann einem in schweren Zeiten sehr helfen. Das habe ich gelernt, und das möchte ich gerne an ihn weitergeben.

Auch ich bin zu dieser Zeit in einer schwierigen Phase, denn für mich ist es noch immer eine Zeit des Aufruhrs, des Haderns und Zweifelns an mir und der Welt, in der ich lebe.

In den Wochen und Monaten nach meiner Pilgerreise nach Mekka denke ich jeden Abend darüber nach, wie ich meinem alten Leben entkommen und den Weg in ein neues finden kann. Ich weine viel. Ich fühle mich schuldig. Als Frau im Islam wird man dazu erzogen, sich für das Wohl der Familie verantwortlich zu fühlen und es stets über das eigene Seelenheil zu stellen. Die eigene Ehre, Tugendhaftigkeit und Frömmigkeit sind zentral, wenn es um das Ansehen der ganzen Familie geht. Auch wenn ich auf der einen Seite weiß, dass diese Sicht der Dinge Teil einer religiösen Ideologie ist, an die ich nicht mehr glaube, fällt es mir schwer, mich nicht schmutzig zu fühlen und mich nicht für das Leid zu schämen, das ich im Begriff bin, über meine Familie zu bringen. Frauen sollen immer alles tun, damit die Familie geachtet ist – tun sie es nicht, werden sie verstoßen. Das ist ein mächtiges Druckmittel, eine Fessel, die viele Frauen davon abhält, sich vom Islam abzuwenden, selbst wenn sie tiefe Zweifel haben. Es gibt zum Beispiel Frauen, die jahrelang von ihren Männern geschlagen werden und einen Weg finden könnten, vor ihrem Peiniger zu fliehen, ihn aber nicht einschlagen, aus Angst vor der sozialen Ächtung. Der Sog des Glaubens, wie er von den strengen Verfechtern gelehrt wird, ist stark, denn auf dessen Werten ist unsere Gesellschaft aufgebaut. Verweigert man sich dem Glauben, wendet man sich von der Gemeinschaft ab und ist allein. Nur die wenigsten können sich diesem Druck entziehen. Frauen sind im Islam entweder Heilige oder Schuldige. Wenn man die Wahl zwischen diesen beiden Möglichkeiten hat, entscheidet man sich fast immer für die erste. Selbst wenn man tief im eigenen Inneren weiß, dass eine

Abkehr vom Glauben nicht zwingend bedeutet, dass man nur noch ein wertloses Objekt ist. Der Islam trichtert uns Frauen ein, dass wir Gott niemals verärgern sollen. Das gilt zwar auch für Männer, aber auf unsere Schultern wird auch die Bürde gelegt, die Familie und die Eltern nicht zu verärgern. Das macht es viel schwerer, eine gute Muslima zu sein als ein guter Moslem. Die Last wiegt doppelt.

Als ich das erste Mal wirklich einsehe, dass ich ernsthaft darüber nachdenke zu fliehen, werde ich sofort tieftraurig. Alles in mir zieht sich zusammen, und ich fühle eine furchtbare Leere in meinem Herzen. Ich denke vor allem an meinen Vater und an all das, was meine Flucht für ihn bedeuten würde. Es gibt kaum eine größere Schmach, die ich über ihn bringen könnte. Ich überlege, wie ich es anstellen könnte, Saudi-Arabien zu verlassen, ohne meinen Vater zu verletzen, ohne ihn für immer gegen mich aufzubringen. Der denkbar einfachste Weg ist eine Scheinheirat mit einem Mann, der in Saudi-Arabien lebt, mit mir in den Urlaub fahren und mir so eine Flucht ermöglichen würde. Doch ich scheitere daran, jemanden zu finden, der bereit ist, mir diesen Gefallen zu tun, und Geld kann ich nicht bieten. Man muss zu vorsichtig sein, man kann sich zu leicht verraten und ist wieder der Gnade anderer ausgesetzt, das kann ich unmöglich riskieren.

Über Kontakte des Netzwerks von Ex-Muslimen auf Twitter finde ich eine Niederländerin, die bereit ist, mir zu helfen, ein Visum für Holland zu bekommen, doch auch diese Hoffnung zerschlägt sich schnell. Ich stehle mich während der Arbeitszeit zur Reisebehörde, aber der ganze Aufwand und das Zittern, dabei von meiner Familie erwischt zu werden, sind vergeblich.

Je länger ich darüber nachdenke und je mehr Optionen ich

durchspiele, desto offensichtlicher wird, dass es zwar ein riesiger, vielleicht nicht zu bewältigender Schritt wäre, zu fliehen, aber auch der einzige Weg, meinem Schmerz ein Ende zu setzen. Ich merke, wie viel Kraft darin liegt, niemandem zu erlauben, die eigene Freiheit einzuschränken. Dass ich mich mit allem, was ich aufbringen kann, dagegen wehren muss, dass mir dieser Glaube, den ich nicht mehr in mir trage, mir die Freiheit raubt. Ich bin wütend auf die Gedankenkontrolle, dieses engmaschige Netz aus Regeln, expliziten, aber auch unausgesprochenen Bewertungen, das Korsett, das es jeder Frau unmöglich macht, ihren eigenen Weg zu gehen, ohne ständig über Steine zu stolpern, die ihr in den Weg gelegt werden – und ich bin wütend auf die Stärke dieser Kontrolle, von der ich mich niemals werde völlig befreien können, solange ich hier lebe.

Der Gedanke an eine Flucht formiert sich immer deutlicher in meinem Kopf. Mein großer Vorteil ist, dass ich einen syrischen und keinen saudischen Pass habe. Denn als Syrerin muss ich bei einer Ausreise nicht meinen Vater um Erlaubnis fragen, um ein Visum zu bekommen, sondern meinen Arbeitgeber.

Je länger ich über meine Flucht und die manchmal fast unüberwindbar erscheinenden Schwierigkeiten nachdenke, desto mehr gerate ich in Panik. Ich werde immer unruhiger. Denn Ende des Jahres läuft mein Pass aus, und einen neuen kann ich wegen des Kriegs in Syrien nicht beantragen. Wenn ich wirklich ernst machen und fliehen will, muss ich es bald tun, sonst gibt es für mich keine Chance für einen Neuanfang. Nicht, solange in der Heimat meiner Eltern Krieg herrscht.

Amir hat vor wenigen Wochen Riad verlassen. Er studiert jetzt Medizin in der Ukraine. Ich bin stolz auf ihn, darauf, wie schlau er ist und wie mutig, mit knapp zwanzig ganz alleine in ein fremdes Land zu gehen und sich einer solchen Herausforderung zu stellen. Wir schreiben einander jetzt jeden Tag. Seine depressiven Zustände scheinen sich gebessert zu haben, seitdem er durch das Studium eine neue Aufgabe gefunden hat.

In mir reift der Entschluss, in einer Art Amok-Aktion zu fliehen. Jede andere Lösung hat sich aus irgendwelchen Gründen als problematisch erwiesen. Seit ich begriffen habe, dass mein Pass ausläuft und dies meine einzig reale Chance auf ein neues Leben ist, bin ich wie im Rausch. Die Idee einer Flucht ist so schnell real geworden, dass ich manchmal das Gefühl habe, meine Gedanken könnten meiner Entscheidung gar nicht so schnell folgen. Ich stelle mir seit einiger Zeit nicht mehr die Frage, ob ich es wagen soll zu fliehen, sondern nur noch, wie es mir gelingt.

Ich plane, ein Ticket nach Istanbul zu buchen und meinem Arbeitgeber zu sagen, dass ich mit meiner Familie dorthin verreise und deshalb eine Ausreiseerlaubnis von ihm brauche. Das einzige Problem ist das Geld. Ich weiß nicht, woher ich so schnell so viel Geld bekommen soll. Dreitausend Rial kostet ein Flugticket nach Istanbul, ich habe nur einen Bruchteil davon gespart, so lange arbeite ich schließlich noch nicht wieder. In meiner Verzweiflung wende ich mich an Amir. Ich weihe ihn in meine Zweifel an Gott ein, in meinen Plan zu fliehen, in alles, was ich bis jetzt nie jemandem gestanden habe. Es ist ein riskantes Wagnis. Wenn er mich nicht versteht, dann könnte er mir sehr gefährlich werden. Doch ich kann mir gar nicht vorstellen, dass ein so sanftmütiger und schlauer Mensch wie Amir mich jemals in Gefahr bringen würde. Zwischen uns herrscht absolutes Vertrauen, eine tiefe Freundschaft, ein inneres Wissen darum, wozu der andere fähig ist.

Amir denkt scheinbar keine Minute darüber nach, ob er mir das Ticket kaufen soll oder nicht. Kaum habe ich es in den Chat geschrieben, sehe ich schon, dass er tippt. Sekunden später lese ich: »Natürlich. Wie viel kostet es? Wann willst du fliegen? Ich komme nach.«

Das ist der Moment, in dem ich weiß, dass unsere Beziehung für ihn mehr ist als Freundschaft.

Amir ist meine Rettung. Ich erfahre erst später, dass er sich das Geld für das Ticket buchstäblich vom Mund abgespart hat: Seine Eltern schicken ihm jeden Monat eine Unterstützung für das Studium. Im Mai kauft er davon kein Essen, keine Schulsachen, sondern bucht in meinem Namen ein Ticket, das Ticket mit der Nummer 1870416355841, das Ticket für den 19. Mai 2015, von Riad über Abu Dhabi nach Istanbul. Wenn alles läuft wie geplant, steige ich an diesem Tag um neun Uhr fünfundzwanzig in den Flieger nach Abu Dhabi, komme dort knapp drei Stunden später an, und bin um vierzehn Uhr einunddreißig eine freie Frau in Istanbul.

In den Wochen vor meiner Flucht stehe ich neben mir. Ich bin nicht mehr die Rana, die meine Familie kennt, das Mädchen, das meine Eltern großgezogen haben. Ich glaube nicht mehr an Gott und spiele nur die Rolle der braven Muslima. Ich bete nur noch, wenn ich es nicht vermeiden kann. Morgens, ehe ich das Haus verlasse, sehe ich in den Spiegel und lege meinen Nikab um. Während ich den schwarzen Stoff über Mund und Nase lege, frage ich mich, wen ich da eigentlich sehe. Ich lebe zwischen zwei Identitäten. Zwischen der, die ich aufgegeben habe, aber nach außen noch lebe, damit kein Verdacht aufkommt. Und der, nach der ich mich sehne, die ich aber noch nicht leben kann. Wenn ich am Morgen mit meinem Vater zur Arbeit fahre, blicke ich aus dem Fenster. Vor den Einkaufszentren und Firmengebäuden sehe ich die schwarzen Umrisse anderer Frauen, die Besorgungen machen oder einen Arbeitstag beginnen. Es sind Hausfrauen, Sekretärinnen, aber auch Anwältinnen und Abteilungsleiterinnen, meistens in Begleitung eines Mannes. Ich frage mich, was sie wohl denken, wenn sie am Morgen das Haus verlassen, mit einem schwarzen Stück Stoff vor dem Gesicht. In einem Gewand, das sie schwitzen lässt. Wie fühlen sich diese Frauen? Was denkt eine Chefin, die in ihrer Firma wichtige Entscheidungen trifft, wenn sie abends von ihrem Fahrer abgeholt wird und nicht selber fahren darf? Freut sie sich, weil sie ohnehin zu erschöpft ist, im Berufsverkehr auch noch hinter dem Steuer zu sitzen? Ist es für reiche Frauen mit gut bezahlten Stellen einfacher, in Riad zu leben? Weil ihre Familien liberaler sind und ihnen einen eigenen Fahrer zugestehen? Und was ist mit den Frauen, die wie meine Mutter in den Morgenstunden Einkäufe erledigen, damit sie für die Familie kochen können? Die den ganzen Tag nur in der Küche sind, putzen und beten? Ist es für sie leichter als für mich, weil sie gar nicht daran denken, dass es eine andere Art gibt, zu leben?

Jeden Morgen, wenn ich vor der Förderschule aus dem Auto steige und mich von meinem Vater verabschiede, denke ich daran, wie es wohl sein wird, ihm ein letztes Mal Tschüss zu sagen. Wenn ich durch die Drehtüren laufe und durch den schwarzen Stoff spüre, wie die Temperatur um zwanzig Grad sinkt, sobald ich die klimatisierte Eingangshalle erreicht habe, denke ich an meinen Vater. Wie sehr ich ihn vermissen werde. Und wie wenig ich mir vorstellen kann, ihn nicht jeden Tag um mich zu haben. Gar nicht mehr mit ihm sprechen zu können.

Noch tausendmal weiter von ihm entfernt zu sein, als ich es in Syrien war.

Im Büro lege ich meine Schleier und die Abaya zusammen, wie jeden Morgen, und begrüße meine Kolleginnen. Wasan und ich trinken Kaffee. Sie hat Kuchen mitgebracht. Es stimmt mich wehmütig, dass ich das nächste Schuljahr nicht miterleben werde, dass ich nicht befördert werde.

Die Wochen vor meiner Flucht vergehen schnell, und doch scheinen manche Momente ewig zu dauern. Wenn Wasan wieder eine lustige Anekdote von ihrem etwas trotteligen Onkel erzählt und ich mich vor Lachen fast verschlucke. Wenn ich mit meinen Eltern zusammensitze und versuche, innerlich an den Fingern abzuzählen, wie oft wir noch miteinander essen werden. Als meine Mutter an einem Freitag Kabsa kocht, weiß ich, dass es wohl das letzte Mal ist, dass ich mein Lieblingsgericht so esse, wie sie es immer zubereitet. Ich versuche, nicht zu weinen und schaue angestrengt auf den Teller vor mir. Ich sehe mich im Wohnzimmer um und versuche, alles abzuspeichern: die Möbel, die Farbe des Teppichs, auf dem wir essen, die Teller mit dem bunten Muster, die wir schon hatten, als ich noch ein kleines Mädchen war. Verstohlen schaue ich meine Mutter an, wie sie über ihren Teller gebeugt isst, wie ernst sie aussieht. Sie hat Falten um ihre Augen, und ich merke, dass ich sie lange nicht mehr angesehen habe, weil ich mich von ihr so verletzt, so wenig gesehen gefühlt habe, dass ich es nicht konnte. Mich übermannt Traurigkeit, als ich sehe, wie alt meine Mutter geworden ist. Ich denke zurück an meine Kindheit, als sie für mich die schönste Frau der Welt war und ihre Augen glänzten, wenn ich brav war und das tat, was sie wollte. Das ist lange her. Der Geruch von Kabsa lässt mich immer tiefer in Erinnerungen an meine Kindheit versinken, eine Zeit, als ich noch glücklich war. Ich schaue meinen Vater an, wie er mit großem Appetit kaut und genauso hastig isst, wie ich es immer tue. Ich muss meinen Blick schnell abwenden, weil mir sofort die Tränen in die Augen schießen beim Gedanken, ihn nicht mehr zu sehen. Nie wieder. Wie soll ich das aushalten? Später, in meinem Zimmer, betrachte ich die vielen Bücher und die Zeichnungen meiner Nichten und Neffen und frage mich, ob ich jemals wieder ein eigenes Zimmer haben werde. Ein Zimmer, in dem keine Abaya mehr hängt. Wie wird es sein, nie wieder einen Schleier umlegen zu müssen? Werde ich mich wirklich jeden Tag über den Wind in meinen Haaren freuen? Oder werde ich mir nackt vorkommen, den Blicken der Männer ausgeliefert? Was, wenn ich Heimweh habe, wenn ich kein Geld habe, wenn ich zurück will, aber es nicht kann? Jeden Abend liege ich im Bett und grübele über diese Fragen nach, manchmal weine ich, in meinem Blickfeld immer die Umrisse der schwarzen Gewänder, die an meiner Zimmertür hängen wie eine Mahnung.

Zwei Tage vor der Flucht bringt mir ein Freund von Amir das Flugticket in der Schule vorbei. Er tut so, als wäre er ein Kurier, der ein Paket für mich hat. Er hat das Ticket sogar in eine große Kiste gepackt, damit niemand auf die Idee kommt, es könnte irgendetwas anderes sein als ein Geschenk, eine Bestellung, nichts Verfängliches. Als er kommt, sehe ich ihn nur im Türrahmen, von hinten. Er ist schneller weg, als ich schauen kann. Ich warte, bis Wasan Pause macht, dann packe ich das Ticket hastig aus und stecke es in eine Mappe, die ich in meinem Rollschrank verstaue.

Der 19. Mai ist ein willkürlich gewähltes Datum, das im Nachhinein für mich eine ähnlich wichtige Bedeutung erlangt, wie für andere Menschen der Hochzeitstag oder die Geburtstage der eigenen Kinder: Es ist der Beginn eines neuen Lebens. Es ist jedoch auch ein Sprung ins Ungewisse. Alles, mein ganzes Leben, wird von nun an anders sein als zuvor. Die einzige Sicherheit, die ich habe, ist die: dass ich die Brücke zu meinem alten Leben in dem Moment, in dem ich sie überquere, für immer hinter mir zerstört haben werde.

Weiß ich in diesem Moment wirklich, wie groß das ist, was ich aufgebe? Das habe ich mich danach oft gefragt. Ich glaube, ich konnte an dem Tag gar nicht absehen, was es bedeutet, in den Flieger zu steigen. Zu groß war die Furcht davor, erwischt zu werden, zu sehr war ich konzentriert darauf, mich im Flughafen zurechtzufinden, in dem ich noch nie zuvor gewesen bin. Manchmal muss man sich auf die kleinen Dinge konzentrieren, die unmittelbar vor einem liegen, um etwas wirklich Großes zu tun. Nur so kann man es schaffen: Indem man nicht weiß, wie gewaltig der Mut ist, den man gerade zeigt.

An diesem Dienstag ist erst einmal alles wie immer. Mein Wecker klingelt um sieben Uhr. Ich bin viel früher wach, ich war es die ganze Nacht und bin erleichtert, dass endlich Morgen ist. Ich gehe in mein kleines Badezimmer. Aus dem Radio tönt Rihannas »Diamonds in the Sky«. Ich putze mir die Zähne und versuche, mich auf das Rauschen des Wassers in der Dusche zu konzentrieren, die ich schon angestellt habe, damit das Wasser heiß ist, wenn ich mich darunterstelle. Ich versuche, mich ganz auf Rihannas Stimme zu konzentrieren, die Alltagsgeräusche, alles, was vertraut und gewöhnlich ist, an diesem so besonderen Tag, aber es gelingt mir nicht wirklich. Mein Herz schlägt wild, und mein Puls rast, als ich in die Dusche steige, die Haare zurückgebunden, die Augen weit aufgerissen, obwohl ich sonst eine Stunde brauche, ehe ich richtig wach bin.

Ich versuche, den Dampf ruhig und gleichmäßig einzuatmen, verteile das Duschgel besonders sorgfältig auf meinen Armen und Beinen, versuche mich daran, durch die Rituale des Alltags die Aufregung zu vertreiben. Es gelingt mir nur bedingt. Als ich mich in mein großes weißes Handtuch hülle, höre ich unten das Geschirrklirren meiner Mutter, die in der Küche hantiert. Alles scheint wie immer.

Ich ziehe mir meine bequemste Jeans an, ein T-Shirt, Socken, Turnschuhe. Am Vorabend habe ich schon alles rausgelegt. In meine Handtasche packe ich den Laptop, mehr kann ich nicht mitnehmen. Es würde Verdacht erregen, wenn ich etwas wie Kleidung oder Bücher in meiner Handtasche hätte. Es war gar nicht so einfach, einen Flug zu finden, den ich von meiner Arbeit aus am Morgen erreichen kann, der aber auch nicht so spät geht, dass ich zu lange am Flughafen warten muss. Denn was, wenn meine Eltern doch Verdacht schöpfen, oder meine Kolleginnen sich wundern, wo ich bleibe? Ein kleiner Fehler, und mein ganzer Plan ist in Gefahr. Ich habe so wenig wie möglich dem Zufall überlassen. Denn sollte irgendetwas schiefgehen … mein Leben danach hier in Riad wäre die Hölle, wenn ich es überhaupt überleben würde. Das ist meine einzige Chance. Amir hat mir etwas Geld geschickt, zweihundert US-Dollar. Die habe ich schon vor einer Woche in einen Umschlag gepackt und unter meiner Matratze versteckt. Jetzt stecke ich auch ihn in meine Handtasche. Dann stopfe ich noch eine neue, etwas kleinere Handtasche und eine neue Abaya dazu. Die habe ich mir schon vor Wochen besorgt, damit ich mich in der Toilette der Förderschule umziehen und sie wieder verlassen kann, ohne dass der Sicherheitsmann, der den Eingang zur Förderschule bewacht, mich erkennt. Mein Plan ist es, die alte Abaya und die alte Tasche wegzuschmeißen und alles, was ich brauche, in die neue Tasche zu packen. Ich hoffe, dass das Tarnung genug ist.

Als ich meinen Vater im Flur höre, beschließe ich, noch ein letztes Mal zu beten, in meinem Zimmer, aber mit weit geöffneter Tür, in der Hoffnung, dass er mich sieht. Es ist mein letztes Geschenk an ihn, eine Versicherung, dass ich die Tochter bin, die er kennt, dass alles in Ordnung ist, obwohl sich das spätestens am Abend als Lüge entpuppen wird. Ich bin froh, als ich seinen Schatten vorbeihuschen sehe. Ach, Papa, denke ich, und ich muss alle Kraft in mir zusammennehmen, um nicht sofort in Tränen auszubrechen.

»Rana, Lulu, wir müssen langsam los, wenn wir beide pünktlich sein wollen. Kommst du?«, ruft er von unten und reißt mich aus den Gedanken. Ich kontrolliere ein letztes Mal mein Gesicht im Spiegel, als könnte man mir mein Vorhaben direkt von den Augen ablesen. Ich sehe mich einen Moment lang in meinem Zimmer um, in dem ich fast mein ganzes Leben verbracht habe, versuche, mir alles genau einzuprägen. Dann laufe ich die Treppe hinunter. Ich ziehe Abaya, Tarha und Nikab über, und wir verlassen das Haus.

Ich bin neunundzwanzig Jahre alt. Eine geschiedene Frau in Riad mit einem Englisch-Diplom, ein paar Jahren Berufserfahrung und einem Laptop in der Tasche. Ich verlasse ohne Gepäck und Sicherheit mein Zuhause und gehe ins Ungewisse. Es fällt mir schwer zu begreifen, dass dies der letzte Tag sein könnte, an dem ich mich hinter schwarzem Stoff verhüllen und die strengen Regeln meiner Religion befolgen muss. Und doch: Allein die vage Hoffnung, allein diese Aussicht ist genug, um den Mut zu finden, alles auf eine Karte zu setzen und um zu verdrängen, dass es auch der letzte Tag sein könnte, an dem ich ein normales Leben lebe, überhaupt am Leben bin.

Mein Vater parkt seinen Wagen immer direkt vor unserem Haus. Wir gehen wie immer gemeinsam aus der Tür. Ich steige wie immer neben ihm ein. Mein Vater hat heute gute Laune, er lächelt mich an, als ich mich neben ihn in den Wagen setze, dreht den Zündschlüssel und parkt gekonnt mit einigen wenigen Bewegungen aus. Er ist ein sehr guter Autofahrer, geschult durch die vielen tagelangen Fahrten nach Syrien und Mekka, den chaotischen und rücksichtslosen Fahrstil vieler Männer in Riad, durch den er sich mit seinem Ford windet wie ein Wiesel, immer in Bewegung, nie ruckartig, wenn er es vermeiden kann.

Die Nachmittage, als mein Vater mit mir auf einen entlegenen Parkplatz ganz am Rande der Stadt fuhr, weil ich unbedingt auch mal wissen wollte, wie es ist, ein Auto zu lenken, rauschen an mir vorbei. Ich höre, wie ich kichere, als mir der Motor beim Anfahren immer wieder absäuft. Sehe meinen Vater, der geduldig sagt: Lass die Kupplung ganz langsam los. Spüre das schöne Gefühl, als ich endlich, holprig zwar, aber immerhin, hinter dem Steuer sitze und den Wagen bewege. Ich kenne keinen Mann, der es jemals gewagt hätte, seiner Tochter in Saudi-Arabien das Fahren beizubringen: Mein Vater riskierte damit eine Gefängnisstrafe.

Während der dreißig Minuten Autofahrt nehme ich innerlich Abschied von ihm. Von dem Mann, der an mich geglaubt hat, der mir Flügel wachsen lassen wollte in einem Land, in dem

Mädchen die Flügel normalerweise gestutzt werden. Mit allem, was mein Vater für mich getan hat, hat er mir, ohne es zu wissen, und bestimmt, ohne es zu wollen, eine Brücke zu einem Ort gebaut, an den er mich für immer verlieren wird.

Und er macht es mir so schwer: Ich muss ohnehin all meine Kraft aufbringen, ihm nicht um den Hals zu fallen, ihm alles zu gestehen. Und dann ist er ausgerechnet heute wieder besonders lieb, hält bei Starbucks, weil er weiß, wie gerne ich den Mocha von dort mag. Als er aus dem Auto steigt und ich ihn vom Parkplatz aus die Tür des Cafés öffnen sehe, habe ich Tränen in den Augen. Ich zwinge mich, mich zusammenzureißen, schnell an etwas anderes zu denken, denn meine Tränen verbirgt der Nikab nicht, Papa würde bei meinem Anblick sofort verstehen, dass ich ihm etwas verheimliche.

Er reicht mir den Kaffee und eine Tüte mit einem warmen Croissant. »Danke, Papa«, sage ich, so knapp wie möglich, damit mich das Zittern meiner Stimme nicht verrät. Wir sind jetzt fast da. Halten an. Ich schaue meinen Vater an, versuche, es nicht länger zu tun als sonst, und in diesen wenigen Sekunden trotzdem zu versuchen, mir sein Gesicht, seine Gestalt, seine ganze Erscheinung für immer zu merken. Mein Vater. Sein schwarzer Schnurrbart, dessen Enden nach unten zeigen, sein rundes Gesicht mit den vollen Wangen, die kurzen schwarzen Haare, die er auf der linken Seite scheitelt, die kleinen Fältchen um seine Augen, die verraten, dass er trotz seines ernsten Gesichtsausdrucks ein Mann ist, der gerne und oft lacht. Sein großer Bauch, an den ich mich als Kind gerne gekuschelt habe, der nicht weich und schwabbelig ist wie der einer Frau, sondern sich anfühlt wie ein aufgeblasener Luftballon.

»Tschüss, Papa, hab einen schönen Tag«, sage ich. Es ist das

Banalste, was jemand sagen kann. Nichts, womit man sich für immer verabschiedet von dem wichtigsten Menschen im Leben. Und doch auch das Einzige, was ich jetzt sagen kann, ohne dass er zu ahnen beginnt, was dieser Abschied wirklich bedeutet. Ich steige aus. Die Autotür fällt zu. Jetzt muss alles schnell gehen, ich darf jetzt nicht nachdenken, ich muss tun, was ich mir seit Wochen vorgenommen habe.

Ich laufe wie jeden Tag am Sicherheitsmann vorbei durch die Lobby, nehme den Aufzug, steige in der ersten Etage aus, gehe zu meinem Schreibtisch. Ich begrüße Wasan, lege meine Abaya, mein Kopftuch und meinen Nikab ab, setze mich. Fahre den Computer hoch, versuche so normal wie möglich auszusehen. Aber während ich das alles tue, klopft mein Herz wild, und ich kann keinen einzigen klaren Gedanken fassen. Ich schaue auf die Uhr. Noch zwanzig Minuten, dann muss ich los. Zeit, ein Taxi zu rufen. Ich tue es leise, niemand bekommt etwas mit. Dann starre ich auf den Bildschirm, lese meine E-Mails, ohne zu registrieren, was darin steht. Ich nehme den Ordner mit dem Ticket aus meinem Rollschrank und stecke es in meine Handtasche, so unauffällig wie möglich. Ich sehe zu Wasan herüber, sie scheint nichts gesehen zu haben.

Fünfzehn Minuten später, das Taxi muss gleich vor der Tür ankommen. »Ich bin gleich wieder da«, sage ich zu Wasan. Sie schaut mich kurz etwas fragend an, sagt aber nichts. Ich beeile mich, schleiche mich auf die Toilette, ich glaube, Wasan hat nicht gesehen, dass ich meine Handtasche mitgenommen habe, die Abaya, in der ich gekommen bin, hängt noch auf meinem Stuhl. Auf der Toilette leere ich die Handtasche aus und werfe sie in den Mülleimer, stopfe sie weit nach unten, dass sie niemand entdeckt. Dann packe ich meine Sachen in die neue Tasche. Ob das wirklich reichen wird, um unerkannt aus dem Gebäude zu kommen? Wie genau betrachtet uns der Sicherheitsmann eigentlich jeden Morgen? Manchmal sehe ich, wie er völlig versunken auf seinem Smartphone herumtippt. Vielleicht habe ich Glück, und er ist gerade wieder dabei, mit seinem Handy zu spielen, wenn ich durch die Lobby laufe. Ich warte noch ein paar Minuten, dann gehe ich. Ich tue es wirklich. Laufe möglichst langsam, aber mit rasendem Herzen durch die Lobby, aus der Tür heraus, auf die Straße, zum Taxi, steige ein. Ich bin so angespannt, dass ich das Gefühl habe, mein Herz zerspringt gleich. Ich sage dem Fahrer, dass ich zum Flughafen möchte, versuche, die Panik, die meiner Stimme anzuhören sein muss, unter Kontrolle zu kriegen. Ich bin mir ganz sicher, dass mich irgendjemand gesehen hat. Dass irgendwer, eine Kollegin, ein Passant oder die Religionspolizei mitbekommen hat, dass ich ins Taxi gestiegen bin und uns folgt.

Der Fahrer stellt mir keine Fragen, auch das kann ich kaum glauben. Er fährt mich wortlos zum Flughafen, vorbei an den silberverspiegelten Wolkenkratzern, durch den morgendlichen Berufsverkehr, der sich langsam lichtet. Die Fahrt vergeht rasend schnell und dauert trotzdem eine Ewigkeit. Ich habe jegliches Zeitgefühl verloren. Ich zahle bar und warte nicht auf das Wechselgeld. Dann bin ich draußen. Die Hitze erschlägt mich. Ich schwitze unter dem Nikab, der Stoff klebt mir an Stirn und Wangen. Als ich endlich im klimatisierten Flughafengebäude bin, bin ich erleichtert. Ich hätte nie gedacht, dass ich es wirklich bis hierher schaffen würde.

Mitten in der Halle bleibe ich für einen Augenblick stehen, versuche, mich zu sammeln. Als könne die künstliche Kälte meine Gedanken ordnen. Gleichzeitig muss ich mir einen Überblick verschaffen, denn dieser Ort ist mir unbekannt. Ich bin noch nie geflogen, ich weiß nur aus Internetforen, was ich theoretisch tun muss, um den Flieger zu erreichen – einchecken, durch die Sicherheitskontrolle, das Gate suchen. Ich war noch nie so dankbar dafür, mich in meinem Nikab verstecken zu können wie heute. Überall sind Überwachungskameras, und ich habe Angst, dass man mich auf den Aufnahmen erkennt, bevor ich weg bin. Dass mir irgendwer meine Anspannung und Nervosität ansieht und mich verhaftet, bevor ich im Flugzeug sitze. Mit dem Smartphone in der Hand gehe ich durch die Halle und suche nach den Schildern, die mich zum Check-in-Schalter führen. Ich funktioniere automatisch, finde mich in schlafwandlerischer Sicherheit zurecht und verlaufe mich kein einziges Mal. Meine Hände zittern, als ich der Frau am Schalter mein Ticket und meinen Pass reiche. Ich meine, einen verächtlichen und wissenden Ausdruck über ihr Gesicht streifen zu sehen, als sie sieht, dass ich aus Syrien stamme. »Haben Sie Gepäck aufzugeben?«, fragt sie mich, und ich schüttele den Kopf. Sie schaut mich eine Sekunde länger an, als es normal wäre, so kommt es mir vor. Amir hat mir einen Hin- und Rückflug gebucht, etwas anderes hätte man für eine Frau, die von Riad alleine ins Ausland reist, gar nicht machen können. Der Rückflug ist für Ende Juni geplant, in über einem Monat. Deshalb ist es klar, dass die Dame am Schalter sich wundert, dass ich nur mit einer Handtasche reise. Ich spüre wieder Panik in mir aufsteigen, kriege einen Schweißausbruch. Was, wenn ich mich so verrate? Warum habe ich das nicht bedacht? Wenn sie jetzt versteht, was ich vorhabe, und die Polizei ruft?

Sie tut es nicht. Der Drucker spuckt meine Boardingkarten aus, und sie legt sie wortlos auf den Tresen zwischen uns. »Boarding ist um acht Uhr fünfundvierzig«, sagt sie noch. Ich laufe zum Gate. Ich habe Todesangst. Noch fast eine Stunde, in der mein Bruder mich hier finden und aus der Flughafenhalle zurück in mein altes Leben zerren kann, oder schlimmer noch: in den sicheren Tod. Diesmal würde mich niemand retten können.

Die Zeit vergeht quälend langsam, nichts kann mich von meiner Angst ablenken. Ich starre abwechselnd auf mein Telefon und die Uhr im Terminal, ich beschwöre den Zeiger, sich schneller zu bewegen. Die Menschen um mich herum wirken müde, gelangweilt und träge. Ein Mann in einem teuer aussehenden Nadelstreifenanzug tippt mit konzentrierter Miene auf seinem Laptop, eine schwarz verhüllte Frau gibt ihren Kindern mitgebrachte Brote, ihr Mann sitzt neben ihr und gähnt. Einzig ich scheine keine Ruhe zu finden. Mit den Augen scanne ich meine Umgebung auf verdächtige Männer ab, auf meinen Bruder, auf Polizeibeamte. Ich weiß, richtig sicher bin ich erst, wenn ich in Istanbul aus dem Flugzeug steige. Bis dahin kann noch so viel schiefgehen. Was, wenn mein Bruder in der Schule anruft und Wasan ihm erzählt, dass ich verschwunden bin? Ich denke auch an meinen Vater, wie traurig er heute Abend sein wird, wenn er kommt, um mich abzuholen und merkt, dass ich ihn angelogen habe. Ich kann nicht daran denken, dass er sich Sorgen machen wird, dass ich ihm diese Sorgen bereite, das halte ich nicht aus.

Dann, endlich der Boarding-Aufruf. Ich sitze wie auf Kohlen, während die Businessclass-Passagiere die Kontrolle passieren, und in der überdachten Gangway verschwinden, der zu unserem Flieger führt. Dann bin ich dran. Ich versuche, der Stewardess bei der Passkontrolle nicht in die Augen zu sehen, damit sie meine Nervosität nicht bemerkt. Es klappt, auch hier bemerkt niemand, was ich vorhabe. Als ich zum Flugzeug laufe, verdichtet sich alle Angst, alle Aufregung der letzten Wochen und Monate zu einer Panik, die jede Zelle meines Körpers erfasst, mich völlig überwältigt, eng und beherrschend umklammert, so dass ich fast ersticke. Ich erschrecke vor der Kraft dieses Gefühls. Das hier sind die letzten Momente, in denen mir noch etwas passieren kann. Was mache ich, wenn mein Bruder mich hier findet, mir hinterherrennt, und mich an der Schulter packt, dem letzten Schritt zur Freiheit entreißt? Ich wage es nicht, mich umzudrehen, laufe mit gezwungen langsamen Schritten immer weiter, dann bin ich im Flugzeug. Die Stewardessen, die mich begrüßen, die Passagiere, die ihre Koffer und Taschen in den Ablagen über den Sitzen verstauen, das genervte Gedränge, ich bekomme all das nur am Rande mit, als würde ich durch Milchglas auf das blicken, was genau vor mir geschieht.

Der Knoten in meinem Bauch löst sich etwas, als wir, lange nachdem alle sitzen, viel zu spät, so scheint es mir, endlich vom Boden abheben.

Das große Flugzeug steigt auf in die Luft. Der erste Schritt ist getan, ich kann es kaum fassen. Ich fühle mich einhundert Kilo leichter, lasse mich in den Sitz drücken und spüre ein Kribbeln durch meinen ganzen Körper laufen. Zum ersten Mal in meinem Leben sehe ich meine Heimat von oben, sie entfernt sich immer weiter von mir, beginnt zu verschwinden. Schon jetzt wirken die Häuser, Pools und Straßen wie eine Modellstadt, winzig, unwirklich, bedeutungslos. Nach einer halben Stunde entspanne ich mich ein wenig, ich mache ein Foto des Ausblicks aus dem kleinen Fenster, dann lehne ich mich wieder zurück. Die Stewardess kommt, fragt mich, was ich trinken möchte. Ich bestelle eine Pepsi und fühle mich wie in einem amerikanischen Film, alles fühlt sich so unwirklich an, der Nebel in meinem Kopf ist noch nicht verschwunden, aber er lichtet sich ganz langsam.

Zwei Stunden später landen wir in Abu Dhabi, es ist Mittag, die Sonne brennt vom Himmel, wir, im Inneren des klimatisierten Flughafens, sehen nur das gleißende Licht, die Hitze spüren wir nicht. Mit den anderen Passagieren gehe ich aus dem Flieger und folge einem Strom von Menschen, die wie ich umsteigen, um in die Türkei weiterzufliegen. Als ich dem Grenzbeamten meinen Pass reiche, bin ich überzeugt davon, dass er mich bittet, zur Seite zu treten, die Panik von vorhin steigt plötzlich wieder in mir auf. Vielleicht hat mein Bruder längst die Religionspolizei verständigt, deren Einfluss bis hierhin reicht, das weiß ich. Doch der Beamte wirft nur einen kurzen Blick in meinen Ausweis und winkt mich durch. Ich komme rechtzeitig zum Gate und schaffe es, nicht ständig auf die Uhr zu schauen, sondern meinen Blick streifen zu lassen. Meine Augen bleiben an den westlichen Urlauberinnen hängen, die in Shorts, Jogginghosen, Kleidern oder Kapuzenpullovern an mir vorbeilaufen, als sei es das Normalste der Welt, keine Abaya und keinen Nikab zu tragen. Wie kann es sein, dass es für sie so selbstverständlich ist, frei zu sein, während es mir erscheint, als sei es das Größte und Ungeheuerlichste, das man sich vorstellen kann? Ich male mir aus, wie es sein wird, mir auch solche Kleider zu kaufen, sie einfach auf der Straße zu tragen. Ich stelle mir vor, wie es sein wird, die Blicke von Männern auf mir zu spüren, frage mich, ob es mich lähmen wird, auf einmal gesehen zu werden. Die Frauen um mich herum wirken geschäftig, auf alles konzentriert, nur ganz sicher nicht darauf, was man von ihnen denken könnte. Bald werde ich eine von ihnen sein, denke ich, und kann es doch nicht glauben. Soll all das wirklich mein neues Leben sein, so unbeschwert und frei?

Als ich diesmal durch die Gangway ins Flugzeug gehe, sage ich zu mir selbst, dass jeder Schritt, den ich jetzt tue, Richtung Istanbul führt, und ich merke, dass immer mehr Gewicht von meinen Schultern fällt. Ich bin schon fast nicht mehr ängstlich, als ich das Flugzeug betrete.

Als wir vier Stunden später in Istanbul-Atatürk landen, atme ich das erste Mal seit Tagen tief durch.

Ich schaffe es, ein wenig zu schlafen, die Durchsage des Piloten weckt mich, wir werden bald landen.

Noch im Flieger stehe ich auf und nehme erst die Abaya, dann Tarha und Nikab ab. Ich bin frei. Zum letzten Mal streife ich die schwarzen Stoffschichten von meinem Körper, von meinem Haar, meinem Gesicht, ich kann atmen. Zum ersten Mal, seit ich ein kleines Mädchen war, stehe ich ohne Verhüllung in der Öffentlichkeit. Ich sehe mich um und erwarte, dass mich irgendjemand anstarrt. Aber da ist kein Paar Augen, das länger an mir kleben bleibt, als es normal ist. Die anderen Frauen nehmen ihre Schleier und Abayas ebenfalls ab, es kommen wunderbare Frauen darunter zum Vorschein, jede auf ihre eigene Art, jede sie selbst, keine von ihnen könnte man mit einer anderen verwechseln. Sie legen die schwarzen Stoffe zusammen und packen sie in ihre größtenteils teuer aussehenden Handtaschen. Daran, wie sie gekleidet sind, sehe ich, dass sie wohlhabend sind, und ihre Souveränität lässt mich vermuten, dass sie sicherlich öfter in Flugzeugen sitzen, auf dem Weg in den Urlaub, zu Geschäftsterminen, um Freundinnen zu besuchen. Sie kennen die Freiheit im Ausland und kehren doch jedes Mal in die Unfreiheit Saudi-Arabiens zurück. Wie kann das sein?

Ich möchte unbedingt schnell aussteigen, wenn sich die Türen endlich öffnen. Ich setze mich wieder und beginne, die Abaya hastig in meinem Schoß zu falten. Mein Kopftuch lege ich ziemlich nachlässig darauf. Dann merke ich, wie wichtig das, was ich gerade tue, eigentlich ist. Wie groß. Es ist vielleicht das letzte Mal, dass ich meinen Nikab in den Händen halte. Ich werde ihn nie wieder brauchen. Ich schaue auf dieses kleine Stückchen schwarzen Stoffs. Wie bedeutungslos es doch ist, wenn man es einfach so betrachtet. Ein kleiner Fetzen Stoff. Und doch habe ich unter ihm gelitten. Ich falte ihn ganz langsam noch einmal ordentlich zusammen, sorgfältig, mit Bedacht, bis er nicht viel größer ist als ein Buch. So, wie man etwas ordnet, wenn man es für immer beiseitelegt. Es ist ein kurzer Moment, der so groß ist, nach dem langen Weg, der ihn ermöglicht hat.

Ich habe das schwarze Bündel gerade in meiner Tasche verstaut, als wir endlich aussteigen dürfen.

Ich laufe die Gangway hinunter, dann eine Treppe hoch. Ich bin wieder nervös, als ich mich in die Schlange stelle, in der alle darauf warten, ihre Pässe vorzuzeigen. Aber auch hier zollt der Grenzbeamte meinem Pass kaum Beachtung. Ich laufe durch die Schranke in die große Haupthalle des Flughafens. Habe ich es wirklich geschafft? Ich warte auch hier wie schon im Flieger darauf, angestarrt zu werden, aber da ist niemand, der mich zur Kenntnis nimmt, niemand, der entsetzt ist darüber, dass ich als Frau es wage, mich unverhüllt zu zeigen. Ich bin noch ziemlich unsicher in meinem Auftreten. Das hier ist eine völlig neue Situation für mich. Es ist jetzt schon früher Abend. Langsam merke ich, wie die Müdigkeit mich überkommt, trotz aller Nervosität. Ich habe Probleme, den Ausgang zu finden, die vielen Schilder verwirren mich. Alles um mich herum ist hell, die großen Fenster reflektieren das Licht von den Deckenleuchten, die Lichtkegel auf den glänzenden Fliesenboden werfen. Um mich herum ziehen Geschäftsmänner und Familien in Freizeitoutfits zielstrebig Koffer hinter sich her. Ich scanne die Schilder nach dem Wort »Taxi« ab und versuche so zu wirken, als gehörte ich hierher, genau wie all die anderen. Ich rieche Kaffee und denke an den Mocha, den mir mein Vater gekauft hat. Das war erst heute Morgen, aber ich habe das Gefühl, dass seitdem Wochen vergangen sind. Schnell schiebe ich den Gedanken an meinen Vater beiseite. Endlich sehe ich die Glastür, hinter der die Taxis auf Passagiere warten. Ich gehe nach draußen.

Vor dem Flughafengebäude sage ich zu mir selber, als könnte ich es erst wirklich glauben, wenn ich es laut gesagt habe: »Ich bin weggegangen. Ich habe es geschafft!« Ich bleibe stehen und beobachte die Hast um mich herum, das Gedränge. Menschen gehen entschlossenen Schrittes zu geparkten Autos, steigen in Taxis, suchen Bushaltestellen oder starren im Gehen auf Handys. Neben dem Ausgang stehen drei ältere Männer, die so genüsslich Zigaretten rauchen, als hätten sie jahrelang darauf verzichten müssen. Ein kleines Mädchen läuft hinter ihrer Mutter her und hält einen Teddybären fest, der von ihrer Hand hinunterhängt. Autos halten und fahren wieder weg. Kofferräume werden geschlossen, Taxifahrer hupen. Die Frauen, die aus der Flughafenhalle kommen, tragen Jeans, Miniröcke, Kleider. Sie sind geschminkt und selbstbewusst, laufen ihren Männern voraus. Manche reisen alleine und schieben ihren Gepäcktrolley zielstrebig über den Parkstreifen zum Parkhaus. Zwei Frauen Anfang zwanzig studieren gemeinsam eine Karte, kichern und laufen dann in die Richtung der Mietwagenstation. Autofahren, keinen Schleier tragen, alleine unterwegs sein: All das ist hier für Frauen so selbstverständlich. Ich weiß das, ich wusste es schon vorher. Es ist der Grund, warum ich hierhergekommen bin. Und doch: Zu sehen, wie diese Frauen völlig unaufgeregt und beiläufig ihre Freiheit leben, macht etwas mit mir. Wie kann es sein, dass Dinge hier so leicht sind, die in meiner Heimat unmöglich sind? Werde ich jemals eine dieser Frauen sein können? Die selbstbewusst ihr Gepäck vor sich herschiebt, in ihr eigenes Auto steigt und einfach nach Hause fährt? Die sich bei niemandem abmelden oder um Erlaubnis fragen muss? Kann ich das sein? Mein Herz macht einen Sprung. Ja, denke ich, das kann ich, es ist jetzt wirklich möglich. Dieser Moment ist kein Märchen. Dieser Moment ist mein Leben. Ich bin überwältigt, beginne, die warme Frühlingsluft auf meinen Wangen zu spüren. Es riecht nach Abgasen und Großstadt, aber es liegt auch etwas Blumiges in der Luft. Ich atme tief ein und wieder aus. Erst jetzt merke ich, dass ich mich fühle, als hätte ich seit heute Morgen den ganzen Tag die Luft angehalten. Meine Schultern entspannen sich, und erst als ich sie locker lasse, merke ich, dass ich meine Hände zu Fäusten geballt hatte. Die Anspannung dieses Tages und der letzten Wochen beginnt, sich ein wenig zu lösen. Ich lächele, als ich den Wind in meinen Haaren spüre. Da ist jetzt nichts mehr zwischen mir und der Welt. Kein Schleier, kein Vormund, kein System, das Frauen wie mich am liebsten in die Unsichtbarkeit drängen will. Ich fühle eine Euphorie durch meinen Körper fahren, die ich so noch nie erlebt habe. Ein so intensives Glücksgefühl, dass mir fast die Knie wegsacken, so leicht und schwindlig ist mir.

Ich erwache wie aus einem Tagtraum und winke ein Taxi herbei. Ich weiß nicht, wo ich heute Nacht schlafen werde, aber das macht mir im Moment keine Angst. Im Taxi steigt eine kindliche Aufgekratztheit in mir auf. Der Taxifahrer muss denken, dass ich betrunken bin, so merkwürdig aufgeregt und albern verhalte ich mich. Aber das, was gerade geschehen ist, ist so surreal, dass ich nicht anders kann, als unentwegt zu lachen.

Ich habe es geschafft, ich bin in einem anderen Leben angekommen, die Menschen, die Straßen, alles ist anders, selbst die Sonne sieht nicht aus wie die in Riad.

Ich bitte den Taxifahrer, mich vor einem günstigen Hotel im Zentrum Istanbuls abzusetzen, weil ich merke, wie dringend ich schlafen muss. Er nickt. Der Mann an der Rezeption sagt, ich könne auch länger als eine Nacht bleiben, man sei nicht komplett ausgebucht. Ich bin sehr froh, dass ich in Riad den Englischkurs belegt habe. Als ich das Zimmer aufschließe, werfe ich meine Tasche in eine Ecke und stelle mich sofort unter die Dusche. Das warme Wasser auf meiner Haut fühlt sich gut an, als würde ich mein altes Leben abwaschen, als würde ich mich reinigen von dem, was gewesen ist, für das, was jetzt kommt. Ich denke daran, wie ich heute Morgen unter der Dusche stand, noch zu Hause. Was seitdem passiert ist. Dass zwischen dem Morgen und dem Abend Welten liegen. Als ich mich jetzt in ein großes Handtuch hülle und in den Spiegel schaue, begreife ich auf einmal: So, wie ich aus der Dusche komme, kann ich ab jetzt mein Gesicht der Welt zeigen. Es ist jetzt mir überlassen, wie ich mich kleide, wann ich vor die Tür trete, wohin ich gehe. Ich fühle wieder ein warmes Kribbeln in mir aufsteigen, ein Gefühl, das man nicht kontrollieren oder festhalten kann, nach dem man immer jagt, und das einen doch dann am ehesten überwältigt, wenn man gerade nicht darüber nachdenkt – Glück. Dazu mischen sich eine Leichtigkeit, die mir bisher fremd war, und das Wissen darum, dass ich jetzt selbst bestimmen kann, wer ich bin und wer ich sein möchte.

Kurz bevor ich mich ins Bett lege, schreibe ich Amir, dass alles gut gegangen ist. Es ist nur diese eine Nachricht, die ich an diesem Abend verschicke. Amir ist jetzt mein einziger Verbündeter. Ich mache das Licht aus und versuche zu schlafen. Aber ich wälze mich die ganze Nacht im Bett herum. In den Fetzen der Träume, an die ich mich erinnern kann, jagt mich mein Bruder, er hat ein Messer in der Hand, und in seinen Augen sehe ich nichts als kalten Hass. Ich liege da, ohne Ruhe zu finden und spüre die schwere Müdigkeit in meinen Gliedern. Obwohl ich den Schlaf so sehr brauche, kommt er nicht über mich. Als ich am nächsten Morgen um zehn Uhr aufwache, knallt die Sonne schon durch das Fenster in mein Zimmer. Ich stehe auf, erschöpft von der Müdigkeit.

Ich beschließe, mir heute etwas Neues zum Anziehen zu kaufen. Draußen ist es sonnig, und es herrscht geschäftiges Treiben. Als ich die Straße entlangschlendere, fällt mir die Terrasse eines Cafés ins Auge, das zwei Häuser vom Hotel entfernt ist und auf einem Schild ein türkisches Frühstück bewirbt. Ich bin neugierig. Ich nehme einen der Tische mit Blick auf die Straße und erwarte, dass die Kellnerin mich komisch anschaut, weil ich als Frau alleine unterwegs bin. Aber sie nimmt meine Bestellung gleichgültig entgegen und bringt wenig später erst einen Brotkorb und dann eine Platte mit Schafskäse, Sucuk, Tomaten, Oliven, Gurken, Honig. Das Fladenbrot schmeckt anders als zu Hause, es ist viel luftiger, und es sind schwarze Sesamkörner eingebacken. Ich habe am Abend zuvor nichts gegessen, ich war viel zu aufgeregt, jetzt bin richtig ausgehungert und genieße das erste Essen in Freiheit, ohne Kopftuch, mit dem blauen Himmel und der strahlenden Morgensonne über mir – ich habe noch nie in der Öffentlichkeit unter freiem Himmel gegessen, um mich herum Männer, Frauen, Familien. Ich sitze jetzt da, wo alle sitzen, und nicht in einem abgetrennten Teil des Cafés, wo mich niemand sehen soll.

In einem günstigen Modegeschäft finde ich später ein ziemlich weit ausgeschnittenes weißes Kleid, das mir sofort gefällt. Ich kaufe es. Dann sehe ich einen Friseursalon und denke: Es ist dein erster richtiger Tag in Freiheit, der wird sich niemals wiederholen, jetzt kannst du noch einmal mutig sein! Ich bin überrascht, als ein Mann mir bedeutet, mich auf den Frisierstuhl zu setzen. Es wird noch eine Weile dauern, bis mich die Vorstellung, dass mich ein völlig fremder Mann anfasst, nicht mehr verwirrt.

Amir wartet darauf, dass seine Eltern ihm wieder Geld schicken, dann will er auch nach Istanbul kommen und mich treffen. Er macht sich Sorgen um mich und schreibt, er würde am liebsten sofort losfahren, aber das geht nicht. Ich beruhige ihn, sage ihm, dass er sich nicht sorgen müsse, dass es mir gut gehe.

Am Abend sitze ich in der Lobby des Hotels und lese in einem Prospekt für Touristen. Ich überlege gerade, wo ich etwas essen gehen kann, als mich ein elegant gekleideter Mann, der auch im Hotel wohnt, anspricht. Er fragt mich unvermittelt, aber sehr freundlich, ob ich ihn zum Abendessen begleiten möchte. Ich mustere ihn, kann aber nichts erkennen, das bedrohlich wirkt. Er trägt ein dunkelblaues Jackett, ein weißes Hemd, eine dunkle Jeans. Er lächelt mich ganz offen an und schaut mir dabei direkt in die Augen. Ich sage in einem Impuls und ohne lange darüber nachzudenken zu, fast etwas erschrocken über mich selbst, dass ich gar keine Angst habe.

Als wir gemeinsam aus dem Hoteleingang auf die Straße gehen, stellt er sich vor. »Ich heiße Rashid«, sagt er. »Ich bin Rana«, sage ich. Rashid erzählt, dass er als Manager bei einer Ingenieursfirma im Oman beschäftigt ist. Er sagt, er sei wegen einer Operation in die Türkei gekommen. Was für ein Eingriff es genau ist, sagt er nicht, und ich traue mich nicht, ihn zu fragen. Ich erzähle ihm, dass ich nur Urlaub in Istanbul mache, und bin froh, als er keine weiteren Fragen stellt. Wir laufen gemeinsam die Straße hinunter, es ist ein milder Abend, man braucht keine Jacke. Ich genieße die Abendsonne auf meinem Gesicht und fühle mich erwachsen. Hier bin ich also, in Istanbul, am frühen Abend, auf dem Weg zum Abendessen mit einem erfolgreichen Geschäftsmann, der mich ausführen möchte.

Rashid läuft zielsicher zu einem italienischen Restaurant, in dem er schon ein paarmal war, wie er erzählt. Er kenne Istanbul gut, und das Restaurant sei eines seiner Favoriten.

Er erzählt von seiner Arbeit und seinem Leben im Oman, aber ich höre ihm gar nicht richtig zu. Ich bin zu beschäftigt damit, alle Eindrücke um mich herum aufzusaugen. Wir bestellen eine Portion Meeresfrüchte für zwei Personen und Pommes. Das Essen ist köstlich. Ich merke jetzt, dass Rashid mit mir flirtet. Als ein Rosenverkäufer kommt, kauft er mir eine rote Rose. Ich fühle mich geschmeichelt, aber ich zeige ihm auch, dass ich wirklich nur mit ihm essen möchte. Ich bin erleichtert, als er das akzeptiert und mich danach trotzdem weiter nett und interessiert behandelt. Wir gehen noch in eine Bar. Er bestellt ein Bier, ich trinke einen Saft.

Es ist das erste Mal, dass ich mit einem Mann ausgehe, und es ist eine ganz neue Erfahrung, dass er meine Grenzen respektiert, dass er mich als einen Menschen behandelt, der mit ihm auf Augenhöhe ist, und nicht versucht, sich mit Gewalt etwas zu nehmen, das ich nicht bereit bin, zu geben. Es ist ein schönes Gefühl zu merken, dass nicht alle Männer so sind wie meine Onkel, wie der Vater meines Ex-Mannes, wie mein Bruder. Dass Männer und Frauen einander in die Augen sehen und respektieren können.

Ich lerne aber auch schnell, dass auch in Istanbul nicht jede Begegnung gut gemeint und harmlos ist. Am nächsten Tag sitze ich in einem Café, und ein Mann, der aussieht, als hätte er sehr viel Geld, fragt, ob er sich zu mir setzen kann. Ich denke mir nichts dabei und sage Ja. Doch schnell stellt sich heraus, dass seine Absichten keine guten sind. Er fragt mich ganz direkt, ob ich Lust hätte, als Stripperin für ihn zu arbeiten. Ich bin entsetzt und schüttele den Kopf. Es ist ein Schockmoment. Aber gleichzeitig kann ich der Erfahrung auch etwas Beruhigendes abgewinnen. Denn in dem Moment, in dem ich klar sage, dass ich nicht daran interessiert bin, verschwindet der Mann sofort. Er bedrängt mich nicht, sondern lässt mich einfach in Ruhe.

Am nächsten Tag fahre ich weiter nach Izmir. Ich habe nach wie vor Angst, dass mein Bruder mir folgt, und glaube, dass Izmir ein Ort ist, an dem er mich nicht vermuten würde. Amirs Kindheitsfreund Omar lebt dort und wird mich vom Bus abholen – sieben Stunden dauert die Fahrt. Ich habe Angst, dass mich jemand anspricht oder erkennt, dass ich auf der Flucht bin, ich habe Angst, dass mein Bruder mich findet, die ganze Zeit. Im Bus höre ich Musik, spreche mit niemandem. Gegen dreiundzwanzig Uhr fahren wir in den Busbahnhof der Hafenstadt ein. Mein Handyakku ist leer. Ich warte in dem verlassenen Bahnhof. Vergeblich. Omar kommt nicht. Mir ist nicht wohl dabei, hier so spät am Abend alleine zu sein. Deshalb beschließe ich, mir ein Hotel zu suchen. Ich laufe ziellos in irgendeine Richtung und habe Glück, dass ich schon nach ein paar Minuten fündig werde. Die Pension sieht zwar nicht besonders einladend aus, aber das macht mir nichts aus, ich denke, dass es dann wenigstens günstig ist, dort zu übernachten.

Im Zimmer lade ich mein Handy und schreibe Amir, ich sage ihm, dass Omar nicht gekommen ist. Amir antwortet sofort. Er sagt, Omar sei zu spät gekommen, ich sei schon weg gewesen. Er schickt mir die Nummer seines Freundes. Ich kontaktiere Omar und verabrede mich für den nächsten Tag mit ihm.

Auf dem Nachttisch liegen Kondome, daneben steht eine Flasche Rotwein. Auch der kleine Kühlschrank auf dem Zimmer ist mit vielen verschiedenen Flaschen Alkohol bestückt. Der ganze Raum sieht heruntergekommen aus. Mir ist etwas unwohl, und ich bin froh, dass ich nur eine Nacht hier verbringen muss. Ich bin versucht, etwas von dem Wein zu trinken. Aber ich habe noch nie Alkohol getrunken, nicht einmal einen kleinen Schluck, und ich fürchte, dass ich sofort betrunken bin, deshalb lasse ich es bleiben.

Am nächsten Tag lerne ich endlich Omar kennen, Amirs guten Freund, von dem ich schon so viel gehört habe. Ich trage mein neues Kleid, als ich mich auf den Weg mache, um ihn zu treffen. Es ist kurz und etwas freizügig. Aber genau deswegen habe ich es mir gekauft: weil es mir gefällt, und ich jetzt tragen kann, was ich will. Trotzdem merke ich, wie sich die Männer auf der Straße nach mir umdrehen und fühle mich unwohl. Warum erregt ein kurzes Kleid hier solche Aufmerksamkeit, obwohl doch so viele Frauen sich so anziehen? Ich hätte erwartet, dass ich hier nicht weiter auffalle, egal, was ich anhabe. Liegt es daran, dass ich eben nicht blond bin oder europäisch aussehe, sondern mit meinen dunklen Haaren eindeutig als Araberin zu erkennen bin? Ich ärgere mich über die Blicke und auch darüber, dass mich diese Blicke so ärgern.

Omar und ich gehen syrisches Schawarma essen, wir reden über Amir, wieso wir ihn beide so schätzen. Omar erzählt mir davon, wie Amir als kleiner Junge war – eigentlich genauso wie heute, sagt er, und ich kann es mir sehr gut vorstellen. Danach zeigt er mir einen günstigen Laden, wo ich mir eine Jeans und ein T-Shirt kaufe.

Izmir gefällt mir. Es ist eine schöne Stadt am Meer. Wir spazieren die Hafenpromenade entlang. Omar erzählt, dass er schon seit sieben Monaten hier ist, dass es hier viele Menschen gibt, die aus Syrien gekommen sind, genau wie ihn. Er sagt, er arbeite im Moment im Textilienhandel und schwärmt mir von seinen Träumen von einem besseren Leben vor. Dass jeder Flüchtling seine Version eines solchen Traumes hat und es meistens das Zweite ist, was man sich erzählt – das Erste ist, warum man geflohen ist –, werde ich in den nächsten Monaten noch lernen.

Auf der Straße verkauft ein Mann Tanur-Brot, genau solches, wie meine Großmutter es immer gebacken hat. Omar kauft uns beiden eines, wir machen ein Foto davon und schicken es Amir. Später essen wir ein Eis, wir machen eine kleine Tour auf dem Wasser mit der Fähre, und ich bin dankbar, dass Omar sich um mich kümmert.

Fünf Tage später kommt Amir wirklich nach Istanbul, und ich fahre zurück, obwohl mir dabei etwas mulmig zumute ist, aber ich möchte ihn unbedingt abholen. Ich warte schon am Busbahnhof, ehe er überhaupt ankommt. Ich setze mich in die Wartehalle, weil es draußen keine Bänke gibt. »Bin jetzt da, Gleis 3«, schreibt Amir mir wenig später. Ich laufe ihm entgegen, sehe ihn dort stehen, ehe er mich sieht. Er wirkt ein bisschen verloren und trinkt Tee aus einer Thermoskanne. Er sieht ängstlich aus und so jung.

Ich nähere mich ihm, vorsichtig, als sei er ein Kind, das man nicht erschrecken möchte. Als er mich sieht, ist auf einmal alle Anspannung aus seinem Gesicht verschwunden. Er strahlt. »Rana. Endlich!«, sagt er und umarmt mich etwas stürmischer, als ich es ihm zugetraut hätte.

Wir gehen spazieren, und Amir hört nicht auf zu lächeln. Er sieht so glücklich aus. Er schaut mich ständig von der Seite an, ganz verliebt, und ich werde angesichts seiner Blicke auf einmal schüchtern. Immer wieder sagt er: »Ich wusste, dass du es schaffst. Du hast es geschafft, Rana. Du bist frei!« Und mein Herz glüht vor Freude, dass er jetzt bei mir ist, dass wir beide Riad verlassen haben, dass ich einen Verbündeten habe auf dieser Flucht in die Freiheit.

Er fragt, ob Omar sich gut um mich gekümmert hat. Ich bejahe und bin gerührt, wie aufrichtig besorgt er ist. Wir fragen in ein paar Hotels nach, aber die Zimmer sind zu teuer. Wir sind im europäischen Teil Istanbuls, die Sonne scheint, um uns herum sehen wir Touristen und Einheimische, jeder scheint ein Ziel zu haben, nur wir sind etwas verloren.

Schließlich stehen wir vor einem Hotel, das von außen eigentlich auch viel zu teuer aussieht. Aber ich sage zu Amir: »Lass es uns wenigstens probieren, vielleicht haben wir ja Glück, und es kostet nicht so viel, wie wir denken.« Und tatsächlich, der Mann an der Rezeption scheint uns zu mögen oder zumindest Mitgefühl für uns zu haben, als er uns den Zimmerpreis nennt und wir schon dabei sind, uns enttäuscht umzudrehen und zu gehen. Er sagt, er könne uns ein kleines Dachzimmer zu einem günstigeren Preis vermieten.

Wir sind sehr froh, als wir endlich die Tür hinter uns schließen können. Wir legen uns aufs Bett. Amir dreht sich zu mir und schaut mich genauso verliebt an wie auf dem Spaziergang hierher, aber jetzt gibt es keine Passanten, keinen Weg, keine Straße, die mich davon ablenken könnten. Er streichelt mir über die Wange und flüstert meinen Namen. Wir küssen uns, erst vorsichtig, dann leidenschaftlicher.

Amir und ich schlafen miteinander. Er ist sehr zärtlich, behutsam, es ist eine völlig andere Erfahrung als mit meinem Ex-Mann. Ich fühle mich zu nichts verpflichtet, ich will es einfach, weil ich Amir nahe sein will. Wir schlafen Arm in Arm ein.

Als wir aufwachen, ist es Abend. Wir haben beide großen Hunger, aber sind zu faul, das Zimmer zu verlassen. Wir bestellen Pizza aufs Hotelzimmer, mit Hähnchen, Peperoni und Oliven. Als wir den Karton öffnen, müssen wir beide lachen. Der ganze Belag ist in der Mitte der Pizza aufgetürmt, ein riesiger Berg, den man selber auf dem Boden verteilen muss. Wir tun das mit den Händen, essen und kichern dabei. Amir trinkt Pepsi, ich 7-Up. Es fühlt sich an, als seien wir Teenager, nicht zwei junge Erwachsene, die gerade ihr ganzes Leben hinter sich gelassen haben.

Am nächsten Morgen spazieren wir nach dem Frühstück durch das Viertel weiter durch Kumkapi, die Altstadt, mit ihren vielen Restaurants und Straßenmusikern, ein Gewimmel aus Geräuschen und Gerüchen. Wir schlängeln uns durch die Menschenmassen und folgen ihnen bis zur berühmten Süleymaniye-Moschee. Es ist gleichzeitig merkwürdig und schön, das Gebäude als Touristin zu besuchen, nicht, um zu beten, sondern nur, um zu staunen über den Pomp, die Baukunst, das schiere Ausmaß dieses Baus.

Wir schlendern weiter, essen Eis, schmieden Pläne, reden über alles Mögliche und haben kein Problem, gemeinsame Themen zu finden. Es ist so einfach, mit Amir Zeit zu verbringen, dass ich am Anfang gar nicht merke, dass ich nicht richtig in ihn verliebt bin, sondern ihn einfach nur als Freund wahnsinnig gern habe. Es ist ein Gefühl wie eine wohlige Wärme, die sich über alles legt wie eine Decke, aber mehr ist es nicht. Was auch nicht schlimm wäre, würde es ihm nicht anders gehen.

Amir sagt, er könne sich vorstellen, in der Türkei Arbeit zu suchen und mit mir hierzubleiben. Aber ich will nicht bleiben. Ich sage ihm, ich möchte weiter, nach Europa. Amir wird ganz still, aber er stellt meinen Wunsch nicht infrage.

In Istanbul färbe ich mir die Haare blond. Ich habe noch immer Angst, dass mein Bruder mich hier sucht. Wir bleiben ein paar Tage lang und genießen das freie Stadtleben, das wir beide nicht kennen. Wir versuchen zu vergessen, wie mittellos, wie ratlos und verloren wir eigentlich sind. Dann habe ich die Idee, Faysal zu besuchen, der in Ankara gestrandet ist. Auch er ist Atheist, auch ihn habe ich im Netz kennengelernt. Er ist aus dem Irak in die Türkei geflohen und möchte von hier weiter nach Europa, sobald er genug Geld für einen Schleuser gespart hat. Dort ist auch die amerikanische Botschaft, und ich möchte versuchen, dort einen Visumsantrag zu stellen. Amir ist einverstanden. Also fahren wir mit dem Bus nach Ankara.

Faysal begrüßt uns herzlich. Er fragt, ob wir nicht in eine Diskothek gehen möchten. Weder Amir noch ich haben jemals in unserem Leben Alkohol getrunken, aber wir sind neugierig. Faysal bestellt Wodka mit Sprite, und wir tanzen stundenlang. Ich bin begeistert von den vielen Lichtern und der lauten Musik. Mein Leben lang habe ich davon geträumt, einmal einfach so irgendwo tanzen zu können. Mit jedem Getränk werden wir ausgelassener. Mir ist schwindlig, aber betrunken zu sein, ist bei Weitem nicht so schlimm, wie ich es mir immer vorgestellt habe. Es macht sogar Spaß. Wir torkeln in Faysals Wohnung zurück, völlig erschöpft. Am nächsten Tag fühlen wir uns alle ziemlich elend.

Danach fahren wir nach Izmir zurück, unter falschem Namen, das erscheint uns sicherer. Ich habe jetzt weniger Angst, weil ich nicht mehr alleine im Bus sitze. Omar steht diesmal wirklich an der Bushaltestelle, als wir ankommen. Er sagt zu Amir: »Da bist du also. Das braucht es also, damit ich dich nach fünf Jahren wiedersehe? Eine Frau! Du bist doch nur wegen Rana gekommen.« Er lacht. Ich schieße zurück und sage: »Jetzt, wenn ich mit Amir komme, bist du auf einmal pünktlich?« Omar und Amir sprechen ab dieser Minute ununterbrochen, erzählen sich alles, was in den letzten fünf Jahren passiert ist. Wir gehen wieder Schawarma essen, und sie erzählen und erzählen. Ich sitze nur da, höre ihnen zu und schaue mich um. Ich beobachte die Menschen, das Treiben auf der Straße und bin einfach nur glücklich.

Fünf Monate lang bleiben wir in Izmir. Erst in einem günstigen Hotel, in dem Kakerlaken über den Boden flitzen, wenn wir von Spaziergängen zurückkommen, dann in einer Wohnung, die wir zu einem guten Preis und von Monat zu Monat mieten können. Ich arbeite in einer Baklavafabrik, in der die Arbeitsbedingungen so furchtbar sind, dass ich beginne, an meiner Flucht zu zweifeln. Dort arbeiten sogar junge Mädchen, sie sind nur zehn, elf, zwölf Jahre alt. Der Chef ist streng, er schimpft, wenn wir uns kurz setzen, um uns auszuruhen. Wir arbeiten elf Stunden am Tag und sind fast nur auf den Beinen. Nach vier Wochen gebe ich auf. Die Frauen dort schneiden mich, weil ich kein Kopftuch trage, die Arbeit laugt mich aus und ist viel zu schlecht bezahlt.

Das Geld ist knapp, und ich mache mir Sorgen, wovon Amir und ich in Zukunft leben sollen. Es gibt nicht viele Menschen, die bereit sind, Flüchtlingen wie uns Arbeit zu geben, und die meisten Jobs, die es für uns gibt, sind derart inhuman, dass ich mich nicht dazu durchringen kann, sie anzunehmen. Dass Amir sich so quält, möchte ich auch nicht.

Es ist, als hätte ich in dieser Not einen Schutzengel. Es ist mein großes Glück, dass es weltweit ein Netzwerk von Atheisten gibt, die sich gegenseitig helfen. Ein Freund aus Kuwait schickt mir über eintausend US-Dollar, als er von meinen Geldproblemen hört. Armin Navabi, der Gründer der Webseite »Atheist Republic«, schreibt mir eine Mail. Er fragt, wie es mir gehe und ob mir meine Flucht gelungen sei. Mein Foto aus der Kaaba habe ihn so beeindruckt, dass er mit mir Kontakt hält und mir helfen möchte.

Ich erzähle ihm von unseren Geldsorgen, und wie mürbe es mich macht, in Freiheit zu sein, aber keine Möglichkeit zu haben, ein richtiger Teil der Gesellschaft zu werden. Er sagt, er wolle mir helfen. Schon ein paar Stunden später schickt er mir einen Link zu einer Crowdfunding-Kampagne, die er nach unserem Austausch für mich ins Leben gerufen hat. Mein großes Idol

Richard Dawkins teilt den Aufruf sogar auf Twitter. Ich kann es nicht glauben, so sehr beeindruckt es mich, dass er an meiner Geschichte Anteil nimmt. Ich bin gerührt, dankbar, überwältigt. In den nächsten Wochen spenden Menschen aus der ganzen Welt insgesamt sechstausend Dollar für mich. Ich bin fassungslos angesichts der großen Hilfsbereitschaft von Menschen, die ich gar nicht kenne, die mir aber trotzdem helfen wollen. Endlich habe ich etwas weniger Druck, und Amir und ich können Pläne schmieden, wie es weitergehen soll.

9.

Der Weg nach Europa

Die Monate vergehen trotzdem schneller, als wir unsere Probleme lösen können. Wir wissen, dass das Geld der Crowdfunding-Kampagne eine große Hilfe war, aber keine dauerhafte Lösung ist. Wir wollen nicht auf die Barmherzigkeit anderer angewiesen sein. Es wird Sommer, dann Herbst. Mein Wunsch, aus eigener Kraft ein neues Leben zu beginnen, in einem Land, in dem ich bleiben will, wird immer stärker. Ich bin so weit gegangen und immer noch nicht angekommen.

Amir und ich wohnen inzwischen in einer Vier-Zimmer-Wohnung in der zweiten Etage, in einem Vorort von Izmir. Amir hat ein großes gutes Herz. Ich weiß, dass man sich eigentlich keinen besseren Freund wünschen kann. Und doch fehlt mir etwas. Das Gefühl, sich aufeinander zu freuen, wenn man aufwacht, wird immer seltener. Es kehrt Alltag ein in unser Leben. Wir streiten immer häufiger. Ich habe oft den Eindruck, dass er sich zu sehr nach mir richtet, sich von mir und meinen Plänen abhängig macht. Er ist noch sehr jung, und eigentlich stehen ihm alle Türen offen. Ich ertrage den Gedanken kaum, dass er meinetwegen Chancen nicht wahrnimmt, die er unter anderen Umständen sofort ergriffen hätte.

An einem Mittwoch im August sitzen wir gemeinsam beim Frühstück. Die Stimmung zwischen uns an diesem Morgen ist angespannt. Wir sind beide in Gedanken und reden nicht viel. Als wir doch ein Gespräch beginnen, geraten wir sofort aneinander. Es sind unsere Dauerbrenner, derentwegen wir streiten: das knappe Geld, Amirs Pläne, die Tatsache, dass er sein Studium aufgegeben hat, weil er mit mir zusammen sein möchte. Amir hätte viel bessere Chancen zu fliehen, wenn er sich alleine, ohne mich, auf den Weg machen würde. Er könnte eigentlich sofort losziehen. Er hat noch genug Geld gespart, um einen Schleuser zu bezahlen, aber er wartet, bis wir genug Geld haben, um gemeinsam weiterzuziehen. Mich macht das wütend. Ich möchte mich nicht für ihn verantwortlich fühlen. Es gefällt ihm nicht, dass ich das so sehe. Als wir immer lauter streiten, sage ich, dass ich spazieren gehen will, ohne ihn.

Aber er will mich nicht verlieren. Er bittet mich darum, in der Wohnung zu bleiben und auf ihn zu warten. »Ich brauche nur eine halbe Stunde«, sagt er und ist schon draußen, schlägt eilig die Tür hinter sich zu. Ich bleibe widerwillig zurück. Dreißig Minuten, genau, wie er gesagt hat, vergehen, dann ist er wieder da. Er hat mir einen Lippenstift und ein Fläschchen Parfüm gekauft. Als er mir die Geschenke überreicht, schaut er so traurig und so unschuldig, dass ich ihm nicht böse sein kann. Wir versöhnen uns, ohne weiter nach einer Lösung zu suchen. Wir vertagen die Grundsatzdiskussion, die jedoch dringend nötig gewesen wäre.

Aber es ist nicht alles schlecht zu dieser Zeit: Armins Hilfe und die der Crowdfunding-Teilnehmer bedeutet mir viel, denn sie zeigt mir, dass ich nicht alleine bin, dass es ein weltweites Netzwerk von Menschen gibt, die meine Erfahrungen teilen oder nachvollziehen können, Ex-Muslime, deren Weg zu einem freien Leben ähnlich beschwerlich war wie meiner. Armin gibt meinen Kontakt an Imtiaz Shams weiter, den Gründer eines

Netzwerks, das ehemals gläubigen Menschen hilft, auch ohne Religion ein Leben zu führen, in dem sie den Halt nicht verlieren. Imtiaz lebt in London. Auch er war früher Moslem und hat dem Islam den Rücken gekehrt. Er weiß, wie tiefgreifend die Sanktionen sind, mit denen Menschen rechnen müssen, die sich vom islamischen Glauben abwenden. Manche werden von ihren Glaubensgemeinschaften verstoßen, andere aktiv eingeschüchtert, angegriffen oder mit Morddrohungen terrorisiert. Selbst in London kennt er Fälle von ehemaligen Gläubigen, die von Mitgliedern ihrer Gemeinden bedroht und beschimpft werden, weil sie sich offen zu dem bekennen, was sie denken.

Imtiaz möchte mich in Izmir treffen und ein Filmteam mitbringen. Er will mit mir über meine Flucht sprechen. Meine Geschichte soll Teil eines Dokumentarfilms werden. Er sagt, sie würde vielen anderen Mut machen. Ich bin erst nicht sicher, ob es nicht zu gefährlich ist, sich öffentlich zu der Art von Entscheidung zu bekennen, wie ich sie getroffen habe. Mit all ihren Konsequenzen. Ich habe auch Angst davor, dass mein Bruder auf den Dokumentarfilm stößt und herausfindet, wo ich bin. Aber ein Satz, den Imtiaz gesagt hat, hallt in mir nach. Wenn auch nur eine Frau meine Fluchtgeschichte hört und den Mut fasst, das zu tun, was ich getan habe, dann ist es das wert. Egal, ob ich Arbeit und ein Visum für ein europäisches Land bekomme oder nicht, wenn ich den Mut habe, meine Erfahrungen zu teilen, bin ich nicht vergebens geflohen. Wenn sich ein anderer Mensch rettet, weil er hört, dass ich mich auch retten konnte, dass selbst vermeintlich ausweglose Situationen wie meine einen Ausweg haben, dann hat es sich gelohnt, all das zu verlieren, was ich verloren habe. Dann habe ich gewonnen, egal, wie schwer der Weg sein wird, der noch vor mir liegt. Also sage ich zu.

Imtiaz und die Reporterin Poppy Begum besuchen mich noch im August. Es ist schön, mit ihnen zu sprechen. Ich habe das Gefühl, ich werde gehört. Ihr Interesse zeigt mir, dass das, was ich zu erzählen habe, nicht bedeutungslos ist. Es fällt mir nach allem, was geschehen ist, und wozu ich erzogen wurde, manchmal schwer, das zu glauben. Ich erzähle ihnen davon, wie ich vergeblich Visumsanträge in Schweden, den USA und den Niederlanden gestellt habe. Ich sage, dass ich mittlerweile glaube, die einzige Möglichkeit für mich, ein neues Leben zu beginnen, sei, illegal in ein EU-Land zu fliehen. Poppy und Imtiaz blicken mich beide entsetzt an, als ich es ausgesprochen habe, aber sie trauen sich auch nicht, mich vom Gegenteil zu überzeugen. Ich glaube, als sie mir zuhören, begreifen sie, dass sie selber auch nicht wüssten, wie sie in einer derart verfahrenen Situation handeln würden. Sie bleiben zwei Tage und laden Amir und mich immer zum Essen ein. Als sie abfahren, gibt Poppy mir einen Umschlag mit dreihundert Dollar. Ich möchte das Geld zuerst nicht annehmen, aber sie besteht darauf. »Das ist dein Honorar«, sagt sie. Ich höre auf, mich gegen ihre Spende zu wehren. Ich brauche das Geld zu dringend, um zu stolz zu sein, es anzunehmen.

Nachdem Poppy und Imtiaz gefahren sind, habe ich endgültig begriffen, dass ich kein legales Visum bekommen werde. Mein Beschluss, mich auf illegalem Weg auf nach Europa zu machen, reift. Es gibt viele Syrer in Izmir, die hier leben und Geld sparen, um einen Schleuser zu bezahlen. Die Stadt liegt nahe genug an Griechenland und Europa. Ich habe große Angst vor der Flucht über das Meer. Fast täglich hört man in den Nachrichten von Toten, von Menschen, die im Mittelmeer ertrunken sind. Aber ich weiß auch, dass es nicht ewig so weitergehen kann mit mir, und dass ich auf keinen Fall in der Türkei bleiben möchte.

Amir und ich kratzen alles Geld zusammen, das wir haben. Über andere Syrer kennt er einen Schleuser, der bei den Flüchtlingen in Izmir einen guten Ruf hat. Wir treffen ihn in einem Café. Er sieht harmlos aus, als könne er auch Busfahrer sein oder Postbote. Wir stellen ihm viele Fragen. Wie genau funktioniert es? Was kostet es? Wie viele Leute pro Boot? Wann kommen wir in Griechenland an? Und, immer wieder: Ist es sicher?

Der Schleuser nickt. Ja, es sei sicher. Er wirkt unglaublich gelangweilt, als hätte er diese Fragen schon oft gehört und kein Verständnis für sie. Seine Augen fixieren einen Punkt hinter uns. Ich versuche während des Gesprächs mehrmals, mit ihm Blickkontakt aufzunehmen, aber es gelingt mir nicht. Ich denke nach. Es ist inzwischen Mitte Oktober. Wir müssen uns beeilen. Das Wetter wird immer schlechter, bald wird es zu kalt und zu stürmisch sein, um mit dem Boot das Mittelmeer zu überqueren. Eigentlich ist die Entscheidung gefallen. Trotzdem, ich wünschte, dieser fremde Mann, dessen Berufsbezeichnung sofort Misstrauen weckt und dem wir unser Leben anvertrauen werden, obwohl alle Vorzeichen dagegensprechen, das zu riskieren, würde sich etwas mehr Mühe geben, meine Zweifel zu zerstreuen. Er tut es nicht. Am Ende sagt er uns, wohin wir am nächsten Tag kommen sollen, zahlt unsere Getränke und steht abrupt auf. Ich verlasse das Café mit einem schlechten Gefühl. Doch ich bin auch so gewöhnt daran, mich schlecht zu fühlen, dass ich es nicht als Zeichen werte, mich gegen die Flucht auf dem Boot zu entscheiden.

Es gibt nicht viel zu packen, eigentlich nur ein paar Kleidungsstücke mehr als zu Beginn meiner Reise, als ich aus Riad nach Istanbul geflogen bin. Wir verlassen Izmir fast so, wie wir gekommen sind.

Wir treffen den Schleuser gleich am nächsten Tag, es ist früher Abend. Wir geben ihm den Umschlag mit fast all unseren Ersparnissen. Mit uns warten dreißig andere auf einen Bus, der uns zu einem Bauernhof bringen soll, von wo aus wir um drei Uhr nachts in Richtung Küste aufbrechen werden. Ich habe große Angst davor, dass etwas schiefgeht. Wir fahren vier Stunden, bis wir unser nächtliches Versteck erreichen. Im Bus ist es dunkel. Keiner soll Verdacht schöpfen. Als wir aussteigen, ist es so finster, dass meine Augen ein paar Augenblicke brauchen, ehe ich mehr sehe als nur schwarz. Wir schlafen draußen. Der Schleuser hält uns an, unsere Handys nicht zu benutzen, damit uns keiner entdeckt. Wir sind von Dunkelheit umhüllt. Ich habe Angst. Amir und ich liegen dicht nebeneinander und halten einander an der Hand, aber meine Furcht lindert das nicht.

Um drei Uhr nachts kommt der nächste Bus, der uns an die Küste bringen soll. Es dauert nicht lange bis ans Meer, in einer Stunde sind wir da und warten auf das Boot, das uns in die Freiheit bringen soll. Vergebens.

Stattdessen kommt die Küstenwache. Der Schleuser rennt weg, ehe wir realisieren, was gerade geschieht. Unser Geld ist verloren, der Schleuser nirgends zu finden.

Ich kann es nicht glauben. Ich habe darüber nachgegrübelt, was geschieht, wenn wir auf hoher See sind, ob wir ertrinken, wie viele Leute der Schleuser auf das Boot pferchen wird, um richtig viel Gewinn zu machen. Aber darüber, dass wir gar nicht erst auf das Boot kommen, und das Geld, das wir so mühsam zusammengekratzt haben, einfach weg ist, darauf bin ich nicht gekommen.

Wir sind niedergeschlagen und wütend, als wir uns auf den Weg zurück nach Izmir machen. Ich stürze auf dem Weg zur Bushaltestelle und habe Schmerzen am Knöchel. Ich fühle, wie alle Hoffnung mein Herz verlässt.

Vielleicht hätte ich das Angebot, das eine Bekannte von Amir uns wenige Tage später macht, nicht angenommen, wenn ich zuvor nicht diesen gescheiterten Fluchtversuch hätte verschmerzen müssen. Nora will auch nach Europa fliehen, vor ihren Eltern, mit denen sie sich nicht mehr versteht. Sie lebt in Syrien und möchte den Weg von dort nach Europa nicht alleine machen. Nora bietet Amir an, für uns den Schleuser zu bezahlen, wenn wir dafür im Gegenzug mit ihr gemeinsam auf das Boot gehen. Amir und ich überlegen einen Abend lang hin und her. Ich möchte keiner anderen Person außer ihm, den ich so gut kenne und dem ich vertrauen kann, so viel Geld schulden. Aber unsere Ersparnisse sind verloren, wir haben nur noch hundert Dollar, die wir für den Notfall davor zur Seite gelegt haben. Nora scheint tatsächlich unsere letzte Hoffnung zu sein.

In Izmir buchen wir uns in das günstigste Hotel ein, das wir finden können und warten darauf, dass Nora zu uns stößt. Sie lebt mit ihren Eltern in einem der sicheren Gebiete von Damaskus. Ihr Grund zu fliehen ist nicht etwa der Krieg, sondern die Abkehr vom Glauben und die daraus entstandenen Probleme mit ihren Eltern. Nora macht sich auf den Weg zu uns, sie fährt mit dem Bus in den Libanon, steigt in Beirut in einen Flieger nach Izmir. Wenige Tage später ist sie da.

Sie bucht sich auch in unser Hotel ein. Ein paar Tage vor der Flucht gehen wir alle drei gemeinsam etwas trinken. Ich merke schnell, dass sie nicht nur ein freundschaftliches Interesse an Amir hat. Sie trinkt so viel Alkohol, dass sie am Ende des Abends völlig hinüber ist. Ich glaube, sie möchte seinen Beschützerinstinkt wecken. Als wir zurück ins Hotel kommen, behauptet sie, sie könne so betrunken nicht alleine in ihrem Zimmer schlafen. Sie weiß, wie gutmütig Amir ist, und dass er ihr anbieten wird, sich um sie zu kümmern.

Genau so kommt es. Amir und Nora schlafen in dieser Nacht in einem Zimmer, ich alleine in unserem. Ich weiß, dass ich Amir hundertprozentig vertrauen kann, und doch fühlt es sich nicht richtig an. Ich versuche, nicht zu viel darüber nachzudenken, warum mich dieser Abend so aufbringt. In drei Tagen starten wir einen zweiten Versuch zu fliehen. Jetzt ist der falsche Zeitpunkt, sich alberne Gedanken zu machen.

Am nächsten Morgen treffen wir einen anderen Schleuser, wieder in einem Café. Wir haben uns dieses Mal noch fieberhafter umgehört, noch mehr andere Flüchtlinge gefragt, wer einen guten Ruf hat.

Das Treffen verläuft genauso wie das erste, und meine Zuversicht, dass dieses Mal alles klappt, erschöpft sich relativ schnell. Aber die Alternative ist ebenso wenig einladend: in Izmir bleiben, Gelegenheitsjobs machen, ständig am Rande der körperlichen Erschöpfung sein, weil jeder Arbeitgeber ausnutzt, dass wir als Flüchtlinge keine richtige Chance auf dem Arbeitsmarkt haben.

Also lasse ich mich wieder darauf ein. Diesmal ist es ein abgedunkelter Van, der uns abholt. Wir treffen uns an der Hisar-Moschee und fahren mit einem Bus nach Foca. Es ist noch Nacht, als wir einsteigen. Der Schleuser sagt, wir sollen leise sein. Dieses Mal fahren wir in einen dunklen abgelegenen Park, wo wir uns verstecken sollen. Wir müssen leise sein, sagt der Schleuser noch einmal. Wieder kauere ich mit Amir im Gebüsch, diesmal sind wir sogar zu dritt. Ich fühle mich genauso unwohl wie beim letzten Mal.

Wir bleiben acht Stunden in dem Park und warten darauf, dass der Schleuser uns abholt.

Um fünf Uhr früh ist es endlich so weit. Wir und ungefähr vierzig andere Menschen sollen in einen abgedunkelten Bus steigen.

Es ist jetzt zu spät, um umzukehren.

Und doch: Mein Leben zieht wie ein Film vor meinem inneren Auge an mir vorbei, ich denke an meine Kindheit, meine Schulzeit, die Sommer in Syrien, meine Hochzeit, die unglückliche Ehe, die vielen Stunden in Riad, die ich weinend in meinem Zimmer verbracht habe, den mühsamen Weg ans Licht und in die Freiheit. Und an meinen Vater.

Der Strand ist menschenleer. Da sind nur wir und die Schleuser. Die sitzen in einem Container, zwischen Kartons, in denen die Boote sind, mit denen sie die Menschen über das Meer bringen. Sie telefonieren. Es klingt so, als würden sie prüfen, ob die Luft rein ist, oder ob man fürchten muss, dass die Küstenwache uns erwischt.

Dann kommt einer von ihnen raus und sagt, es sei jetzt an der Zeit, unsere Rettungswesten anzuziehen. Das hatte der Schleuser vorher mehrmals deutlich gesagt, als wir ihn das erste Mal getroffen haben: dass es sehr wichtig ist, dass jeder seine eigene Schwimmweste mitbringt.

Es vergeht eine weitere Stunde, bis sie das Boot zu Wasser lassen. Als ich es sehe, bin ich schockiert. Darauf passen maximal zwanzig Menschen. Wir sollen aber zu vierzigst drauf? Einer der Schleuser hält das Boot fest, damit wir besser einsteigen können. Die Männer sollen außen sitzen, Frauen und Kinder innen. Es gibt aber nicht genug Platz in der Mitte für alle Frauen, deswegen sitzen Nora und ich auch am Rand, neben Amir. Mich erfüllt eine abgrundtiefe Traurigkeit, als ich in das Boot steige, es ist nicht einmal Angst, ich bin nur zu Tode betrübt. Ich kann nicht glauben, dass ich das auf mich nehmen muss, nur weil ich das Pech habe, in einem Land geboren worden zu sein, in dem unmenschliche und grausame Gesetze gelten.

Wir sind wieder angehalten, uns sehr leise zu verhalten, damit keiner auf uns aufmerksam wird. Ich weine still und fühle mich so einsam. Ich kann nicht sprechen, so große Angst habe ich jetzt wieder. Ich denke darüber nach, dass die meisten anderen vor einem Krieg fliehen, dass ich aber eine Frau bin, die flieht, damit sie endlich frei sein kann.

Die Wellen schwappen hoch, es ist kein ruhiger Tag auf See. Neben uns im Boot sind Syrer, Iraker, Afghanen, Ägypter. Ich halte Amirs und Noras Hand. In diesem Moment ist kein Platz für Streit. Ich kenne diese Boote aus den Nachrichten, wenn wieder mal eines gesunken und Dutzende, Hunderte Menschen ertrunken sind. Man sieht immer nur Bilder von ihnen, wenn es für jede Hilfe zu spät ist.

Es dauert eine Stunde, bis wir in Griechenland anlegen. Aber diese Stunde fühlt sich an wie ein Jahr. Ich bin überzeugt davon, dass wir alle ertrinken und sterben werden.

Wir sterben nicht.

Als wir am Strand in Griechenland anlegen, ist mir schwindelig. Ich sage Amir, dass ich mich nicht gut fühle und stütze mich beim Aussteigen auf ihn. Wenige Augenblicke später falle ich in Ohnmacht. Als ich zu mir komme, beugt sich ein Arzt über mich und ohrfeigt mich sanft. Er gibt mir einen Becher Glukosesirup und lässt mich eine Stunde lang auf einer Liege ausruhen. Ich glaube, ich stehe einfach unter Schock, die Erschöpfung und die Angst haben meinen Körper zusammenbrechen lassen.

Amir sagt, dass wir etwas essen gehen sollten. Wir finden einen Imbiss am Strand, dort gibt es belegte Brote.

Ein Bus bringt uns schließlich nach Mithimna, ein kleines griechisches Städtchen auf der Insel Lesbos. Ich bin so unglaublich erleichtert. So erleichtert, dass ich fast nicht bemerke, wie schlimm das Auffanglager ist, in das wir jetzt geschickt werden. Alles stinkt, die Toiletten laufen über, es ist vollgestopft mit Menschen wie uns, die ihr Leben riskiert haben, um hierherzukommen. Es riecht nach Angst. Es riecht nach Schweiß, nach alten Socken, nach Urin, nach muffiger Kleidung. Eine Frau nimmt unsere Personalien auf, wir müssen alle einen Registrierungsantrag ausfüllen, dann kommen die Menschen an die Reihe, die hinter uns in der Schlange stehen. Es geht wie im Akkord, die Schlange scheint nie abzureißen. Als wir mit den Formalitäten fertig sind, laufen wir zu dem Zelt, in dem alle, die hier ankommen, schlafen sollen. Amir, Nora und ich suchen ewig nach einem Schlafplatz. Auf dem Boden ist kaum ein Fleck frei. Aber irgendwann gelingt es uns endlich, wir können uns hinlegen.

Wir sind alle drei so erschöpft, dass wir sofort einschlafen.

Am nächsten Tag fahren wir weiter nach Athen. Ich kenne über eine Bekannte aus Riad, die ebenfalls Ex-Muslima ist und die ich im Netz kennengelernt habe, ein Ärztepaar, das hier wohnt. Ehe ich geflohen bin, hat sie mir ihre Kontaktdaten gegeben, als hätte sie geahnt, dass ich mich von der Türkei aus auf den Weg in die EU machen werde. »Man weiß nie«, hat sie gesagt. Weil ich das Camp so furchtbar finde, habe ich ihnen gleich am Morgen eine SMS geschrieben, um zu fragen, ob wir ein paar Nächte bei ihnen übernachten können, obwohl ich Bedenken habe, mich an wildfremde Menschen zu wenden und sie um einen derartigen Gefallen zu bitten. Aber Helena, die Frau, deren Nummer mir meine Freundin vor Monaten mit den Worten »Für den Fall, dass« gegeben hatte, antwortet sofort. »Klar könnt ihr zu uns kommen!«

Es ist unglaublich, welches Glück wir haben. Wir setzen mit einer Passagierfähre über nach Athen. Fünf Stunden sind wir auf dem Meer, und diesmal vergeht die Zeit wie im Flug. Es gibt nichts, was ich fürchten muss. Auf dem Boot bekommen wir ein Schinkenbrot. Es ist das erste Mal, dass ich auf der Flucht etwas zu essen bekomme, das gut schmeckt. Ich verschlinge das Brot, es kommt mir vor wie ein Festmahl in diesem Moment.

Als wir in Athen von der Fähre gehen, rufe ich Helena an. Ihr Mann Kosta hat vor Jahren in Riad als Arzt gearbeitet, daher kennt er meine Freundin. Helenas Stimme klingt hell und freundlich. Sie sagt: »Alles klar, ich bin gleich da.« Als sei es gar keine große Sache, drei wildfremde Flüchtlinge bei sich aufzunehmen, ohne zu wissen, wie lange sie bleiben. Es scheint sie überhaupt nicht zu stören, dass wir uns nicht kennen und ich ihr nicht sagen kann, was wir jetzt vorhaben.

Als ich Helena sehe, mag ich sie sofort. Sie hat dunkle Locken, ein Gesicht geprägt von Lachfältchen, Haut, die von der Sonne gebräunt ist, und strahlend weiße Zähne. Sie umarmt uns drei, ohne eine Sekunde zu zögern, öffnet den Kofferraum ihres kleinen Mazdas, sagt: »Werft eure Sachen einfach dahin, wo noch Platz ist.« Sie fährt schnell durch die Gassen am Hafen und in der Innenstadt, bis die Straßen breiter werden, die Stadt sich allmählich auflöst, und wir einen Vorort erreichen. Es ist das erste Mal, dass ich in einem Auto mitfahre, in dem eine Frau am Steuer sitzt. Unglaublich! Damals ist allein die Vorstellung, dass sich eine solche Szene jemals in Saudi-Arabien abspielen könnte, noch völlig unmöglich, und ich ahne nicht, dass sich das schon bald einmal ändern könnte. Ich kann meinen Blick gar nicht von Helena abwenden. Die Sonne scheint, und der Wind bläst mir durch die offenen Autofenster ins Gesicht. In diesem Moment bin ich glücklich. Ich denke nicht darüber nach, was noch kommen mag, welche Hürden ich noch werde nehmen müssen, ich genieße einfach den Augenblick und komme kurz zur Ruhe.

Ich denke daran, was ich hinter mir gelassen habe. Ein Land, in dem Frauen nicht Autofahren dürfen, und in dem sich das gar nicht so ungeheuerlich anfühlt, weil sie so viele andere, wichtigere Dinge auch nicht tun dürfen, weil sie keine Rechte haben. Ein Land, in dem Frauen nicht nach der Freiheit greifen, weil sie ständig damit beschäftigt sind, sich vor Gewalt und verbalen Übergriffen zu schützen.

Wir sind kaum fünf Minuten im Wagen, da fragt Helena schon: »Habt ihr Hunger? Ihr müsst Hunger haben.« Wir schauen etwas schüchtern. Sie lacht und sagt: »Nicht alle auf einmal. Wir bestellen erst mal Pizza, wenn wir zu Hause sind.«

Kosta und Helena wohnen in einem schönen, hellen Einfamilienhaus in einem Vorort von Athen. Im Wohnzimmer steht ein großer Esstisch aus Holz. Mit einer einladenden Geste bedeutet uns Helena, dass wir uns setzen sollen. Sie fragt, ob wir Schinken und Salami auf unserer Pizza mögen. Wir nicken. Keiner von uns hält sich noch an das Schweinefleischverbot. Es liegt uns fern, angesichts dieser Großzügigkeit auch noch wählerisch zu sein. Helena ruft beim Lieferdienst an, bestellt vier Pizzen, läuft nebenbei zum Kühlschrank, holt Pepsi, Sprite und Fanta. Sie stellt die Flaschen auf den Tisch, nimmt Gläser aus dem Regal und bedeutet uns mit einem Nicken, dass wir uns bedienen sollen. Sie macht das alles mit einer solchen Selbstverständlichkeit, so nebenbei und völlig in sich versunken, dass es sich auch für uns ganz natürlich anfühlt, am Tisch dieser wildfremden Frau zu sitzen und von ihr Pizza spendiert zu bekommen. Als wir fertig gegessen haben – wir sind uns einig, das war die beste Pizza der Welt –, kommt Helenas Mutter mit einer Kanne

Kaffee und einem Tablett voller Tassen ins Zimmer. Sie ist eine rührende, liebevolle ältere Dame mit grauen Haaren und einem faltigen Gesicht. Sie lächelt uns an, als seien wir ihre Enkelkinder, aus ihren Augen sprechen so viel Güte und Wärme. Dann schenkt sie auch noch jedem von uns einen kleinen Kosmetikbeutel mit Miniflaschen Shampoo und Duschgel, einer Zahnbürste, einem Kamm. Ich bin so gerührt, mir kommen vor lauter Dankbarkeit die Tränen. Es ist das erste Mal seit Monaten, dass ich ein solches Mitgefühl und echte Menschlichkeit erfahre, denn die Menschen hinter der Crowdfunding-Kampagne habe ich ja nie getroffen. Mir kommt der Gedanke, dass die Flucht nach Europa vielleicht doch eine gute Entscheidung war. Diese wildfremden Menschen geben mir neue Zuversicht und Kraft für all das, was noch auf mich zukommt.

Nachdem wir den Kaffee getrunken haben, gehen wir der Reihe nach duschen, erst Nora, dann ich, dann Amir. Es fühlt sich so gut an, sich nicht mehr verstecken zu müssen oder mit anderen um Platz konkurrieren zu müssen, so wie noch vor ein paar Stunden. Endlich können wir wieder wie Menschen in einem Bett schlafen und werden behandelt wie Personen, nicht wie Flüchtlinge, die niemand voneinander unterscheiden will, die nur Last und Unruhe bedeuten.

Die Tage bei Helena und Kosta vergehen wie im Flug. Sie kocht griechisches Essen für uns, Aufläufe aus Auberginen, Bohnensalate, es gibt Schafskäse und Fladenbrot. Ihre hausgemachten Speisen erinnern mich an die Küche meiner Heimat. Wir verbringen die Tage im Wohnzimmer, lesen, spielen auf unseren Handys. Manchmal gehe ich vors Haus, einfach, um mir die Sonne ins Gesicht scheinen zu lassen. Wir versuchen, nicht darüber nachzudenken, wie lang der Weg ist, der noch vor uns liegt.

Unsere schöne Idylle kommt eine Woche später zu einem abrupten Ende. Es ist ein Freitagabend, der 13. November. Über den Fernsehbildschirm laufen zuerst Eilmeldungen, dann wird das Programm ganz unterbrochen. In Paris sind an mehreren Orten Anschläge verübt worden. Erst bei einem Fußballspiel, später in Bars und Restaurants, mitten auf der Straße. Und in einer Konzerthalle mit vielen Besuchern. Alles geschieht wahnsinnig schnell, die Meldungen überschlagen sich. Ein Terrorist soll sich auf der Straße in die Luft gesprengt haben, sagen die Nachrichtensprecher. In der Konzerthalle findet ein Massaker statt, die Attentäter schießen wild in die Menge, sie werfen Handgranaten, und als einer von ihnen von der Polizei erschossen wird, nehmen zwei andere sogar Geiseln und verbarrikadieren sich. An diesem einen Abend töten islamistische Terroristen in Paris über einhundertdreißig Menschen und verletzen mehr als dreihundertfünfzig.

Wir sitzen ungläubig vorm Fernseher und versuchen zu begreifen, was gerade geschieht. Es ist das erste Mal, dass ich einen solchen Terroranschlag aus der Perspektive der westlichen Welt erlebe, und nicht in Saudi-Arabien bin, als es geschieht. Bei den Anschlägen vom 11. September hat man in unserer Schule gejubelt, es galt als eine positive Nachricht, dass wir den Ungläubigen wehgetan hatten, weil sie es verdienten. Nun sehe ich, wie im Westen über Terrorismus berichtet wird. Es macht mich wütend und fassungslos, dass ein paar Radikale im Namen des Islam unschuldige Menschen töten. Es bringt mich auf gegen deren blinden Gehorsam und die Selbstgerechtigkeit, mit der sie über andere Menschen richten.

Ich habe Angst vor dem sogenannten IS, weil ich weiß, wie radikal und gnadenlos seine Anhänger sind, wie wahllos und willkürlich sie sich gegen alles richten, und wie schwer man sich vor dieser Art von Terror schützen kann. Wenn jemand bereit ist, sich für eine Sache in die Luft zu sprengen, sein Leben einer Ideologie zu opfern, hat man kaum eine Chance, dem beizukommen. Gegen diese irrationalen Menschen gibt es kein anderes Mittel als Verstand, Vernunft und sich von ihnen nicht zu impulsiven Reaktionen oder einer Einschränkung der eigenen Freiheit verleiten zu lassen, glaube ich.

Für uns drei in Athen bedeuten die Anschläge, dass wir uns beeilen müssen. Wir fürchten, dass Europa die Grenzen schließt wegen des Terrors. Helena sagt, wir haben recht, es sei das Beste, wenn wir uns beeilen, ehe es zu spät ist. Sie möchte sich aber richtig von uns verabschieden können und bittet uns deshalb, nicht gleich am Samstagmorgen aufzubrechen, sondern noch einen Tag zu warten. »Wir müssen noch einmal gemeinsam fröhlich sein«, sagt sie. Am nächsten Abend lädt sie ihre Nachbarn in eine Kneipe um die Ecke ein, zu unserem Abschiedsfest. Das Viertel, in dem Helena und Kosta wohnen, ist wie ein Dorf, jeder kennt hier jeden, die Leute mögen sich.

In der Bar ist schon ein Büffet mit griechischem Essen aufgebaut, als wir reinkommen. Viele sind da, um uns Glück zu wünschen und mit uns einen unbeschwerten Abend zu verbringen. Gerade jetzt, da alles so aussichtslos scheint, da diese lebensbejahende westliche Art zu sein, unter Beschuss steht, finden es alle wichtig zu feiern. Ich trinke drei Wodka mit Red Bull und bin am Ende des Abends völlig betrunken. Es tut gut, so unvernünftig und ausgelassen zu sein. Amir lacht viel, selbst Nora und ich verstehen uns an diesem Abend richtig gut. Wir feiern so, wie man nur feiert, wenn man ahnt, dass man es in nächster Zeit erst einmal nicht wieder tun kann. Am Ende des Abends umarmt uns jeder einzelne Gast, sie alle wünschen uns Glück. Amir und ich laufen Arm in Arm nach Hause. Nora hakt sich bei Helena ein. Nur Kosta ist schon früher gegangen, weil er am nächsten Morgen schon um sechs Uhr im Krankenhaus arbeiten muss.

Ich bin froh, dass ich dank der drei Drinks sofort einschlafe und nicht wach liege und mir Sorgen machen kann. Denn Amir, Nora und ich, wir wollen alle drei nicht wirklich weg von hier, wir wollen nicht weiterfahren. Aber wir wissen auch, dass wir nicht für immer bei Helena und Kosta bleiben können.

Am nächsten Morgen packen wir schnell die wenigen Sachen ein, die wir mitgebracht haben. Helena hat uns Brote geschmiert und uns Snacks eingekauft, so viele, dass alles nur gerade so noch in unsere Taschen passt. Es ist mehr als ein bisschen Essen, das sie uns mit auf den Weg gibt. Ich werde es auf dieser Flucht noch öfter merken: Die Güte fremder Menschen macht uns den Weg erst frei. Und es gibt viele von ihnen. Ohne sie wäre unsere Flucht letzten Endes gar nicht möglich gewesen. Ich kann die Dankbarkeit und die Bewunderung, die ich für ihre Großzügigkeit empfinde, nicht in Worte fassen, noch heute nicht.

Helena bringt uns zum Busbahnhof. Wir umarmen uns mit Tränen in den Augen. Es ist früher Nachmittag. Der Bus soll uns an die mazedonische Grenze bringen, die erste von sieben, die wir überqueren wollen. Wir fühlen uns noch gut vorbereitet, mit Helenas Proviant in den Taschen und den vielen lieben Worten ihrer Nachbarn im Ohr.

Elf Stunden dauert es, bis wir an der Grenze sind. Es ist fünf Uhr nachts, als der Bus hält. Der Pulk der Flüchtlinge steuert automatisch in Richtung der Zeltstadt, die von der UN betreut wird. Es ist eine Reise, bei der man den Weg nicht suchen muss, weil so viele andere in die gleiche Richtung gehen. Im Camp gibt man uns Äpfel und Toast. Wir fühlen uns sicher. Es ist fast egal, dass wir auf dem Boden schlafen müssen, und es kalt ist. Es ist ein ganz anderes Gefühl als in der Nacht, in der wir uns im Gebüsch verstecken und auf den Schleuser warten mussten. Wir sind Teil eines großen Schwarms von Menschen, wir folgen einem Korridor, die UN ist da und versorgt uns. Es gibt mir ein Gefühl von Sicherheit, dass der Weg, den wir gehen, organisiert ist und unter Beobachtung steht.

Im Lager in Mazedonien begegnen wir Omar wieder, es ist eine große Freude. Er erzählt uns, dass er wenige Tage nach uns den Weg von Izmir nach Griechenland gewagt hat, wir vergleichen unsere Erfahrung auf hoher See – auch er hat Todesangst ausgestanden – und in Griechenland. Er ist traurig, dass er nicht gleich mit uns aufgebrochen ist, vor allem, als wir ihm von Helena und Kostas Gastfreundschaft erzählen. Aber wir sind froh, dass wir uns in dem Chaos und Gewimmel begegnen und beschließen, jetzt zu viert weiterzuziehen.

Und doch gibt es auch Tiefpunkte: In Serbien ist es furchtbar, man behandelt uns nicht wie Menschen, die Grenzbeamten schreien uns an und überwachen uns sehr streng. Sie umzingeln uns, und ich spüre mit jeder Faser meines Körpers, wie unwillkommen wir ihnen sind. Sie kesseln uns ein und lassen uns nicht aus den Augen. Einzig die Helfer im Camp sind nett zu uns. Es sind Menschen vom Roten Kreuz da, die uns kleine Lunchboxen mit Toast, Thunfisch, Käse und Äpfeln geben. Wir freuen uns sehr über das Essen, das wir sogar mitnehmen dürfen. Doch unsere Nerven liegen blank. Wir schlafen auch hier wieder auf dem Boden.

In Kroatien schreien uns die Grenzbeamten an und scheuchen uns geradezu in Richtung der Busse. Ich bin müde und erschöpft, und das schnelle Laufen ist eine enorme Anstrengung für mich. Wir werden buchstäblich getrieben. In manchen Momenten während dieser Flucht, so wie jetzt, kann ich nur noch hoffen, dass es bald vorbei ist. Das ist der einzige Gedanke, der Trost spendet und mich meine letzten Kräfte mobilisieren lässt. Gleichzeitig reicht mein Vorstellungsvermögen nicht weiter als einen Tag in die Zukunft.

Nora macht ständig unnötiges Drama. Ich glaube, sie möchte, dass Amir ihr mehr Aufmerksamkeit schenkt als mir. Wo sie nur kann, spielt sie das leidende Mädchen, damit er sie rettet. Manchmal sagt sie, sie sei zu schwach, um schnell zum Bus zu laufen, und wir verpassen ihn. Dann müssen wir stundenlang auf den nächsten warten, das zehrt an meinen Nerven.

Es sind auch viele Kinder mit uns unterwegs. Deren Anblick ist fast das Traurigste, zu sehen, wie müde sie sind, wie sie sich mit letzter Kraft hinter ihren Eltern herschleppen. Viele von ihnen haben resigniert und quengeln nicht mehr, andere brechen ständig in Tränen aus. Ich kann beides nur zu gut verstehen.

Viele Menschen auf diesem Weg werden krank. Kein Wunder, wir schlafen in kalten Zelten auf dem Boden. Oft müssen wir weite Strecken laufen, ehe wir zum nächsten Camp kommen, dann geht es wieder von vorne los, Fußmarsch zum Bus, und das alles nur mit einer minimalen Versorgung an Nahrung, ohne die richtige Kleidung für das kühle und oft feuchte Wetter.

In Slowenien warten wir zwei Stunden auf den Bus, die Grenzbeamten kontrollieren unsere Taschen. Dann fahren wir in Richtung der österreichischen Grenze und laufen von dort aus zu Fuß auf die andere Seite. Es ist das erste Mal, dass die Polizei nett zu uns ist. Ich fühle mich hier wohler, ich habe das Gefühl, wir sind erst jetzt richtig in Europa angekommen. Es dauert fünf, sechs Stunden, dann steigen wir wieder in einen Bus. Diesmal bringt er uns nach Deutschland.

10.

Transitzonen

Ich weiß nicht viel über dieses Land, als ich schon auf dem Weg dorthin bin. Und auf meiner Flucht ahne ich noch nicht, dass es für mich nicht nur eine Zwischenstation sein wird, sondern in den Monaten, die folgen, meine neue Heimat werden wird. Was ich über Deutschland weiß, oder glaube zu wissen, als wir im Bus dorthin sitzen: Die Deutschen sind ernst und nicht besonders freundlich. Sie sind streng, organisiert bis ins kleinste Detail und lächeln wenig. Man muss immer pünktlich sein. Es ist sehr kalt dort. Viele Wissenschaftler, die ich bewundere, kommen aus Deutschland, Albert Einstein und Werner Heisenberg zum Beispiel. Es muss ein Land sein, in dem man immer hart arbeitet.

Wir halten in einem temporären Lager an der Grenze, mit Zelten, die für die vielen Flüchtlinge errichtet wurden, die in diesem Herbst aus Syrien und so vielen anderen Ländern nach Deutschland kommen. Es ist kalt, aber in den Zelten gibt es Heizstrahler und warme Wolldecken. Ich schlafe innerhalb von Sekunden ein.

Unser Bus erreicht sein Ziel an einem Dienstag im November. Das Datum werde ich wenige Wochen später auswendig wissen, weil ich es immer wieder nennen muss, bei der Ausländerbehörde, im Jobcenter, bei der Krankenkasse. Es ist wie eine Koordinate, ein Fixpunkt, eine Information, die mich verortet.

Wir halten am frühen Abend in einer kleinen Stadt im Münsterland. Aus den Busfenstern wirkt es beschaulich und sauber, sehr grün. Aber mir ist mulmig zumute. Ich kann noch nicht recht glauben, dass unsere Reise jetzt vorbei sein soll. Dass sich jetzt wirklich alles zum Guten wendet. Der Bus parkt vor einem Gebäude, das aussieht wie eine Schule. Davor stehen Menschen, die lächeln und uns begrüßen. Ich verstehe kein Wort, aber es ist das erste Mal, dass wir bei der Ankunft mit dem Bus so nett empfangen werden. Die Menschen hier sind ganz anders, als ich sie mir vorgestellt habe. Ein paar führen uns in die Turnhalle des alten Schulgebäudes. Wir setzen uns in einem großen Saal an einen Tisch. Es gibt warmes, frisch gekochtes Essen: Hühnchen mit Nudeln und einer cremigen Soße, außerdem für jeden eine kleine Tafel Schokolade. Es ist die erste warme Mahlzeit, die ich esse, seitdem wir uns vor gefühlten Ewigkeiten aus Athen auf den Weg gemacht haben. Sie schmeckt wunderbar. Ich beginne, mich zu entspannen und bin dankbar für die Freundlichkeit und Gastfreundschaft der Menschen, die sich hier um uns kümmern. Manche von ihnen stehen an einem Tapeziertisch und servieren aus riesigen Töpfen das warme Essen. Andere laufen zwischen den Tischen herum, an denen wir uns glücklich über unsere Teller beugen, und führen Gespräche mit denen von uns, die Englisch können. Als mein Teller leer ist, bekomme ich sogar eine zweite Portion. Es schmeckt einfach zu lecker. Es ist ein unglaublich gutes Gefühl, endlich wieder etwas Warmes im Magen zu haben. Ich bin erleichtert und denke, ein Land, in dem Flüchtlinge frisch gekochtes, warmes Essen bekommen, muss ein sehr gutes Land sein.

Nach dem Abendessen gehe ich zur Heimleiterin. Sie spricht

Englisch. Es ist mir wichtig, ihr zu sagen, dass Amir und ich uns das Zimmer nicht mit Muslimen teilen möchten. Ich sage ihr, dass wir atheistische Flüchtlinge sind. Dass wir lieber mit Christen in einem Zimmer wären. Sie schaut erst etwas skeptisch, doch dann scheint sie meine Bedenken verstanden zu haben. Sie nickt langsam, während sie sagt: »It's no problem, Rana. I will try to help you.« Ich bin überrascht davon, wie einfach es ist, wie schnell sie meinen Wunsch respektiert, ohne ihn zu hinterfragen.

In dem Erstaufnahmelager gibt es einen Teil, in dem nur allein reisende Männer untergebracht sind, und einen anderen Teil, in dem Familien und Paare wohnen. Uns wird ein Zimmer zugewiesen, das wir uns mit einer Familie aus dem Irak teilen, Nora und Omar geben sich auch als Paar aus, um zusammen in einem Zimmer zu sein.

Familie Mahmud ist vor dem sogenannten IS geflohen, der im Irak immer mehr Städte erobert hat und diejenigen Bewohner, die keine Moslems sind, vor die Wahl stellte: Entweder sie konvertieren zum Islam, oder sie werden mit Enthauptung bedroht. Viele Christen haben deshalb in diesem Jahr ihre Heimat verlassen. Mariam und Jamil sind mit ihren vier Kindern auch erst seit Kurzem in dem Flüchtlingslager. Sie begrüßen Amir und mich sehr warmherzig. Wir sind beide müde. Sie verstehen sofort, wie es uns geht, und lassen uns in Ruhe ankommen. Ich möchte so schnell wie möglich duschen. Wir haben uns seit acht Tagen nicht mehr gewaschen. Ich fühle mich so verklebt und ungepflegt wie noch nie in meinem Leben.

Die Anspannung löst sich langsam, als ich unter der Dusche stehe. Das warme Wasser fühlt sich so angenehm auf meiner Haut an, dass ich es gar nicht mehr abstellen möchte. Aber ich bin auch sehr erschöpft. Amir geht es ähnlich. Er kommt mit einem matten Lächeln im Gesicht aus dem Bad zurück in unser Zimmer, das mit Trennwänden abgeteilt ist. Ich bin erleichtert, todmüde und irgendwie auch traurig. Ich sehe mich um. Die Turnhalle wirkt schon etwas heruntergekommen. Das Bett, auf dem ich liege, ist eher eine Pritsche und viel unbequemer als das Bett, in dem ich zu Hause geschlafen habe. Ich denke voller Sehnsucht an mein Zimmer mit den vielen Büchern, meinen Plüschtieren und Kissen. An meinen Vater, der mich jeden Morgen erwartet und zur Arbeit gebracht hat. Daran, wie weit weg das alles jetzt ist, und dass es nie wieder so sein wird wie damals. In diesem Moment denke ich nicht daran, dass ich zu Hause die Abaya und den Nikab hätte überstreifen müssen, ehe ich das Haus verlasse. Oder dass ich das Haus gar nicht alleine hätte verlassen dürfen. Nein, ich denke an den Geruch von Kabsa, der sich an den besten Tagen über das Haus legte, wenn meine Mutter in der Küche war, an das tiefe Lachen meines Vaters, wenn mir ein Witz besonders gut gelang. Mich überkommen eine Welle von Heimweh und das ungute Gefühl, einen Fehler gemacht zu haben, den ich nicht mehr rückgängig machen kann. Ich weine mich in den Schlaf.

Wir werden sieben Wochen in diesem Erstaufnahmelager bleiben. Mit den Mahmuds kommen wir die ganze Zeit über gut zurecht. Die kleinste Tochter Ashtar ist erst acht Monate alt und ein reizendes Baby. Sie lacht fast immer, nur als sie einmal eine Erkältung bekommt, weint sie nachts.

Der älteste Sohn heißt Haias. Er ist vierzehn Jahre alt, ein sehr stiller, gewissenhafter und schlauer Junge. Er beherrscht schon nach wenigen Tagen in Deutschland Grußformeln wie »Guten Tag« und »Guten Abend« und benutzt sie ganz selbstverständlich.

Haias beschäftigt sich vor allem mit seinen Büchern und

spielt alleine. Er macht keinen Ärger und ist so genügsam, wie man sich ein Kind wohl wünscht, wenn man drei andere hat und sich das Zimmer mit zwei Fremden teilt, wenn man in einem Land fernab der eigenen Heimat ist, wenn man sein Zuhause verloren hat und nicht weiß, ob man jemals wieder dorthin zurückkehren wird. Die Mahmuds mussten fliehen, weil ihr Glaube in ihrem Heimatland in den letzten Jahren erst problematisch, dann lebensgefährlich wurde. Das christliche Leben im Irak, zumindest in der Stadt, aus der sie kommen, existiert nicht mehr. Meine Heimat hingegen hat sich nicht verändert. Der Wandel, der mich zum Gehen zwang, vollzog sich in mir selbst. Das Riad, das ich verlassen habe, ist immer noch da. Es ist genauso wie vorher. Aber auch ich kann nicht zurück, auch ich musste meine Heimat für immer verlassen. Ich weiß nicht, für wen von uns es einfacher ist. Ich glaube, die so unterschiedlichen und komplizierten Gründe, die einen den großen Schritt wagen lassen, den wir alle gegangen sind, kann man nicht vergleichen. Und letztlich sind diese Gründe auch gar nicht so unterschiedlich: Amir und ich mussten genauso wie Mariam und Jamil fliehen, weil es Menschen gibt, die sich einer Religion so sehr verschreiben, ihren Gott so sehr über alles und jeden erheben, dass sie darüber vergessen, womit Frommsein beginnt: mit Menschlichkeit. Mit Barmherzigkeit. Mit Nächstenliebe.

Einmal erzähle ich Mariam meine Geschichte, wie ich gelebt habe, wie und warum ich mich entschieden habe, dieses Leben hinter mir zu lassen. Ich bin aufgeregt, wie immer, wenn ich einem Menschen, dem der Glaube wichtig ist, von mir erzähle. Ich bin angespannt, fast ängstlich. Ich fürchte ihre Reaktion, doch in diesen Tagen ist mir so elend zumute, dass es mir auch fast schon gleichgültig ist, ob es noch einen Menschen mehr gibt, der mich dafür hasst, dass ich nicht an Gott glaube. Aber

Mariam hört mir in aller Ruhe zu. Sie schaut mir dabei die ganze Zeit in die Augen. Schenkt mir ihre volle Aufmerksamkeit. Sie schweigt für einen kurzen Moment, ehe sie spricht. Dann sagt sie: »Wenn sich jemand vom Christentum lossagt, dann bringen wir diese Person nicht um. Wir lassen sie ziehen.«

Es sind nur zwei kurze Sätze. In diesem Moment bedeuten sie mir die Welt. Sie sind mir in diesen finsteren Stunden, in denen sich meine Flucht manchmal so falsch anfühlt, ein wertvoller Trost, und führen mir vor Augen, dass es nicht umsonst war, mein altes Leben aufzugeben. Ich merke zwar auch, wie mühsam es wird, hier noch einmal alles aufzubauen, das ich zu Hause hatte: eine Arbeit zu finden, eine Wohnung, oder auch nur ein eigenes Zimmer zu mieten, die Sprache zu lernen, einen Alltag zu haben, der aus mehr besteht als aus dem Warten darauf, dass es besser wird, dass es vorwärts geht. In Riad war ich unfrei, aber ich hatte die gleichen Möglichkeiten wie viele der Frauen um mich herum, von der Oberschicht einmal abgesehen. Hier, in Deutschland, bin ich frei, aber doch auch nicht. Viele Möglichkeiten bleiben mir verwehrt, weil ich eine Geflüchtete bin. Ich bin hier nicht aufgewachsen. Ich muss dieses Land erst zu meiner Heimat machen. Die wirkliche Freiheit werde ich mir hier erst noch erarbeiten müssen. Ich ahne, wie anstrengend das werden wird, aber nach dem Gespräch mit Mariam, als ich fühle, dass sie mich trotz unserer verschiedenen Ansichten akzeptiert, weiß ich auch wieder: Das ist ein Weg, der sich lohnt – ich muss dabei an meine Englischlehrerin denken, an den letzten Satz, den sie mir mit auf den Weg gegeben hat, und den ich damals nicht richtig verstanden habe. Dass der Weg, der sich lohnt, der schwierigere ist – jetzt verstehe ich ihn.

Der jüngere Sohn der Familie Mahmud, Lait, ist das Gegenteil seines Bruders Haias. Er spielt mit den anderen Jungs gerne Fußball auf dem Sportplatz draußen, dieses Gelände ist ein Segen für die vielen aufgedrehten Kinder, die hier sonst kaum eine Möglichkeit hätten, sich zu bewegen und abzulenken. Mariam schimpft ständig mit ihm, vergeblich. Er ist laut und frech und ungezogen, aber dabei sehr charmant. Man verzeiht ihm alles, vor allem, wenn man sich vorstellt, was er, der noch so jung ist und so scheinbar unbeschwert spielt, schon alles gesehen haben muss.

Dann ist da noch die ältere Tochter Ninive, eine Tagträumerin, die sich stundenlang in ihrem Zeichenblock verliert. Ein sanftes Mädchen, das wenig sagt, aber immer lächelt und einen aufmerksam anschaut, wenn man sie anspricht.

Nur einmal gibt es Ärger mit den Mahmuds, weil ich nur in mein Handtuch gehüllt vom Duschen ins Zimmer komme. Mariam beschwert sich bei der Heimleiterin über mich. Ich fühle mich erst unfair behandelt und möchte schon etwas zu ihr sagen. Seitdem ich mich nicht mehr verhüllen muss, reagiere ich besonders empfindlich darauf, wenn mir jemand vorschreibt, wie ich mich zu kleiden habe. Aber dann entscheide ich mich dagegen, denn ich weiß, dass sie es nicht böse meint, sondern sich einfach unwohl fühlt, weil sie diese Art von Freizügigkeit nicht kennt.

Es rührt mich immer wieder, wie nett die Menschen in dem Heim zu uns sind und wie sehr sie sich bemühen, uns den Aufenthalt in den überfüllten und tristen Räumen so angenehm wie möglich zu machen. Manchmal kaufen sie für alle Bewohner Schawarma, wohl weil es dem Essen unserer Heimat am nächsten kommt. Sie machen mehr, viel mehr, als sie müssten, um uns zu helfen.

Alle zwei, drei Tage kommt ein Deutschlehrer, der versucht, uns einfache Wörter und Sätze beizubringen, aber der Unterricht dauert immer nur eine Stunde, und in dem Heim gibt es keinen wirklich ruhigen Ort zum Lernen. Wir bekommen jede Woche dreißig Euro, um unseren Lebensunterhalt zu bestreiten. Ich kaufe mir Shampoo und Gesichtscreme und bin erschrocken darüber, wie wenig danach noch übrig ist für Lebensmittel. Ich habe nichts mitgenommen, deswegen muss ich mir hier alles neu kaufen, einen Kamm, eine Zahnbürste, Waschmittel.

Die Tage sind lang. Es ist, als würde ich nach den Monaten, in denen es immer ein Ziel gab, das es zu erreichen galt, in dem mein Leben immer nach vorne ging, auf einmal stillstehen. Dabei schreit alles in mir danach weiterzumachen, diesen Weg in Richtung Freiheit und Selbstbestimmung immer weiter zu gehen. Es setzt mir zu, dass mir erst einmal die Hände gebunden sind, und ich noch nicht einmal weiß, wie lange dieser Stillstand anhalten wird. Es gibt leider auch keine Ablenkung, kein normales Leben, keinen Alltag, in dem man sich ein bisschen verlieren könnte. Amir kommt damit besser zurecht als ich. Ich lese und höre Musik. Manchmal gehe ich spazieren. Aber ich bin hier wieder unter Moslems, und das beschäftigt mich. Irgendwie fühlt es sich an wie eine Strafe, mit ihnen in diesem Heim leben zu müssen. Ich frage mich, ob es nicht möglich wäre, ein Heim für all die ungläubigen Geflüchteten zu öffnen, die genau aus diesem Grund aufgebrochen sind. In den Netzwerken, in denen ich mich im Internet mit anderen Ex-Muslimen austausche, habe ich von einem solchen Heim noch nie gehört, wohl aber von der Diskriminierung, die Atheisten erfahren, die in Einrichtungen untergebracht sind, in denen außer ihnen nur Moslems wohnen und in denen die Helfer oft ebenfalls strenggläubig sind. Sollte es mir irgendwann gelingen, hier in Deutschland richtig anzukommen, dann würde ich versuchen, Frauen zu helfen, die in der gleichen Situation sind, wie ich es jetzt bin.

Manchmal gehe ich mit Amir zum türkischen Imbiss, und wir gönnen uns den Luxus, auswärts zu essen. Manchmal streiten wir uns auch, weil ihm das Leben im Heim nicht so zusetzt wie mir. Das Unerträglichste an unserer Situation ist nicht, wie es in diesem Moment ist, denn wir haben es geschafft, wir sind hier, wir sind sicher. Das Unerträglichste ist, nicht zu wissen, wie lange wir hierbleiben müssen, wie lange wir zum Nichtstun verdammt sind, nichts unternehmen können, um uns eine Zukunft zu schaffen, eigenständige Entscheidungen zu treffen. Wir alle haben in unserer Heimat die Entscheidung getroffen, unter Lebensgefahr etwas zu wagen, was unser Leben verändert. Wir haben gekämpft, sind einen uns unbekannten und gefährlichen Weg gegangen, immer vorwärts, bis hierher. Und trotzdem wir nun in Sicherheit sind, fühlt es sich manchmal an, als würde genau das, was uns hierher gebracht hat, von uns genommen: unsere Fähigkeit, selbst über unser Leben und unser Handeln zu entscheiden. Ich fühle mich gelähmt. Werden wir monatelang, jahrelang unsere Tage in diesem Heim verbringen müssen und immer nur davon träumen dürfen, dass das richtige Leben endlich losgeht?

Kurz vor Weihnachten dann ein Lichtblick: Poppy, die mich schon interviewt hat, als ich noch in der Türkei gelebt habe, meldet sich bei mir. Sie möchte ein weiteres Interview mit mir aufzeichnen, jetzt, da ich in Deutschland angekommen bin. Poppy schreibt, wie sehr sie sich freut, dass mir die Flucht gelungen ist. Sie sagt, es sei wichtig für ihren Dokumentarfilm über Ex-Muslime, jetzt noch einmal mit mir zu sprechen, darüber, wie ich mich fühle, was mich beschäftigt, wie mein Leben in Freiheit sich anfühlt. Ich freue mich sehr über die Gelegenheit, mit jemandem über die Dinge zu sprechen, die mir durch den Kopf gehen und sage sofort zu. Ab dem Zeitpunkt, als wir den Termin vereinbart haben, habe ich etwas, auf das ich hin fiebere, das mich vom tristen Alltag im Heim ablenkt. Wir verabreden uns für Silvester in Köln, wollen den Jahreswechsel gemeinsam verbringen. Das Treffen ist ein heller Fleck am Horizont, gerade in diesem ersten, für mich so dunklen und grauen deutschen Winter.

Im Zug bin ich sehr aufgeregt. Ich war noch nie in Köln. Es ist das erste Mal seit Istanbul, dass ich wieder in einer großen Stadt bin. Es gefällt mir sofort sehr gut. Als ich aus dem Bahnhofsgebäude trete, sehe ich den Kölner Dom, der wie ein mächtiger grauer Koloss in den Himmel ragt. Poppy und ihr Kollege Andrew stehen schon auf der Domplatte und warten auf mich, wie vereinbart. Ich gehe auf sie zu, umarme Poppy und Andrew, den Kameramann. Sie sind seit einigen Stunden in Köln und haben schon einen guten Drehort ausgesucht. Wir fahren gemeinsam zu einem großen Platz, auf dem im Dezember ein Weihnachtsmarkt stattfindet, wie sie mir erklären. Die Stände bleiben auch noch nach Weihnachten stehen. Alles ist festlich geschmückt, das gefällt mir. Auf der Mitte des Platzes gibt es eine Eislaufbahn, ein Denkmal ist von einem blassblauen Licht erleuchtet, das Weiß der Eisbahn reflektiert die vielen bunten Lichter, die in den Bäumen um den Platz herum hängen. Alles glänzt und glitzert. Obwohl ich Weihnachten nicht kenne und nie gefeiert habe, steckt mich dieses festliche Gefühl an. Nach Monaten in unserer Unterkunft ist es erhebend, etwas Schönes zu sehen, etwas, das nicht nur zweckmäßig und funktional ist, sondern einfach nur hübsch anzuschauen.

Ich beobachte die Kinder auf der Eisbahn, ich denke an Fatima und Hamza, die Zwillinge meines Bruders. Wie unbeschwert sie waren. Seitdem habe ich viele Kinder gesehen, denen es ganz anders ergangen ist, über denen die dunkle Wolke hing, die sich breitmacht, wenn man sich auf die Flucht begibt und seine Heimat verliert. Ich denke darüber nach, wie es wohl gewesen wäre, als kleines Mädchen in Deutschland aufzuwachsen.

An einem der Stehtische in der Nähe führen wir unser Interview. Poppy fragt mich, wie ich mich fühle. Ich sage: »Wie in einem Traum!«, und in diesem Moment ist das die Wahrheit. Der Frust über mein Leben im Flüchtlingsheim ist wie weggeblasen, als ich sehe, wie mein Alltag hier in diesem neuen Land aussehen könnte, wenn ich endlich richtig angekommen bin. Ich könnte eine derer sein, die über den Markt schlendern, ohne auch nur einen trüben Gedanken im Kopf. Sie fragt mich, ob ich es immer noch nicht bereue, geflohen zu sein, ob ich denke, es sei die richtige Entscheidung gewesen.

Bei der Antwort falle ich ihr fast ins Wort, so sicher bin ich mir. Ich sage Poppy, dass ich es nicht bereue. Keine Sekunde. Dass es noch immer ist wie ein Traum, hier zu sein, auch wenn nicht alle Tage einfach sind. Auch wenn ich immer noch nicht richtig angekommen bin in der Freiheit. Nach dem Interview gehen wir mit Andrew in ein schickes Restaurant. Es ist der letzte Abend dieses Jahres. Was für ein Jahr! Im Januar habe ich noch in einer Lüge gelebt, im Mai habe ich alles hinter mir gelassen, und jetzt, an diesem letzten Tag, bin ich hier, alles ist noch immer ungewiss, aber ich habe es geschafft. Jede Kleinigkeit hat auf einmal eine tiefe Bedeutung.

Ich bestelle Tagliatelle mit Lachs und Hummersoße und ein Glas Weißwein. Alles schmeckt so gut, so frisch, dass ich für ein paar Stunden vergesse, dass ich in einem Heim lebe und am nächsten Tag im Discounter schon wieder darauf achten muss, nicht zu viel Geld auszugeben. Es ist ein schönes Gefühl, diesem grauen Alltag kurz zu entfliehen. Poppy stellt mir viele Fragen. Sie will wissen, wie ich mir mein neues Leben vorstelle. Es tut gut, mit ihr über meine Träume zu sprechen. Sie werden dadurch realer, auch wenn das vielleicht nur eine kurze Illusion während eines Abendessens bei Kerzenschein ist.

Am Abend gehen wir zurück zum Dom, um das große Silvesterfeuerwerk zu sehen. Der Dom ist jetzt beleuchtet. Das große Gotteshaus wirkt in helles Licht getaucht vor dem dunklen Abendhimmel noch imposanter als tagsüber, fast schon bedrohlich. Es ist elf Uhr. Ein paar bunte Raketen werden gezündet, und Leute schmeißen Böller, vor denen ich Angst habe. Es ist wahnsinnig laut. Ich kenne diesen Brauch nur aus dem Fernsehen. In Syrien und im Libanon zünden Christen auch Feuerwerke. In Saudi-Arabien erlaubt die Regierung das der Bevölkerung nur in streng eingegrenzten Arealen, zum Eid al-Fitr, dem Fastenbrechen, und zum Opferfest, Idu l-Adha, am Ende des Hadsch. Zu Silvester Feuerwerk zu zünden, davon ist man in Saudi-Arabien überzeugt, das machen nur die Ungläubigen, auf die wir herabsehen. Nun stehe ich in ihrer Mitte. Ich beobachte die Feiernden mit einer Mischung aus Neugier und Skepsis.

Immer wieder regnet ein Funkenmeer vom Himmel. Doch je mehr Menschen sich auf der Domplatte drängen, desto unwohler fühle ich mich.

Es ist eine merkwürdige Stimmung dort, sehr voll, irgendwie aggressiv. Viele sind betrunken. In dem Gedränge berührt mich ein Mann von hinten. Erst denke ich mir nichts dabei, weil es so voll ist, dass es wirklich schwierig ist, sich durch die Massen zu bewegen, ohne jemanden unfreiwillig anzustoßen. Doch dann kommt auf einmal ein wildfremder Mann auf Poppy zu und will sie umarmen. Sie gibt ihm zu verstehen, dass sie nicht will, doch er probiert es trotzdem. Poppy sagt sehr deutlich und laut, dass sie nicht möchte, dass er sie anfasst. Er verschwindet, vielleicht auch, weil sie mit einem so vornehm klingenden britischen Akzent redet, dass man sofort annimmt, sie sei sehr reich und gebildet. Vielleicht jagt es ihm Angst ein, weil er spürt, dass sie keine Frau ist, die sich von ihm was gefallen ließe.

In diesem Durcheinander wird es Mitternacht. Poppy hat für mich und Andrew eine kleine Flasche Sekt organisiert. Wir stoßen gemeinsam an. Alle um uns herum jubeln und umarmen sich. Es ist 2016. Ein neues Jahr beginnt. Ich bin gespannt, ob meine Träume, zumindest manche davon, in diesem Jahr wahr werden. Ich lächele Poppy an. Sie lächelt zurück. Ich weiß, dass sie meine Gedanken lesen kann.

Dann kommen immer mehr Polizisten auf die Domplatte. Die Stimmung scheint zu kippen. Sogar Andrew, der Kameramann, fühlt sich jetzt unwohl und sagt, wir sollten lieber ins Hotel gehen. Auf dem Weg dorthin sagt Poppy, sie habe so etwas noch nie erlebt. Die Atmosphäre sei bedrohlich und feindselig gewesen. »Das war kein normales Silvester«, sagt sie noch, ehe wir uns in der Lobby verabschieden und jeder in sein Zimmer geht. Ich bin verwirrt an diesem Abend und froh, dass Poppy die Situation als genauso komisch empfunden hat wie ich, denn manchmal bin ich unsicher, ob ich Situationen und Menschen in diesem mir noch immer fremden Land aufgrund meiner Erziehung, die so anders war als die der Kinder hier, vielleicht etwas anders wahrnehme, als sie gemeint sind. Ich bewundere viele Menschen hier, aber manchmal machen sie mir auch Angst, oder ich bin verunsichert von ihrem Verhalten, wie heute Nacht. Dann verstehe ich nicht, wie es sein kann, dass ich auch hier Männer gesehen habe, die glauben, Frauen so behandeln zu können, als könnten sie über sie bestimmen und sich einfach nehmen, was sie von ihnen haben wollen.

Ich bin sehr froh, mal wieder in einem richtigen Bett zu schlafen, alleine, in einem Zimmer ohne Menschen um mich herum. Als ich Tage später von den Übergriffen auf der Domplatte im Internet lese, verstehe ich, woher unser Unwohlsein rührte.

An diesem ersten Tag des neuen Jahres bin ich nachdenklich. Bevor ich zurückmuss, führen Poppy und ich ein letztes Interview. Dann steige ich in den Zug. Ich bin noch unschlüssig, was mir 2016 wohl bringen wird. Ich frage mich, wo ich am Ende dieses neuen Jahres stehen werde, ob ich dann immer noch im Heim leben oder schon woanders sein werde.

Als ich am Bahnhof noch etwas Zeit habe, ehe mein Zug fährt, muss ich daran denken, dass Amir nicht begeistert war, als ich ihm von dem Interview erzählt habe. Er hat fast geweint und gesagt: »Das wäre unser erstes gemeinsames Silvester, und du verbringst es ohne mich.« Ich stöbere in Läden mit Andenken und Geschenkartikeln und suche ihm ein T-Shirt aus. Dann finde ich noch eine kleine Souvenir-Spielorgel, die die »Kleine Nachtmusik« spielt. Mozart ist sein Lieblingskomponist.

Als ich im Flüchtlingsheim ankomme, gebe ich ihm die Geschenke und versuche, ihn aufzumuntern. Er ist erst abweisend und lässt keine Nähe zu, doch nach einer Weile entspannt er sich. Schließlich erlaubt er mir, ihn zu umarmen. Wir haben so viel miteinander durchgemacht, Silvester war der erste Tag, den wir seit unserer Flucht getrennt voneinander verbracht haben, und wir sind beide froh, uns wieder nebeneinander zu wissen. Und doch beginne ich zu spüren, dass ich Amir nicht guttue. Ich denke manchmal, er braucht eine Freundin, die mehr auf ihn eingeht, ihm mehr Aufmerksamkeit schenkt, als ich es kann.

Aber wie können wir jetzt getrennte Wege gehen, nach allem, was hinter uns liegt? Wir sind mehr als ein normales Liebespaar. Wir sind Partner, Verbündete.

11.

Die Kraft der Bücher

Einige Tage später erfahren wir, dass wir in ein anderes Heim verlegt werden. Ich bin überglücklich, als ich höre, dass es in Köln ist. Endlich, denke ich, geht es bergauf. Als wir am nächsten Vormittag in die Stadt fahren, scheint die Sonne. Ich werte das als ein gutes Zeichen. Ich bin richtig froh, dass wir jetzt hier untergebracht werden. Durch die Busfenster beobachte ich das Leben der ersten deutschen Großstadt, in der ich leben werde. Es ist hier viel geschäftiger als der Ort, in dem wir bisher gewohnt haben. Obwohl wir nicht im Zentrum untergebracht sind, sondern in einem Stadtteil am Rand, gibt es hier viele verschiedene Supermärkte, Handyläden, einen Baumarkt, und auf den Straßen sehe ich Menschen, die in Eile scheinen und bei Rot über die Ampel hetzen.

Um dem Stillstand etwas entgegenzusetzen, beginne ich, so oft es geht, morgens in eine Bücherei in der Innenstadt zu fahren, die eine magische Anziehungskraft auf mich hat. Poppy, die weiß, wie sehr ich mich für Naturwissenschaften interessiere, hat mir nach unserem Dreh ein Algebra-Lehrbuch geschickt. Es mag manch einem komisch erscheinen, aber für mich ist es eines der größten Geschenke, die ich jemals bekommen habe.

Die Aufgaben darin sind welche, die ich durch Überlegen lösen kann und die mich von den vielen anderen Problemen ablenken, für die ich im Moment keine Lösung finde, von dem Stillstand, den dieses Leben als Asylbewerberin unweigerlich mit sich bringt. Fast jeden Vormittag setze ich mich in einen der Lesesäle und vertiefe mich in das Buch. Mathe ist logisch, es gibt Lösungen, die entweder richtig oder falsch sind, keine Grauzonen. Naturwissenschaften haben eine klare Struktur. Es ist das, was meinen Tagen fehlt, und vielleicht ist es deswegen so ein gutes Gegenmittel gegen das Gefühl, verloren zu sein, ohne Anker und ohne Perspektive.

Ich denke zurück an die Zeit, als ich in Riad jede Information über die Evolutionstheorie und naturwissenschaftliche Themen aufgesogen habe wie ein Schwamm. Damals verwies mich jemand auf Twitter auf einen großen deutschen Philosophen, Friedrich Nietzsche. Er schwärmte so sehr von ihm und von seinem Buch *Also sprach Zarathustra*, dass ich es unbedingt auch lesen wollte. Schließlich hielt ich es kaum noch aus und fragte ihn, wo ich dieses Buch in Saudi-Arabien herbekommen könnte. Dort steht es auf dem Index. Er sagte, er würde es mir schenken, wenn wir uns treffen. Ich ließ mich tatsächlich auf diese wahnwitzige Idee ein und schlich mich eines Nachmittags aus der Förderschule, um dieses verbotene Buch von einem mir völlig unbekannten Menschen entgegenzunehmen. Das war so gefährlich! Hätte uns die Religionspolizei dabei erwischt oder wäre er ein Köder gewesen, säße ich jetzt wohl in einem Gefängnis in Riad und nicht in einer Bücherei mitten in Deutschland. Ich habe das Buch in den Tagen danach heimlich gelesen, es in mein Englischlehrbuch gelegt, für den Fall, dass meine Mutter in mein Zimmer stürzt, wie sie es so oft getan hat. Bei meiner Flucht habe ich es, wie alle meine Bücher, zurückgelassen. Es macht mich melancholisch, daran zu denken.

Ich frage mich, ob es das Buch in dieser Bücherei wohl auch

gibt. Schließlich ist Nietzsche ein deutscher Philosoph. Aber ich traue mich nicht, die Bibliothekarin anzusprechen. Ich kann ja gar kein Deutsch, und wer weiß, ob sie Englisch spricht. Ich habe auch keinen Büchereiausweis, vielleicht würde sie mich auch rausschmeißen, wenn sie merkt, dass ich hier jeden Tag sitze, ohne Gebühren zu bezahlen.

An einem Dienstag im März, an dem ich wieder an meinem Stammplatz am Fenster sitze, fällt mir eine blonde Frau Mitte vierzig auf, die eine warme, freundliche Ausstrahlung hat. Plötzlich sehe ich einen Weg, doch noch zu dem Buch zu kommen. Ich spreche sie an und frage, ob sie Englisch spricht. Als sie nickt und antwortet: »Yes, a little bit«, traue ich mich, sie zu fragen, ob sie weiß, wo das Buch stehen könnte. Sie schaut mich an, mit einem offenen, freundlichen Blick, sie staunt. Ich zucke mit den Schultern und lächle verlegen, dann lachen wir beide, und sie macht sich mit mir auf die Suche. Wir gehen in einen kleineren Raum, der vom Lesesaal abgeht, und laufen entlang der Regale, bis wir beim Buchstaben N ankommen. Claudia, so heißt sie, fährt mit dem Finger am Regal entlang, bis sie zu der Stelle kommt, wo Nietzsche einsortiert sein müsste. Sie sagt, dass das Buch wohl gerade ausgeliehen sei. »Eigentlich hat das jede deutsche Bücherei, aber gerade finde ich es leider nicht«, sagt sie.

So kommen wir ins Gespräch. Ich erfahre, dass sie in Köln geboren und aufgewachsen ist, für die Stadt arbeitet, keine Kinder hat, und mit einem Mann namens Uwe verheiratet ist. Sie fragt mich, was mich nach Deutschland geführt hat, und ihre Augen werden immer größer, als ich ihr meine Geschichte in der Kurzversion erzähle. »Aus Saudi-Arabien?«, fragt sie. »Das ist ja ein Ding.« Es ist sofort so vertraut, mit ihr zu sprechen, als würden wir einander schon viel länger kennen als bloß eine Viertelstunde. Sie ist die Erste, die sagt: »Es muss unglaublich schwer für dich sein, deine Familie zurückgelassen zu haben«, die Erste, die mir zeigt, dass sie versteht, dass meine Situation keine leichte ist, obwohl ich jetzt endlich frei bin und meine Flucht scheinbar ein Ende gefunden hat. Das Gefühl, verstanden zu werden, dieses Gefühl, dass es nicht unangebracht ist, nicht nur glücklich zu sein, obwohl man in einem reichen Land Asyl gefunden hat, gibt mir Kraft und tröstet mich an diesem Tag in der Bibliothek sehr. Mit ihr zu sprechen, hilft mir, mir selbst zuzugestehen, auch darum trauern zu dürfen, was ich verloren habe.

Der romantischen Liebe wird viel Bedeutung beigemessen. Alle rätseln, wovon es abhängt, ob man sich in einen Menschen verliebt oder ihn übersieht. Aber wahre Freundschaften sind ebenso rätselhaft wie eine Liebesbeziehung. Es gibt Menschen, denen wir begegnen und die wir sofort näher kennenlernen möchten, denen wir vertrauen, zu denen wir uns hingezogen fühlen. Wie Claudia. Sie erzählt mir, dass sie als eine von vielen Ehrenamtlichen in einer Sprachschule neben der Bücherei Deutsch unterrichtet. Manchmal kommt sie nach dem Unterricht noch in die Bibliothek, leiht sich ein Buch oder eine DVD aus. Sie erzählt mir, dass der Kurs kostenlos ist und dass ich doch mal vorbeikommen soll, wenn ich Deutsch lernen möchte. Man brauche dazu keine Bewilligung von der Ausländerbehörde, weil der Kurs nichts koste.

Ich beschließe schon in der nächsten Woche hinzugehen. Ich bin auf einmal euphorisch und aufgeregt. Deutsch ist die Sprache vieler Wissenschaftler, die ich bewundere. Ich denke an die Abende, die ich in meinem Zimmer in Riad damit verbracht habe, heimlich im Netz zu surfen und eine Welt zu entdecken, die mir bis dahin verwehrt geblieben war. Das Gefühl, als ich zum ersten Mal von Albert Einstein und der Relativitätstheorie las und begriff, wie weitreichend diese Entdeckung für die Menschheit war, ist mir noch in guter Erinnerung. Ich war Ende zwanzig, als ich begriff, dass Physik meine Leidenschaft ist, etwas, mit dem ich mich stundenlang beschäftigen kann, in denen ich nicht müde, sondern nur immer neugieriger werde. Max Planck und seine Forschung zur Quantenmechanik, Werner Heisenberg und die Unschärferelation, Carl Friedrich Gauß, Johannes Kepler. Ich staune, als mir bewusst wird, dass sie wirklich alle aus Deutschland kommen, das war mir vorher nie aufgefallen, und ich stelle mir vor, wie aufregend es sein muss, in diesem Land Physik zu studieren, mein großer Traum, und sich in der Sprache dieser Wissenschaftler verständigen zu können. Denn das ist eine Sprache, an die ich glaube, seit ich nicht mehr an Gott glaube: Ich denke, dass die Naturwissenschaften eine universelle Sprache sprechen. Und wenn ich die Welt ein bisschen besser verstehen möchte, dann muss ich diese Sprache lernen. Ich erinnere mich, wie ich in meinem alten Kinderzimmer all die Bücher verschlungen habe, und spüre, wie mein Wissensdurst wieder erwacht. Endlich spüre ich wieder ein Kribbeln im Bauch, ich wache wieder auf wie aus einem langen Schlaf.

Die erste Unterrichtsstunde bei Claudia ist eine tolle Abwechslung in meinem monotonen Alltag, und ich bin richtig traurig, als ich herausfinde, dass der Kurs nur einmal pro Woche stattfindet. Claudia ist großartig. Alle, die zum Kurs kommen, hören ihr gebannt zu, obwohl wir wirklich kaum Deutsch verstehen.

Manchmal bleibe ich nach dem Unterricht noch ein bisschen länger und plaudere mit Claudia. Sie erzählt mir von ihrem Glauben. Claudia ist Christin, aber sie gibt mir keine Sekunde lang das Gefühl, dass sie mich weniger respektiert, weil ich mich vom Glauben abgewendet habe. Das, was die Menschen hier unter Religionsfreiheit begreifen, fasziniert mich sehr. Es ist ein Weg, den eigenen Glauben leben zu können, aber auch all die Menschen zu akzeptieren, die anders oder gar nicht glauben, und niemanden in seiner Freiheit zu beschränken. Sie gibt mir ihre Handynummer und sagt, ich solle mich melden, wenn sie mir helfen kann.

Ich brauche sie schon wenig später. Als ich einen Brief vom Sozialamt bekomme, dessen Inhalt ich nicht richtig begreife, rufe ich sie an, sie zögert keine Sekunde, und wir verabreden uns für den nächsten Tag in der Bücherei. Sie erklärt mir, was zu tun ist und fragt mich, ob ich mit ihr essen gehen möchte. Ich bin völlig perplex und freue mich sehr über die Einladung. Wir gehen in ein chinesisches Restaurant um die Ecke. Es tut gut, jemanden zu haben, mit dem ich über meine Probleme und Träume reden kann. In den Wochen darauf kommen wir uns immer näher. Claudia hat keine Kinder, vielleicht ist sie deswegen ein bisschen wie eine Mutter zu mir. Im April werde ich krank. Ich habe eine Grippe und fühle mich elend. Sie bucht eine Ferienwohnung für mich und Amir, damit ich mich dort etwas besser auskurieren kann als im Heim, wo ich mit so vielen anderen auf engstem Raum zusammenlebe. Sie macht uns sogar Frühstück. Es gibt Orangensaft und Croissants, und obwohl ich keinen Appetit habe, versuche ich, ein paar Bissen zu essen, weil ich nicht möchte, dass sie enttäuscht ist. Das erste Mal seit Athen fühle ich mich wieder geborgen und willkommen, fast ein bisschen wie in einer richtigen Familie.

Umso schwerer fällt es mir, in das Heim zurückzugehen. Wir sind gemeinsam mit dreißig anderen Menschen in einer Turnhalle untergebracht, die eigentlich viel zu klein für so viele Leute ist. Die Betten stehen in der Mitte der Halle, Privatsphäre gibt es kaum. Obwohl ich nicht mehr nach den Regeln des Islam lebe, tun mir die muslimischen Frauen leid, die hier schlafen müssen. Weil es keinen abgetrennten Raum für sie gibt, wickeln sie sich umständlich in ihre Bettdecken, wenn sie schlafen gehen und ihr Kopftuch abnehmen wollen. Oder sie lassen es die ganze Zeit an. Sie würden sich unwohl fühlen, wenn die fremden Männer sie unverhüllt sähen, und es tut mir weh, beobachten zu müssen, wie umständlich das Leben für sie in dieser Unterkunft ist. Ich gehe zur Heimleiterin und frage sie, ob man etwas tun kann, um es für diese Frauen leichter zu machen. Doch sie schaut nur bedauernd, nickt, als würde sie mir zustimmen, aber sie sagt, sie habe nichts, womit sie einen Raum abtrennen könne, es tue ihr leid.

Diese Unterkunft ist mir unangenehmer als das Heim vorher, wegen der mangelnden Privatsphäre, aber auch, weil wir hier nicht von den alleinstehenden muslimischen Männern getrennt sind und ich sie die ganze Zeit beim Beten höre. Darauf reagiere ich ungewollt stark, ich kann sie nicht ignorieren. Sie permanent um mich zu haben, ist so, als sei ich ganz umsonst so weit geflohen. Ich glaube, sie sehen mir an, dass ich aus Syrien komme, und ich hoffe inständig, dass sie glauben, ich sei Christin und nicht Atheistin. Denn sonst könnte es auch hier gefährlich für mich werden. Für mich bedeuten ihre Blicke manchmal, dass mir zumute ist, als sei ich nach fast sechstausend Kilometern und acht Monaten Schmerz und Ungewissheit wieder genau an dem Punkt, an dem ich losgegangen bin. Ich fühle mich manchmal unwohl, weil meine Angst wieder hochkommt und ich das Gefühl habe, dass ich mich im Notfall nicht wehren könnte, weil auch hier die gläubigen Männer in der Mehrzahl sind. Es gibt einen, der mich besonders aufbringt. Mein Bett steht in einer

Ecke der Turnhalle. Beim Gebet darf man nicht gestört werden, deswegen sucht man sich immer einen ruhigen Ort. Dieser Mann hat die Ecke neben meinem Bett für sich auserkoren. Fünfmal am Tag kommt er und betet neben mir. Er wacht am Morgen auf und rezitiert sofort den Koran. Sobald ich ihn bemerke, stecke ich mir Ohrstöpsel in die Ohren und höre Musik, aber es fällt mir trotzdem schwer, ihn auszublenden, er hat mit seinem Gebet und einfach zu viel mit mir und meiner Vergangenheit zu tun, als dass ich vernünftig auf ihn reagieren könnte. Er ruft Erinnerungen und Ängste in mir hervor, die ich nicht kontrollieren kann, ich würde ihn am liebsten davonjagen, so sehr belastet mich seine ständige Anwesenheit, auch wenn ich versuche, mich gegen diese Gefühle zu wehren und mir klarzumachen, dass ich in Sicherheit bin. Ich gehe deshalb wieder zur Heimleiterin und frage sie, ob man nicht wenigstens irgendwo einen kleinen Gebetsraum einrichten könnte. Sie sagt, dafür habe man nicht genug Platz.

Ein paar Tage später lasse ich mich zu einer kindischen Racheaktion hinreißen. Ich male den Koran und daneben einen erhobenen Mittelfinger auf ein Blatt Papier. Dann schleiche ich mich zum Bett des Mannes, während er nicht hinsieht, und lege den Zettel auf seine Matratze. Es dauert nicht lange, bis er sich bei der Heimleiterin beschwert, ich kann sehen, wie empört er zu ihr läuft. Sie versteht sehr schnell, wer das gewesen sein muss.

Am nächsten Tag kommt eine Sozialarbeiterin zu mir und redet mir ins Gewissen. Sie sagt, ich solle mich zusammenreißen und den Mann nicht verärgern. Wir wüssten schließlich alle, wozu es kommen könnte, wenn man diese tiefreligiösen Männer provoziert. Es ist fast so, als hätte sie Angst vor ihm. Ich bin fassungslos. Ich glaube nicht, dass dieser betende Mann wirklich eine ernsthafte Bedrohung darstellt. Aber was mich noch viel mehr aufbringt: dass diese Frau denkt, wir müssten alle in Angst vor den Gläubigen leben und es ihnen recht machen, auch wenn wir nicht einverstanden sind, mit dem was sie tun. Dabei ist Deutschland doch ein freies Land. Und Religionsfreiheit bedeutet auch, dass er akzeptieren muss, dass ich seinen Glauben nicht teile.

So vieles hier ist noch neu für mich: Ich finde es zum Beispiel komisch, dass man in den Supermärkten für die Plastiktüten bezahlen muss. In Riad hat man so viele Tüten bekommen, wie man brauchte, und ein Angestellter des Supermarkts hat die Einkäufe für die Kunden eingepackt. Ich habe nicht viel Geld und muss immer sehr genau überlegen, was ich davon kaufe. Zu Beginn gehe ich zum Discounter und wundere mich darüber, wie wenig schön die Supermärkte hier eingerichtet sind. Einmal kaufe ich Toastbrot und Salami, weil ich wissen will, wie das schmeckt. Es kostet mich Überwindung, Schweinefleisch zu essen, immer noch. So oft habe ich gehört, wie schmutzig es sein soll, dass es mir schwerfällt, es zu genießen. Ich beiße vorsichtig kleine Bissen von dem Toast ab und kaue sehr lange. Aber so richtig schmeckt es mir nicht. Den Geschmack an deutschem Essen finde ich erst viel später. Zu Beginn denke ich, das, was wir im Heim bekommen, sei typisch deutsch. Als ich das erste Mal in einem Restaurant esse, merke ich, wie sehr ich mich getäuscht habe. Dort schmeckt alles ganz anders. Auch Schweinefleisch esse ich später doch noch: Ein Freund kocht Eier mit Speck für mich und Amir, und wir finden beide, dass es köstlich ist. Manchmal sehne ich mich nach den Gerichten aus Syrien, mit denen ich aufgewachsen bin. Viele Zutaten für die Speisen, die ich aus meiner Heimat kenne, gibt es hier gar nicht. Dann gibt uns ein anderer Heimbewohner den Tipp, es beim türkischen Supermarkt zu probieren. Es ist ein Wunderland, ich kann mich gar nicht entscheiden, was ich zuerst nehmen soll: Fladenbrot, Auberginenpaste, Kichererbsen, Hummus oder Oliven.

Woran ich mich noch immer nicht sattsehen kann, sind Menschen, die auf der Straße laufen, Männer, Frauen, Kinder, alle sind unverhüllt, frei und bewegen sich durch dieses Leben, als sei es völlig selbstverständlich. Als ich das erste Mal eine Frau sehe, die völlig furchtlos durch die Stadt joggt, bin ich angetan von diesem Anblick. Außerdem finde ich immer mehr Gefallen am typisch deutschen Spazierengehen, etwas, das mir am Anfang völlig fremd ist, erst Claudia erklärt mir lachend das Konzept.

Was mir nach wie vor schwer auf der Seele liegt, ist, dass ich das Heim nicht verlassen darf, noch immer so unselbstständig bin, mir keine eigene Wohnung suchen kann, nicht arbeiten darf. Ich darf auch noch keinen richtigen täglichen Sprachkurs besuchen, weil ich meinen Aufenthaltstitel noch nicht habe. Dieses Dokument, das aussieht wie ein Personalausweis, ist der erste Schritt in ein richtiges Leben in Deutschland. Bis ich ihn bekomme, bin ich in dem, was ich in meiner neuen Heimat tun kann, eingeschränkt. Amir fällt es leichter, sich an das Leben im Heim zu gewöhnen. Er findet schnell ein paar männliche Freunde und kann sich besser ablenken als ich. Ich glaube, es ist für Frauen schwerer, in diesen Heimen zu leben, weil sie dort in der Minderheit sind.

Ich denke viel nach in diesen Wochen. Vielleicht ist das am schlimmsten: dass ich so viel Zeit habe, über das zu grübeln, was geschehen ist, was ich aufgegeben habe, wie wenig es sich bisher gelohnt hat. Ich bin manchmal sehr traurig und ziehe mich immer weiter zurück. Amir versucht, mich aufzumuntern. Er ist so bemüht, fast schäme ich mich dafür, dass er sich immer so gut um mich kümmert. Wir umarmen einander manchmal, und in diesen Momenten fühle ich mich geliebt und habe wieder etwas Zuversicht, dass sich alles zum Guten wenden wird.

Es hilft uns, dass wir durch meine Freundschaft zu Claudia etwas Anschluss gefunden haben. Ich stelle Amir Claudia und ihrem Mann Uwe vor. Sie merken sofort, wie gut es uns tut, dem Heimalltag gelegentlich entfliehen zu können und laden uns immer wieder zu sich ein. Im Frühjahr machen wir sogar einen Ausflug zu einem Lokal außerhalb von Köln. Es ist einer der ersten schönen, sonnigen Tage in diesem Jahr. Ich jauchze vor Freude, als ich auf dem Rücksitz von Claudia und Uwes Cabrio sitze und mir der Wind durch die Haare weht. Ich schaue Amir an. Er lächelt.

Einmal kommt Uwe sogar zu unserem Heim und bringt uns eine große Tüte voller Leckereien: Schokolade, Chips und Obst. Die Dinge, die wir im Supermarkt immer gleich wieder zur Seite legen, weil sie zu teuer sind. Es sind diese kleinen Gesten, die unsere Welt größer, weiter, offener werden lassen. Ich glaube, in allen Menschen steckt dieser gute Kern, den Claudia und ihr Mann uns gegenüber offenbaren. Er wird nur allzu häufig durch blinden Glauben an Religionen, Ideologien oder eine Nation kaputt gemacht. Oder es legen sich Enttäuschungen und erfahrenes Leid, Ungerechtigkeiten und Schmerz wie Schichten über diesen guten Kern, bis er nicht mehr erreichbar ist.

Im Sommer bekomme ich endlich den Bildungsgutschein vom Jobcenter und kann einen Deutschkurs belegen. In meiner Klasse sind viele Syrer. Wir kämpfen gemeinsam mit den deutschen Artikeln und lachen über die Fehler, die wir alle machen. Jeden Tag nach dem Unterricht mache ich zuerst meine Hausaufgaben. Ich weiß, dass es nicht nach vorne gehen wird, wenn ich die Sprache nicht beherrsche. Aber das Deutschlernen zwingt mich auch, geduldiger zu werden: Ich merke, dass es noch lange dauern wird, bis ich fließend eine Unterhaltung auf Deutsch führen kann.

An einem heißen Nachmittag im August stöbere ich in einem Buchladen, nicht weit von der Bücherei, in der ich Claudia kennengelernt habe, und entdecke ein mir altbekanntes Buch. Friedrich Nietzsche: *Also sprach Zarathustra*. Mein Herz schlägt schneller, als ich es in die Hand nehme und durch die vertrauten Kapitel in dieser für mich neuen Sprache blättere. Ich kann nicht anders, ich muss es kaufen. Als ich den Laden verlasse, trage ich ein wertvolles Geheimnis in meiner Handtasche, eines, das nur mir allein gehört. Immer wieder greife ich danach, fahre mit den Fingern den noch ungebrochenen Buchrücken entlang. In der Straßenbahn auf dem Weg zurück ins Heim hole ich es aus der Tasche, zeige mich damit ganz offen, jeder kann den Titel lesen, niemand wird mich dafür bestrafen, dass ich dieses Buch besitze. Es fällt mir sehr schwer, den Text auf Deutsch zu lesen, und ich verstehe wenig, meine Sprachkenntnisse sind einfach noch zu gering. Aber ich lese jeden Tag einen Absatz, schlage fast jedes Wort nach und freue mich, dass ich nun in dem Land lebe, aus dem all diese großartigen Forscher und Denker kommen, dass ich ihnen mit jeder Stunde Sprachkurs ein Stückchen näherkommen kann.

12.

Ein heller Sommer

Während meines ersten Sommers in Deutschland erlebe ich viele Dinge zum allerersten Mal, und ich genieße diese Zeit in vollen Zügen. Überhaupt empfinde ich mein Leben als Frau hier nach und nach als Offenbarung. In meiner Heimat werden Frauen nicht mit ihren Vornamen angesprochen, sondern immer in Relation zu den Männern in ihrem Leben. Ist ein Mädchen noch nicht verheiratet, so nennt man sie »Tochter von« oder »Schwester von« und sagt dann den Namen ihres Vaters oder Bruders. Wenn sie einen Ehemann hat, so nennt man sie einfach »die Frau von«. In gewisser Weise spricht man jeder Frau also eine eigene Identität ab, sie existiert nur im Kontext der Männer in ihrem Leben, nicht als eigenständige Person mit einem Namen und einem Gesicht. Manchmal denke ich, dass ich erst in Deutschland beginne, erwachsen zu werden. Hier gehe ich ohne Amir zu den Behörden, ich richte mir ein eigenes Konto ein und treffe eigene Entscheidungen. Das erste Mal in meinem Leben fühle ich mich für alles, was ich tue, verantwortlich.

Im Sommer genieße ich es besonders, keinen Schleier mehr zu tragen. Auch wenn ich jetzt schon seit fast einem Jahr ohne ihn durch die Welt gehe, habe ich mich noch nicht richtig daran gewöhnt. Es ist jedes Mal aufs Neue eine Freude, den Wind und die Sonne auf der Haut zu spüren. Vielleicht bin ich noch immer so überwältigt, weil der Schleier mich nicht nur versteckt hat, sondern auch in die andere Richtung beschränkend funktionierte: Durch ihn habe ich die Welt nie richtig sehen können, mein Gesichtsfeld war immer eingeschränkt, und ich konnte mich nie so frei bewegen wie jetzt.

Ich mag es, auf der Terrasse eines Cafés zu sitzen, umgeben von Männern und Frauen, die hier nicht durch getrennte Eingänge ein und dasselbe Café betreten und getrennt voneinander sitzen müssen. Ich kann mir bald gar nicht mehr vorstellen, dass ich früher nur in Separees und Innenräumen gegessen habe und ganz abgeschnitten von dem Geschehen um mich herum war.

Als es wärmer wird, kaufe ich mir ein paar kurze Hosen, T-Shirts mit kurzen Ärmeln und Kleider. Hier muss ich meine Sommer-Outfits nicht unter einer bodenlangen Abaya verdecken, sondern kann mich so zeigen, wie ich es möchte. An den ersten warmen Tagen des Jahres ist es so schön, aus der Tür zu gehen und einfach nur die Straße hinunterzuschlendern. Ich fühle die Sonne auf meinem Gesicht und habe das Gefühl, ich habe endlich meinen Platz in der Welt gefunden.

Die Freundschaft mit Claudia bringt Bewegung in mein Leben. Ich merke, dass ich trotz der vielen Einschränkungen auch etwas dafür tun kann, damit mein Leben hier besser wird. Endlich habe ich das Gefühl, ich habe Optionen, eine Perspektive. Ich erinnere mich an Poppy, an Imtiaz, an die vielen Menschen, die ich aus den Netzwerken von Ex-Muslimen weltweit kenne. Ich wende mich an eines davon, die Ex-Muslims Britain, und schildere ihnen meine Situation. Ich schreibe eine E-Mail und erwähne auch, wie sehr es mich belastet, in einem Flüchtlingsheim zu wohnen, in dem ich von strenggläubigen Muslimen umgeben bin. Ich bekomme schnell eine Antwort mit dem Kontakt einer iranischen Aktivistin, Mina Ahadi, der Vorsitzenden des Zentralrats der Ex-Muslime. Dieser vertritt Menschen, die sich vom Islam abgewandt haben. Zufällig hat er seinen Sitz in Köln.

Ich schreibe Mina eine Mail, in der ich meine Situation noch einmal schildere, ihr erkläre, dass ich aus Saudi-Arabien geflohen bin und nun in einem Heim darauf warte, dass mein Asylantrag bearbeitet wird, dass ich Angst habe, was passiert, wenn er abgelehnt wird. Keine zwei Stunden später klingelt mein Telefon. Es ist Mina. Sie scheint die Verzweiflung in meinen Zeilen gespürt zu haben. Sie sagt, sie sei nächste Woche wieder in Köln, und dass wir uns auf einen Kaffee treffen sollten. Ich sage zu. Die ganze Woche fiebere ich dem Treffen entgegen.

Wir treffen uns in einem Café in der Nähe des Heims. Ich erzähle ihr, wie dringend ich von dort wegziehen möchte, wie oft ich das Gefühl habe, aufgrund der Tatsache, dass ich kein Kopftuch trage, schief angesehen zu werden. Mina nickt. Ich merke: Ich muss ihr nichts erklären. Hier sitzt eine, die mich versteht, eine, die weiß, wie es ist, wenn man Muslima war, wie eine Muslima aussieht, aber aus was auch immer für Gründen mit dem Islam gebrochen hat. Mina sagt, es wäre gut, wenn ich meine Geschichte irgendwie öffentlich machen würde. »Wenn keiner weiß, dass du Hilfe brauchst, dann kann dir auch niemand helfen«, sagt sie. »Aber wenn du den Mund aufmachst und sagst, was du brauchst, kommen die Dinge in Bewegung.« Ich nehme mir vor, dass ich alles mache, wenn es hilft. Ich erzähle ihr, was ich sonst niemandem sage, weil ich den Gedanken nicht einmal zulassen möchte: Wie sehr ich fürchte, in meine Heimat abgeschoben zu werden. Mina hilft mir sofort: Sie vereinbart einen Termin bei ihrem Anwalt und sagt mir, ich solle mir um die Kosten keine Sorgen machen.

Wenig später halte ich einen Vortrag auf einer vom Zentralrat der Ex-Muslime organisierten Veranstaltung, zu der vierzig, vielleicht fünfzig Menschen kommen. Leider ist darunter auch ein Mann, der einer rechtspopulistischen Partei nahesteht. Er lädt das Video auf YouTube hoch und versucht damit, rechte Propaganda zu machen. Ich kenne Deutschland zu dieser Zeit noch nicht gut genug, um zu begreifen, wie leicht Islamkritik von ausländerfeindlichen Populisten für deren Agenda missbraucht wird. Als ich begreife, was da geschehen ist, bitte ich den Mann, das Video zu löschen. Ich stehe für Freiheit und Toleranz, nicht für Hass und Angstmacherei. Die Gefahren, die vom radikalen Islam ausgehen, muss man benennen und sachlich diskutieren. Aber der überwältigende Großteil der Muslime, Millionen von Menschen auf der ganzen Welt, hat nichts mit Terror zu tun, nicht alle Muslime sind Terroristen oder Vergewaltiger. Selbst wenn ich den Sexismus und die Unterdrückung von Frauen in Saudi-Arabien verurteile, so weiß ich auch, dass sich Respekt vor Frauen und dieser Glaube nicht zwingend ausschließen müssen.

Und doch hat das Video auch einen positiven Nebeneffekt: Ein Mann aus Köln, der ebenfalls Atheist ist und sich für Geschichten wie meine interessiert, sieht es im Internet. Besonders die Stelle, an der ich darüber spreche, wie unglücklich ich mit meiner Wohnsituation bin, hinterlässt Eindruck bei ihm. Er wendet sich an den Zentralrat der Ex-Muslime, um mit mir in Kontakt zu kommen. Wenig später schreibt er mir eine Nachricht.

»Liebe Rana, ich heiße Stefan. Ich bin auch Atheist und hätte vielleicht eine Wohnung für dich. Melde dich, wenn du Interesse hast.«

Schon zwei Tage später besichtigen Amir und ich eine Zweizimmerwohnung in Köln-Kalk. Ich vertraue Stefan sofort. Er erzählt, dass er auch Atheist ist und mir auch deswegen helfen will, weil er sich vorstellen kann, wie schwer es für mich sein muss, aufgrund meiner Abkehr vom Glauben diskriminiert zu werden. Amir und ich sind uns gleich einig, dass wir nichts lieber tun würden, als in diese Wohnung zu ziehen.

In den Wochen darauf kümmert sich Stefan um den erforderlichen Wust an Anträgen bei der Ausländerbehörde, damit wir als Geflüchtete dort einziehen können. Amir und ich streichen unsere neue Wohnung im Mai. Im Juni ziehen wir ein. Es geht endlich wieder nach vorne.

In den Monaten nach dieser ersten Begegnung wird Stefan mein bester Freund. Er verbringt Stunden mit mir im Ausländeramt, um mir mit Anträgen und bei Terminen zu helfen. Er ist der einzige Deutsche, der zwischen uns Flüchtlingen im Flur auf einer der Wartebänke sitzt. Stefan ist berufstätig und hat zwei Kinder, und ich fühle mich ein bisschen schuldig, seine Zeit derart in Anspruch zu nehmen, aber er vermittelt mir zu keinem Zeitpunkt das Gefühl, dass ich eine Belastung bin. Im Gegenteil: Wir plaudern und lachen, während wir darauf warten, dass endlich meine Nummer aufgerufen wird. Stefan wird zu der Art Freund, der auch ans Telefon geht, wenn er das nicht tun müsste. Der mir Kakao kocht, wenn ich einen schlechten Tag hatte. Er nimmt mich zu einem Treffen der Giordano-Bruno-Stiftung mit, einer humanistischen Stiftung Konfessionsloser, in der er Mitglied ist. Dort lerne ich Dittmar kennen, der später einer meiner engsten Freunde werden wird. Nach und nach knüpfe ich ein Netz von Menschen, das mich hält, auch wenn ich traurig bin, Heimweh habe oder frustriert bin, weil die Mühlen der Bürokratie langsamer mahlen, als ich es jemals für möglich gehalten hätte.

Im Juni fragt Stefan, ob ich mit ihm schwimmen gehen möchte. Ich bin perplex. Als Kind habe ich das in Syrien zwar manchmal gemacht, aber als erwachsene Frau darf man in Saudi-Arabien unter keinen Umständen im Freien baden. Wenn eine Familie einen Ausflug an den Strand macht, sitzen die Frauen in ihren Abayas am Wasser, während die Männer ins Meer springen. Ich habe noch nicht mal einen Badeanzug. Ich zögere. Stefan überredet mich. Ich gehe das erste Mal in meinem Leben einen Badeanzug kaufen. Als ich in der Umkleidekabine stehe und einen pfirsichfarbenen Bikini anprobiere, muss ich weinen, es überkommt mich unvermittelt. Bin das wirklich ich? Die Frau im Spiegel sieht aus wie eine dieser selbstbewussten Europäerinnen. Ich muss lachen, als ich mein verheultes Gesicht sehe, und kaufe den Bikini. Drei Tage später, es ist ein Donnerstag, gehe ich mit Stefan ins Freibad. Als wir vor dem Eingang stehen, schießen mir Tausende Gedanken durch den Kopf. Gehe ich wirklich gleich mit einem Mann schwimmen? Was ist, wenn ich mich doch nicht traue, halb nackt vor die anderen Badegäste zu treten?

Wenige Minuten später sind meine Zweifel vergessen. Ich stehe neben Stefan in der großen Außenanlage mit den Wasserrutschen und den vielen Pools. Ich staune, wie türkis das Wasser ist, wie ausgelassen Frauen, Männer und Kinder hier miteinander baden, als sei es das Normalste auf der Welt. Die Sonne scheint, das Geschrei und Gelächter von Kindern ist wie ein

Grundrauschen, dazu die Geräusche von Körpern, die von der Wasserrutsche ins Wasser gespuckt werden, Vogelgezwitscher, Planschgeräusche.

Alle Angst fällt von mir ab, und ich springe einfach ins Wasser. Ich bin auf einmal wieder zwölf Jahre alt. Wie ein Kind, das nicht weiß, womit es zuerst spielen soll: Ich schwimme ein paar Züge, drehe mich zu Stefan um, kreische, tauche mit dem Kopf unter Wasser. Mein Make-up ist wenig später völlig verschmiert. Die Menschen um uns herum müssen denken, ich sei verrückt geworden. Stefan lacht, später überredet er mich noch, zur Wasserrutsche zu gehen. Wir rutschen zehn, zwanzigmal, und als ich nach Hause komme, bin ich todmüde und überglücklich.

Was ich in diesem Sommer auch zum ersten Mal tue: Ich gehe auf ein echtes Konzert! Dittmar schenkt mir Karten für Rihanna. Die Atmosphäre in der Arena, in der Zehntausende Menschen zu lauter Musik tanzen, ist überwältigend.

Ich versinke in der Performance meines großen Idols auf der Bühne und durchlebe ein Gefühlskarussell. Ich schwanke zwischen großem Glück, Ungläubigkeit, Traurigkeit darüber, dass ich das erst jetzt erleben darf, dass ich so viel in meinem Leben verpasst habe, weil der Glaube es mir verboten hat, Spaß zu haben. Als ich das erste Mal ins Kino gehe, mit Stefan und Dittmar, geht es mir ähnlich.

Meine Freunde, die es so gut mit mir meinen und so selbstlos Dinge für mich tun, machen Deutschland in diesem ersten Jahr zu meinem Zuhause. Hilfe ist mächtig. Scheinbar kleine Gesten haben eine riesige Wirkung. Es kann schon reichen, jemandem im richtigen Moment eine Adresse zu geben, bei der er Hilfe bekommt. Eine Telefonnummer von jemandem, der es gut mit einem meint. Ich glaube, vielen ist nicht klar, wie schwer es für Menschen ist, zu fliehen und in einem neuen Land zurechtzukommen, jeder würde sich damit schwertun.

Ich und viele andere, die aus Ländern kommen, in denen kein Krieg herrscht, aber wo die Situation für den Einzelnen trotzdem lebensgefährlich ist, wenn er sich zu seinem Nicht-Glauben bekennt, empfinden die Belastung des Wartens auf die Antwort des Asylgesuchs als besonders furchtbar. Denn wenn es scheitert, was bei uns wahrscheinlicher ist als bei anderen, müssen wir entweder zurück in den sicheren Tod oder sind gezwungen, in die Illegalität unterzutauchen. Wenn es keinen Weg zurück gibt, wird die Zukunft das Einzige, an das man sich noch klammern kann, das gilt für alle, die gezwungen werden, ihre Heimat zu verlassen, egal, aus welchem Grund.

Dank meiner Freunde, dank all der neuen Begegnungen in diesem fremden Land, kommt mein neues Leben wieder in Bewegung. Ich kann wieder mit Zuversicht nach vorne schauen.

13.

Der Preis der Freiheit

Ich habe jetzt wieder ein Fahrrad. Meine Freundin Andrea hat es mir im Herbst gekauft, ganz spontan. Wir saßen zusammen beim Abendessen, und ich erwähnte, dass ich mir auf jeden Fall ein Rad kaufen möchte, jetzt, da ich überall damit fahren darf. Auf einmal sagt sie, dass sie mir eines schenken möchte, und sie wüsste auch schon, wo wir es kaufen würden. Zuerst zögere ich, aber sie duldet keine Widerrede. Am nächsten Tag treffen wir uns vor dem Laden. Als ich im Hof auf das Fahrrad steige, übermannt mich eine kindliche Freude. Ich rase auf einmal wieder durch die Gassen von Jobar. Ich bin ein kleines, freches Mädchen mit Zöpfen, das gerade Sommerferien hat und Besorgungen für seine geliebte Oma macht. Wir kaufen das Rad und ein Schloss dafür. Damit es nicht rostet, wenn es im Winter draußen steht, kaufe ich gleich auch noch eine Abdeckung. »Fast wie eine Abaya«, sagt Andrea. Wir müssen beide lachen.

Als es wieder wärmer wird, mache ich eine längere Tour. Ich fahre über die Brücke, die über den Rhein führt, so hoch über dem Wasser, umgeben von den Lichtern der Stadt, stockt mir der Atem. Es ist schon dunkel geworden, und das Wasser glänzt im Schein der Laternen schwarzblau. Ich habe in diesem Augenblick alle Möglichkeiten vor mir, wie ein Meer offener Türen.

Ich stelle mir vor, wie schön es wäre, mit einem Auto durch die Stadt zu fahren, oder raus aufs Land. Die Erkenntnis, dass ich das irgendwann wirklich tun kann, dass es nicht mehr nur ein hoffnungsloser Traum ist, sondern eine reale Möglichkeit, erfüllt mich mit Euphorie. Ich nehme mir vor, den Führerschein zu machen. Ich nehme mir vor, so gut Deutsch zu lernen, dass ich hier studieren kann. Ich nehme mir vor, überhaupt alles zu tun, was ich nur tun kann, um diese neue Freiheit auszukosten.

Ich fahre weiter durch die Stadt, vorbei am Dom und an Museen, Cafés und Restaurants, an Menschen, die draußen sitzen, obwohl es schon ziemlich frisch ist. Ich habe kein Ziel, außer dem, mich in der Nacht und der Anonymität zu verlieren.

Als ich wieder zu Hause bin, schläft Amir schon. Ich lege mich zu ihm. Neben seinem warmen Körper merke ich erst, wie durchgefroren ich bin. Ich drücke mich an ihn. Davon wird er kurz wach. Er schüttelt sich und fragt mich schlaftrunken, warum ich diese Kälte ins Bett gebracht habe. Ich lache und sage, dass es mir leidtue. Es fühlt sich gut an, ihn neben mir zu haben. Amir ist wie eine Brücke zu meinem alten Leben. Er ist der Einzige, der mich schon kannte, als ich noch ein Kopftuch trug und mit meinen Eltern in Riad wohnte.

Und doch fühle ich mich an manchen Tagen unendlich einsam. Dann ist meine neue Freiheit nur ein loses Versprechen, auf dessen Erfüllung ich warte, und meine Einsamkeit wie eine Gewissheit, die schwer auf mir lastet. In diesen Stunden holt mich alles, was ich aufgegeben habe, wieder ein.

An einem dieser verregneten, traurigen Nachmittage bringe ich schließlich allen Mut auf, den ich habe, und öffne meinen alten E-Mail-Account zum ersten Mal, seit ich Riad verlassen habe. Ich habe es vermieden, aus Angst davor, von meinem Vater zu lesen, der mich vielleicht nicht mehr für seine Tochter hält.

Ich werfe einen schnellen Blick auf die Nachrichten im Posteingang. Sie sind alle von meinem Vater. Die erste, die ich öffne, ist erst zwei Tage alt. »Ich vermisse dich, meine Tochter. Kannst du mir sagen, dass es dir gut geht?« Ich scrolle weiter nach unten. Am Tag davor hat er mir geschrieben: »Ich vermisse dich. Ich kann meine Tochter nicht vergessen. Ich hoffe, es geht dir gut.« Meine Augen sind schon längst voller Tränen, als ich mich weiter durch die Nachrichten klicke. Ich kann sie gar nicht alle auf einmal lesen. Mein Vater hat mir fast jeden Tag, seitdem ich geflohen bin, geschrieben. Ich suche nach Sätzen wie »Du bist nicht mehr meine Tochter«, aber ich finde nichts dergleichen. Jede einzelne seiner Nachrichten ist liebevoll und besorgt.

Es fällt mir schwer, das Gefühl zu beschreiben, das mich überkommt. Es ist so, als hätte ich etwas aufgegeben, und würde erst im Nachhinein realisieren, wie gewaltig, gut und groß das war, was ich zurückgelassen habe. Ich kann kaum atmen, so schwer drückt mir die Trauer um meinen Vater auf die Brust. Mein Herz schmerzt. Ich fühle die Sehnsucht nach ihm in meinen Rippen. Mir schießen Tausende Erinnerungen durch den Kopf. Wie ich als kleines Mädchen zur Tür gerannt bin, wenn er von der Arbeit kam. Wie ich mit ihm durch die Regale im Buchladen gelaufen bin. Seine Hand, die meinen Kopf streichelt, während er mich fragt: »Lulu, Liebes, wie war es in der Schule?«

Dass mein Vater mich auch jetzt nicht verstößt, greift so weit. Was ich getan habe, ist das Schlimmste, was eine Tochter ihrem Vater in unserer Kultur antun kann. Ich habe die Ehre meiner Familie verletzt. Ich habe Scham über ihn gebracht. Und doch bringt er es nicht fertig, mich zu hassen oder mir auch nur eine hasserfüllte Nachricht zu schreiben. Ich fühle mich von ihm geliebt, erkannt, gesehen. Als Person verstanden, nicht nur als Tochter, die verheiratet werden soll und der Familie möglichst keinen Ärger zu bereiten hat. Was ich schon immer geahnt habe, sehe ich nun bestätigt: Mein Vater liebt mich, Rana, bedingungslos, so, wie ich bin. Es ist ein Geschenk von ihm, das mich trotz der sechstausend Kilometer, die zwischen uns liegen, erreicht. Das die ganze Zeit auf mich gewartet hat, in dem E-Mail-Postfach, das ich so gefürchtet habe.

Ich weine eine Stunde lang, vielleicht zwei. Irgendwann bin ich zu schwach, um weiter zu schluchzen. Ich beschließe, mir am Kiosk eine Flasche Wodka zu kaufen. Ich will den Schmerz betäuben, der mich fast zerreißt. Ich kaufe auch einen Marsriegel, als Erinnerung an meinen Vater, der immer am liebsten Mars gegessen hat.

Als ich wieder zu Hause bin, bin ich froh, dass Amir unterwegs ist. Er würde mich sonst sicher davon abhalten, mich aus Kummer zu betrinken. Er würde sich Sorgen um mich machen. Ich schlinge den Schokoriegel in mich hinein. Es ist das Erste, was ich heute esse. Meine Hände zittern, als ich die Wodkaflasche öffne. Es kostet mich immer Überwindung, Alkohol zu trinken.

Ich trinke, so schnell ich kann. Ich finde, es schmeckt widerlich, aber nach einigen Minuten werde ich endlich müder und schwächer.

In den Tagen darauf lese ich alle alten Nachrichten von meinem Vater, und fast jeden Tag kommen neue hinzu, obwohl ich mich immer noch nicht dazu durchgerungen habe, ihm zu antworten. An den Zeiten, zu denen er schreibt, sehe ich, dass er sich immer nur von unterwegs meldet, wohl um Ärger mit meiner Mutter zu vermeiden. Er schreibt, dass sie alle meine Bücher, alle meine Sachen wegschmeißen wollte, aber dass er die Kisten in den Kofferraum seines Autos gepackt hat, statt sie wegzuwerfen. Seitdem fährt er sie durch Riad. Diese Vorstellung rührt mich, ich muss lächeln und weinen gleichzeitig, denn das heißt, dass mein Vater immer einen Teil von mir bei sich hat.

Es ist immer kurz vor Feierabend, wenn er sich meldet. Wahrscheinlich schreibt er mir die Mails aus dem Auto, ehe er sich auf den Weg zurück nach Hause macht. Ich bin einige Male kurz davor, ihm zu antworten, aber es dauert, bis ich mich überwinde, ich habe Angst, dass alles aus mir herausbricht, und außerdem möchte ich ihm nicht sagen, wo genau ich bin.

Schließlich schreibe ich ihm eine kurze Mail. Ich sage ihm, dass es mir gut geht und dass er mir fehlt. Dass es mir leidtut, was geschehen ist. Ich erwarte seine Antwort mit einem innerlichen Zittern, öffne mein Postfach alle zehn Minuten, und hoffe jedes Mal, dass er sich schon gemeldet hat. Zur gewohnten Zeit kommt dann tatsächlich eine Nachricht.

Ich halte die Luft an, als ich sie öffne. Aber ich brauche mich nicht zu fürchten, sie ist genauso liebevoll wie die anderen. Mir fällt ein Stein vom Herzen, doch ich fühle auch einen tiefen Stich. Ich vermisse ihn so sehr. Die Vorstellung, dass ich ihn nie wiedersehen soll, ist kaum auszuhalten.

In den Wochen darauf haben wir regelmäßig Kontakt. Oft schickt er mir morgens Fotos von Blumensträußen und wünscht mir einen schönen Tag. Es sind meistens banale Nachrichten, in denen wir es vermeiden, über das zu sprechen, was geschehen ist, den Grund meiner Flucht, meine Abkehr vom Glauben zu thematisieren, und doch bedeuten sie mir viel.

Mir geht es jetzt insgesamt viel besser, ich habe wieder mehr Freude am Leben und an meinem Sprachkurs. Einmal fragt mich mein Mitschüler Saam, ob ich ihm mein Rad leihen kann. Er möchte in der Mittagspause zum Freitagsgebet, und die nächste Moschee ist zu Fuß sehr weit weg. Ich freue mich, dass er fragt. Saam kommt aus Syrien, wie meine Eltern. Er ist vor dem Krieg aus Aleppo geflohen, saß dort im Gefängnis, man hat ihn gefoltert, geschlagen, erniedrigt. Er ist ein zierlicher kleiner Mann Mitte fünfzig, mit weißen Haaren, einem schüchternen Lächeln und einer leisen Stimme. In Aleppo lehrte er Jura an der Universität. Manchmal kann er es auch jetzt nicht lassen, uns Vorträge zu halten. Er liest uns in den Pausen Gedichte des syrischen Autors Nizar Qabbani vor, mit so viel Hingabe und Leidenschaft, dass selbst unser Deutschlehrer, der kein Arabisch versteht, ganz andächtig zuhört. Wir versinken in den schönen Worten, die Saam uns bringt und vergessen für einen Augenblick, wie fern an vielen Tagen die Schönheit doch ist. Jeder geht anders um mit seinem Gefühl der Verlorenheit. Saam findet Halt im Glauben. Er betet fünfmal am Tag und vertraut darauf, dass Allah ihm den Weg weist. Saam weiß, dass ich mich vom Islam abgewendet habe, und mir der Glaube in den vergangenen fünf Jahren eher Last und Gefahr war, als eine Stütze. Saam ist Moslem. Ich bin Atheistin. Wenn man sich anschaut, wie gespalten die Welt in diesen Tagen ist, wie verbittert sich Menschen im Namen der Religion bekämpfen, so würde man glauben, Saam und ich könnten keine Freunde sein. Aber er sieht nicht das in mir, was uns trennt. Er sieht, was uns verbindet. Wir sind beide Syrer, wir beide lernen gemeinsam Deutsch. Wir suchen aus unterschiedlichen Gründen in Deutschland Asyl, aber wir sind beide Menschen in einer Notlage. Saam respektiert mich, und ich respektiere ihn. Woran wir glauben, ist für mich zweitrangig und für ihn auch. Das spüre ich mit jedem Wort, das er an mich richtet. Deswegen leihe ich ihm gerne mein Fahrrad. Ich weiß, wie wichtig ihm das Freitagsgebet ist. Was er nicht wissen kann: Wie wichtig es mir ist, an einem ganz normalen Freitag im Mai mit dem Rad zur Schule fahren zu können.

Trotz meiner Bemühungen, hier Fuß zu fassen, holt mich die Einsamkeit doch immer wieder ein, und auch die Angst vor meinem Bruder verlässt mich nie ganz. Besonders schlimm wird es, als ich mich dazu entscheide, die Anfrage eines Journalisten anzunehmen, der mich als Gast in seiner Sendung haben möchte, um mit mir über meine Kritik an der Religion zu sprechen. Ich denke darüber nach, inwiefern ich mich in Gefahr bringe, wenn ich in einer Sendung auftrete, die auch im Internet verfügbar ist, auf Arabisch, und die meine Eltern und mein Bruder verstehen könnten. Würde es ihn bewegen, sich auf den Weg zu machen, um mich zu töten? Ich zögere, aber letztlich siegt mein Impuls zu kämpfen. Ich, die so sehr unter dem Nikab gelitten hat, kann mich jetzt nicht hinter meiner Angst verstecken.

Was folgt, nachdem das Video veröffentlicht wird, lässt mich aus allen Wolken fallen. Noch nie bin ich so beschimpft worden. Viele wünschen mir die gerechte Strafe Allahs, bezeichnen mich als Verräterin, als Dreck. Ich habe mit heftigen Reaktionen gerechnet, aber der Hass und der Zorn, die persönlichen Angriffe, all das nimmt mich mehr mit, als ich dachte.

Als ich spät in der Nacht meine E-Mails lese, zeigt sich, dass meine Befürchtung nicht unbegründet war: Auch meine Familie hat das Video gesehen. Meine Mutter schreibt: »Du bist nicht mehr meine Tochter. Warum lässt du dich für diese Propaganda benutzen? Wir leiden so sehr, und das alles nur deinetwegen.«

Da sind noch andere ungelesene Nachrichten von ihr, aber mir reicht diese eine. Ich klappe den Rechner ganz schnell zu. Mir kommen die Tränen. In die Traurigkeit mischt sich Angst: Ich versuche, die Furcht davor, dass mein Bruder mich jetzt findet, dass er weiß, dass ich in Deutschland bin, von mir wegzuschieben.

Ich weiß jetzt, dass ich meine Familie für immer verloren habe. Die Schande, die ich über sie gebracht habe, ist öffentlich geworden. Jetzt gibt es wirklich keinen Weg mehr für sie, mir zu verzeihen und gleichzeitig ihr Gesicht zu wahren. Die Brücke zu meinem alten Leben ist jetzt für immer zerstört. Ich habe kein Gestern mehr, nur noch ein Heute und vielleicht ein Morgen. Irgendwie schaffe ich es in den Tagen und Wochen nach dem Auftritt, nicht zu verzweifeln, sondern mich daran festzuhalten, dass meine Botschaft auch positive Reaktionen hervorgerufen hat. Ich lese von Frauen und Männern, die meinen Mut loben und sagen, es sei bewundernswert, dass ich mich so klar positioniere.

Auch die Angst vor einer Rache meines Bruders tritt mit jedem Tag, an dem nichts geschieht, etwas in den Hintergrund, doch sie vergeht nie. Zu Recht.

Denn wenn ich dachte, dass ich mit ein paar negativen Kommentaren auf meine öffentlichen Äußerungen davonkomme, habe ich mich getäuscht.

Es ist Amir, der mir eines Morgens sagt, ich solle meinen Facebook-Account öffnen, denn ich müsse sehen, was im Netz über mich geschrieben wird. Auf einer Facebook-Seite hat jemand ein Interview hochgeladen, das ich nach meinem Vortrag dem Zentralrat der Muslime gegeben hatte. Es ist schon seit Monaten online, und damals waren die Reaktionen darauf sehr positiv gewesen. Ich bin erstaunt und frage mich, wie die Betreiber der Seite es ausgerechnet jetzt gefunden haben. Auf YouTube hatte es nur wenige Aufrufe. Es ist fast so, als hätte jemand absichtlich nach Dreck gesucht, nach etwas, womit man die Reichweite der eigenen Seite erweitern kann. Futter für eine Treibjagd im Netz.

Als ich den Post sehe, hat das Video schon über zweitausend Kommentare und wurde hundertfach geteilt. Die Kommentare haben eine andere Qualität als die, die ich nach dem Videoauftritt über mich gelesen habe. Die Hassnachrichten sind viel konkreter, und die Nutzer hier auf Facebook weniger anonym. Schließlich haben viele ihrer Profile Klarnamen, man kann bei manchen sogar sehen, wo sie arbeiten und leben. Ein User aus dem Libanon schreibt sinngemäß, er kenne Menschen vom sogenannten IS, die bereit wären, mich zu ermorden. Er schreibt den Namen eines Mannes auf, und behauptet, dass er nach Deutschland kommen werde, um mich zu suchen. Er schreibt, man werde schon morgen meinen Kopf abgetrennt neben meinem Körper finden. Ein anderer appelliert an meinen Bruder, den unverrichteten Auftrag, mich umzubringen, endlich zu Ende zu bringen. Er sagt, in spätestens einer Woche werde mein Tod in ganz Deutschland in den Schlagzeilen sein. Die harmloseren Hassnachrichten unterstellen mir, ich sei nur in den Westen geflohen, um mich hier mit Männern zu vergnügen und Alkohol zu trinken. In einer dritten Kategorie werfen mir Nutzer vor, ich hätte mir meine Geschichte nur ausgedacht, um mir den deutschen Aufenthaltstitel zu erschwindeln. Einer schreibt, dass Allah mich bestrafen werde.

Die zwei letzten Kategorien sind schmerzhaft und machen mich wütend. Die erste Kategorie aber versetzt mich in Angst und Panik. Im Islam gibt es keinen Austritt: Dem Glauben den Rücken zuzuwenden, gilt als unverzeihlich und wird mit dem

Tod bestraft. Es ist ein universelles Trauma, das uns Ex-Muslime eint: die Angst, nicht mit dem Leben davonzukommen, weil wir uns vom Glauben abgewendet haben. Dass uns die Strafe, die man in unseren Heimatländern für uns bereithält, auch im Westen irgendwann noch ereilt. Diese Angst bleibt ein Leben lang.

Am nächsten Tag rufe ich Freunde an und hole mir Rat. Ich gehe zur Polizei und erstatte Anzeige, weil alle sagen, dass es das ist, was ich tun kann und muss. Natürlich weiß ich, dass man in einem Land wie Deutschland Anzeige erstatten kann, aber ich muss gestehen, dass es nicht mein erster Gedanke ist. Zu lange habe ich in einem Land gelebt, in dem es nicht möglich ist, sich als weibliches Opfer an eine Autorität zu wenden, die einem hilft. Die verantwortliche Polizistin ist sehr freundlich und respektvoll mir gegenüber. Sie schreibt alles mit, was ich ihr sage, und versichert mir, dass es illegal sei, einen Menschen in dieser Form zu bedrohen. Eine Selbstverständlichkeit, aber diese Sätze und die ruhige, ernsthafte Art der Beamtin geben mir das Gefühl der Sicherheit zurück, das ich zeitweise wieder verloren hatte. Sie bittet mich, die schlimmsten Bedrohungen als Screenshots zu sammeln und ihr zu bringen.

Danach gehe ich zu meinem Deutschkurs und fühle mich, als würde ich schlafwandeln. Mir ist schwindlig, und ich kann mich kaum daran erinnern, was vor einer Stunde geschehen ist. Wie ein Geist wandere ich durch den Tag. Ich verstehe nichts, kann mich an keinem Gedanken festhalten. Auf dem Heimweg warte ich mit Freunden aus dem Deutschkurs an der Bushaltestelle. Zwei Männer, die aussehen wie Syrer, stehen in der Nähe von uns, und ich habe das Gefühl, dass sie über mich reden, dass sie mich kennen. Ich bin so froh, dass ich nicht alleine bin. Auf einmal wittere ich hinter allem eine Bedrohung. Am Abend klicke ich mich durch die vielen hässlichen Kommentare auf Facebook und versuche abzuwägen, welche am schlimmsten sind, welche ich der Polizei vorlege. Es ist ein schmerzhafter Prozess, als würde man eine Wunde reinigen und gleichzeitig immer wieder aufreißen. Ich weine viel dabei und telefoniere mit Stefan, der mich auch schon getröstet hat, als ich nach den Reaktionen auf mein Videointerview am Boden zerstört war. Damals wusste ich, dass das Video jede Hoffnung auf eine Versöhnung mit meiner Familie zerstört hat. Heute fürchte ich mich davor, dass die Kommentare meinen Bruder in seinem Stolz weiter kränken und ihn dazu bringen, nach mir zu suchen und mich wirklich zu töten. Es ist drei Uhr, als ich alle Screenshots gesammelt habe. Die Worte jagen durch meine Träume. Ich wache wie gerädert auf.

Am nächsten Morgen ist mein Facebook-Account geschlossen. Ich vermute, dass Nutzer, die Ex-Moslems verachten, ihn als Spam gemeldet haben. Ich habe davon gehört, dass Fundamentalisten auf diese Weise versuchen, Atheisten und Islamkritiker in den sozialen Medien mundtot zu machen. Es ist ein weiterer Schlag ins Gesicht: Erst drohen sie, mich zu töten, und als sie merken, dass es nicht so einfach ist, dass ich mich wehre und in einem Land lebe, in dem Gesetze gelten, versuchen sie mir wenigstens die Möglichkeit zu nehmen, mich frei zu äußern. Und wenn es nur auf Facebook ist.

Im Kurs erzähle ich meinem Deutschlehrer, was geschehen ist, und frage ihn, ob ich den Unterricht ausnahmsweise früher verlassen darf. Natürlich, sagt er. Als ich zu Hause ankomme, ist mir wieder schwindelig. Ich verliere im Flur das Bewusstsein und habe Glück, dass Amir da ist, um mich aufzufangen. Er bringt mich ins Bett und bleibt am Rand sitzen, bis ich eingeschlafen bin. Als ich aufwache, hat er Spaghetti gekocht und einen Salat gemacht. Ich bin ihm sehr dankbar dafür, dass er mich jetzt nicht alleine lässt, gleichzeitig würde ich ihm gern seine Sorgen nehmen, es ist nicht leicht für mich zu wissen, dass er meinetwegen solchen Kummer hat.

In den nächsten Tagen sind meine Freunde wie ein Netz, das mich auffängt und hält. Stefan ruft jeden Tag an und fragt, wie es mir geht. Wir kommen uns in diesen Tagen noch näher. Er wird für mich zu einer Art großem Bruder. Es mag übertrieben klingen, aber ich sehe in dieser furchterfüllten Zeit einen Schutzengel in ihm, der über mich wacht. Wenn ich traurig bin, sagt er mir immer, ich sei etwas Besonderes, ich sei nicht so wie die anderen Frauen, und ich sei stärker, als ich es selbst wüsste. Es ist schön, das zu hören. In Momenten, in denen man nicht an sich glaubt, ist es ein großer Trost, wenn es andere tun.

Am Wochenende bestimmen mich die dunklen Gedanken voll und ganz. Ich habe Panikattacken und kann kaum etwas essen, ich bekomme massive Schlafprobleme. Wenn ich wachliege, male ich mir aus, wie mein Bruder sich wohl auf die Suche nach mir machen würde. Ich stelle mir verschiedene Szenarien vor: dass er nach Belgien fliegt und von dort mit dem Zug nach Deutschland kommt. Als Syrer hätte er wohl Probleme, direkt nach Deutschland einzureisen. Aber wer weiß, vielleicht würde es ihm irgendwie gelingen. Ich könnte nichts dagegen tun. Es gibt keine Beweise dafür, dass er vorhat, mich zu töten, nichts Schriftliches, nichts, was ich wirklich in der Hand habe gegen ihn. In diesen Tagen merke ich, dass es noch eine andere Angst gibt, die mich beschäftigt. Es ist die Angst davor, dass mein Bruder selbst jetzt noch Macht über mich hat, und ich seinetwegen meinen Traum von einem freien Leben nicht so furchtlos verfolge, wie ich es mir immer vorgenommen hatte. Ich bin wegen meines Bruders geflohen, wegen der realen Zwänge, unter denen ich so gelitten habe. In dem Moment, in dem ich mich auch hier mir selbst auferlegten Zwängen unterwerfe, hat mein Bruder zumindest ein bisschen gesiegt. Diesen Triumph gönne ich ihm nicht. Es ist das Einzige, was ich tun kann, damit das, was ich aufgegeben habe, einen Gegenwert bekommt. Ein Leben in Angst ist kein freies Leben. Und ich bin schließlich geflohen, um frei zu sein.

Manchmal fühle ich mich wie ein Baum, den man umgegraben hat, und der noch keine richtigen Wurzeln geschlagen hat. Was ich tun muss, ist, nach vorne blicken, eine Zukunft schaffen, die irgendwann schwerer wiegt als meine Vergangenheit. Mich nach den guten Dingen ausstrecken, die auf mich warten, nach ihnen greifen. Meinem Glück entgegenwachsen und ihm Zeit geben, um Wurzeln zu schlagen.

Denn dieses Glück ist nicht selbstverständlich. Ich könnte viele Beispiele dafür nennen, was in meiner Heimat passiert, wenn man es nicht hat.

Ich bekomme es hautnah mit, als Dina Ali sich im April über einen gemeinsamen Kontakt an mich wendet, und mich bittet, ihr eine Nachricht zu schicken. Dina hat von meiner Geschichte gehört und sich ebenfalls auf den Weg gemacht in ein freies Leben, raus aus Saudi-Arabien. Sie ist auf der Flucht vor einer Zwangsheirat. Als ich davon höre, sitzt Dina schon in Todesangst am Flughafen in Manila fest. Von dort wollte sie weiterfliegen nach Australien, stattdessen hat man sie nicht weggelassen. Ihr Pass wurde beschlagnahmt, wahrscheinlich, weil ihre Eltern von ihrem Vorhaben erfahren hatten, ehe sie auf sicherem Boden war. Ich schreibe sofort alle möglichen Kontakte, die mir einfallen, an: Journalisten, Vertreter der UN, Menschenrechtsorganisationen aus aller Welt. Man muss ihr dringend helfen, sonst wird etwas Schreckliches passieren. Doch nichts geschieht. Dina schafft es nicht, niemand kann ihr helfen: Sie wird dreizehn Stunden am Flughafen festgehalten und muss schließlich mit zwei männlichen Verwandten zurück nach Riad fliegen – die Twittergemeinde nimmt großen Anteil an ihrem Schicksal, man beobachtet das Flugzeug, versucht alles, um sie vor Ort, in Riad, noch zu retten. Es sind dramatische Stunden, doch keine Chance. Nach der Landung wird sie festgenommen und vermutlich in ein Frauengefängnis gebracht. Genau weiß man es nicht. Niemand weiß, was mit ihr passiert, noch heute nicht. Es bricht mir das Herz, wenn ich daran denke. Ich schreibe weiter über sie und versuche, dafür zu sorgen, dass man sie nicht vergisst. Aber die Welt geht schnell wieder zur Tagesordnung über. Bis auf ein paar Aktivisten haben alle Dina und ihr Schicksal vergessen.

Das hätte mir auch passieren können. Auch mich hätte man vor der Ausreise aufhalten können. Ich weiß nicht, was dann mit mir geschehen wäre. Immer wieder muss ich an einen Satz denken, den Hamza Kashgari, ein saudischer Dichter, etwas jünger als ich, der ebenfalls für seine Äußerungen ins Gefängnis gesteckt wurde, gesagt hat, als ich noch in Riad lebte: Saudische Frauen würden nicht in die Hölle kommen, denn sie lebten schon längst in ihr.

Und nicht nur für Frauen kann das Leben in Saudi-Arabien mitunter die Hölle auf Erden sein. Besonders die Geschichte eines Menschen hatte damals in Riad meinen Glauben an meine Heimat tief erschüttert: Es ist die des saudischen Bloggers Raid Badawi. Er wurde an einem Sonntag im Juni verhaftet, weil er es gewagt hatte, Kritik an der saudischen Regierung zu üben. Ich war entsetzt. Zu diesem Zeitpunkt waren meine Zweifel an Gott schon groß. Badawi war für mich ein Held. Sein Mut erleuchtete einen Weg, von dem ich nicht wusste, dass es ihn gibt: In diesem Land kein Leben auf der Basis von Lügen zu leben, sondern sich für etwas stark zu machen, an das man glaubt. Ich erfuhr auf Twitter von seiner Verhaftung. Ich empfand in diesem Moment eine tiefe Abscheu für mein Land und die herzlosen, grausamen Menschen, die Badawi hinter Gitter gebracht hatten. An diesem Tag ekelte ich mich sogar vor der Luft in Saudi-Arabien. Sie schien mir vergiftet vom Atem derer, die Menschen nicht wie Menschen behandeln. Badawi wurde zu zehn Jahren Gefängnis und tausend Peitschenhieben verurteilt, einer Strafe, die ihn sein Leben kosten könnte. An einem Freitag im Januar 2015, fünf Monate vor meiner Flucht aus Saudi-Arabien, wurde Badawi das erste Mal ausgepeitscht. Traditionell werden Ungläubige und Gotteslästerer freitags bestraft, nach dem höchsten Gebet der Woche, dem Freitagsgebet. Ich sah das Video, in dem er das erste Mal ausgepeitscht wurde, im Internet. Einer, der da war, hatte es auf YouTube gepostet. Ich hielt mir die Hände vor die Augen, weil der Anblick so grausam war und konnte nicht glauben, dass das wirklich geschah, in meiner Stadt, in meinem Land, nur ein paar Kilometer von meinem Zimmer entfernt.

Meine Mutter fragte mich an diesem Nachmittag, ob ich mit ihr und meinem Vater zum Einkaufszentrum fahren will. Ich sagte Nein und schob Bauchschmerzen vor. An diesem Tag konnte ich nichts essen, ich wollte mein Zimmer nicht verlassen. Ich schaute mir das grausame Video immer wieder an. Ich zwang mich dazu, die Augen nicht vor dem zu verschließen, was gerade geschah. Die westliche Welt verurteilte die Peitschenhiebe, aber nur halbherzig, wie mir schien. Der Reichtum meines Landes schützte es anscheinend vor allzu strengen Sanktionen. Selbst freie Länder wie Deutschland stellten sich nicht entschieden genug dagegen, wie ich finde. Wir sind nach den Vereinigten Arabischen Emiraten der wichtigste Handelspartner Deutschlands in der arabischen Welt. Deutschland ist weltweit der drittgrößte Waffenlieferant, und Saudi-Arabien ist einer der wichtigsten Abnehmer der deutschen Rüstungsindustrie.

Ich bin dieser Hölle entkommen, aus eigener Kraft. Ich möchte etwas aus diesem Leben machen, was ich mir so hart erkämpft habe, und das ich auch als ein Geschenk empfinde, denn meine Flucht hätte auch ein ganz anderes Ende nehmen können. Doch mein Mut wurde belohnt. Jetzt möchte ich nicht in die Angst zurückkehren.

Mit dieser Erkenntnis schaffe ich es, in mein Leben wieder so etwas einkehren zu lassen wie Normalität. Der Deutschunterricht gibt meinem Leben eine feste Struktur, und ich merke, wie gut es mir tut, mich auf das Lernen zu konzentrieren.

Zwei Monate nach den Todesdrohungen werde ich von der Sonne wach, die in mein Zimmer scheint. Es ist ein Samstag, und ich wache jetzt auch immer am Wochenende früh auf, weil ich es von der Schule nicht anders kenne. An diesem Morgen spüre ich, dass etwas Neues beginnt. Amir leiht mir Geld. Ich habe in diesem Monat zu viel ausgegeben und bin völlig pleite. Aber am Montag gibt es in meiner Schule ein Essen, zu dem jeder eine typische Speise aus seinem Land mitbringen soll. Ich möchte Kabsa kochen, meine Lieblingsspeise. Ich bin dankbar, dass Amir mir aushilft. Ich verspreche, dass ich dafür so viel koche, dass für ihn auch eine große Portion bleibt. Im arabischen Supermarkt um die Ecke kaufe ich Hühnchen, Reis und die Gewürze für das Kabsa, dessen Duft mich an meine Heimat erinnert.

Am Sonntag koche ich das Hühnerfleisch. Ich muss dabei an meine Mutter denken, die mir gezeigt hat, wie man diese Speise zubereitet. Da war ich neunzehn Jahre alt, und es schien so, als sei die Welt noch in Ordnung, als gebe es kaum Widersprüche, als würde sich alles fügen, wenn ich nur einen Mann heirate und eine Familie gründe. Ich versuche, selten an meine Mutter zu denken, seitdem sie mich verstoßen hat. Der Gedanke an sie schmerzt mich zu sehr. Ich bin immer noch verletzt. Aber als ich Kardamom, Nelken, Muskat, Baharat, Zimt und Pfeffer mit dem ungekochten Reis vermische, als die Küche riecht, wie sie gerochen hat, als ich ein kleines Mädchen war, kann ich nichts gegen die Erinnerung an sie tun. Ich versuche, gut über sie zu denken. Ich sage zu mir selber: Mama, auch wenn du mich nicht mehr liebst, ich liebe dich immer noch. Ich denke an die schönen Momente, die wir gemeinsam hatten. Die gab es doch auch. Als ich klein war, hat sie mir manchmal wie mein Vater über den Kopf gestreichelt und mich mit meiner Neugier aufgezogen, während ich auf einem Stuhl in der Küche saß und sie beim Kochen beobachtet habe. Jetzt, da das Wasser mit dem Hühnchen, den Zimtstangen und den Zwiebeln auf der Herdplatte kocht, denke ich, dass der Bruch zwischen uns zwar nicht gekittet werden kann, dass ich aber trotzdem vieles von ihr weiter in mir trage. Ich versuche, darin eine Art Liebe zu finden, die mich über das tröstet, was nicht mehr ist. Die Gerüche, die in der Küche aufsteigen, sind ein Stück Kindheit, hier in Köln, wo ich stehe, verlassen von allen, die ich kannte, als ich noch ein Kind war.

Am nächsten Morgen wache ich sehr früh auf, um das Kabsa fertig zu machen. Die Portion, die ich mitbringe, ist groß. Keiner soll am Ende sagen, er hätte gerne noch mehr davon gehabt. Auch das ist etwas, was mir schon als Kind beigebracht wurde. Es ist etwas Schönes: Wenn man für andere kocht, macht man niemals zu wenig, lieber zu viel. Ich packe alles in eine große Plastikschüssel und freue mich schon darauf, wenn die anderen mein Leibgericht kosten. Ich hoffe, es schmeckt ihnen.

Meinem Vater schreibe ich an diesem Abend, dass er mir fehlt, dass ich oft an ihn denke, dass es mir aber trotzdem gut geht. Ich erzähle ihm sogar, was ich heute gekocht habe. Dass er wieder in meinem Leben ist, wenigstens ein bisschen, macht mir vieles leichter, auch wenn es dadurch schwieriger geworden ist, die Trauer und Einsamkeit zu verdrängen. Aber das ist es mir wert.

Von den unverfänglichen Nachrichten, die wir uns am Anfang schicken, kommen wir jedoch bald ab – wir sind uns einfach noch immer zu nahe, um nicht ehrlich zueinander zu sein. Vorsichtig nähern wir uns auch den schwierigen Themen an. Ich frage mich wochenlang, ob mein Vater wirklich begriffen hat, dass ich jetzt Atheistin bin, oder ob er es, anders als meine Mutter, verdrängt und deswegen noch mit mir in Kontakt sein will. Mein Vater fragt mich, ob es mir gesundheitlich gut geht. Ich erzähle ihm von meinem Deutschkurs, auch wenn ich vorsichtig bin, nicht zu erwähnen, in welcher Stadt ich lebe. Er freut sich, dass ich wieder zur Schule gehe. Eines Tages schließlich spricht er das aus, was ich ihn nie hätte fragen können, diesen Mut hätte ich einfach nicht gehabt, denn ich will auf keinen Fall riskieren, ihn noch einmal zu verlieren. Er schreibt: »Ich weiß, dass du jetzt anders bist, Lulu. Dass du an andere Dinge glaubst als wir. Es stört mich nicht. Du bist trotzdem noch meine Tochter.«

Als ich das lese, fühle ich vielleicht das erste Mal seit dem Zuschlagen der Autotür in Riad eine Leichtigkeit, die sich von meinem Bauch bis zu meiner Stirn und in meine Beine ausbreitet, fast so, als müsste ich vor lauter Freude tanzen oder auf und ab springen. Das, was ich mir insgeheim immer gewünscht hatte, aber niemals wirklich wagte zu wollen, ist wirklich wahr geworden: Mein Vater hält zu mir, obwohl er weiß, dass ich vom Glauben abgefallen bin, obwohl ich ihn beschämt, verlassen und in Sorge versetzt habe. Wie kann es sein, dass jemand so gut zu mir ist? Ich bin erfüllt von einem freudigen Schmerz, den ich nicht beschreiben kann, eine Mischung aus Glück darüber, wie sehr mich mein Vater liebt, und Schmerz darüber, wie endgültig und groß dieser Verlust ist. Ich bin so dankbar. Die alte Rana, die ich schon längst vergessen und für immer verloren geglaubt hatte, gibt es noch. Im Herzen meines Vaters sind sie und ich dieselbe Person.

Epilog

Im Mai ziehe ich endlich in meine erste eigene Wohnung, ein großer Schritt. Ich habe lange davon geträumt, einen Raum nur für mich allein zu haben. Amir war traurig, als ich das erste Mal erwähnt habe, dass ich darüber nachdenke, auszuziehen, aber er hat es auch verstanden. Dass es sehr lange gedauert hat, ehe ich endlich eine Wohnung gefunden habe, hat ihm sicherlich geholfen, sich an den Gedanken zu gewöhnen.

Alles, was ich besitze, passt immer noch in ein Taxi. Die Möbel überlasse ich Amir. Sonst nehme ich nur Kleidung, Bücher, meinen Laptop, Kosmetik und ein paar Sachen für die Küche mit. Amir ist schon vor ein paar Tagen ausgezogen. Wir haben beschlossen, uns mindestens einmal in der Woche zu sehen. Ich habe immer noch Gefühle für ihn, aber sie reichen nicht für eine richtige, innige Beziehung. Ich weiß, dass es das ist, was er sich wünscht, das ist mir schon lange klar. Irgendwann habe ich beschlossen, dass es besser ist, ihn ziehen zu lassen, als ihn weiter zu quälen mit einer Liebe, die nie ganz das ist, was er sich von ihr verspricht.

Warum ich mich auf diese Liebe nicht einlassen kann? Vielleicht, weil ich gerade dabei bin, das erste Mal eine richtige Beziehung zu mir selber aufzubauen. Ich bin in dieses Land gekommen, um endlich frei zu sein, endlich meine eigenen Entscheidungen zu fällen und mein Leben erst einmal ganz eigenständig zu leben. Es wäre nicht fair, Amir nur eine Nebenrolle darin zuzumuten. Ich spüre, dass er jemanden braucht, der ihm mehr Raum einräumt, ihn in den Mittelpunkt seines Lebens stellt. Ich spüre, dass auch seine Gefühle sich verändert haben: Er liebt mich noch – wir werden uns immer lieben. Die Reise, die wir gemeinsam durchgestanden haben, ist zu schwer, zu gefährlich und unvorhersehbar gewesen, um einander jemals ganz loszulassen – aber er ist nicht mehr so, dass er sich mir in den Weg stellen würde, dass er versuchen würde, mit aller Kraft zu verhindern, dass wir auseinanderziehen. Seine Liebe ist erwachsen und weniger fordernd geworden.

Wir verabschieden uns in der Wohnung, die unsere erste eigene war, die erste zumindest, die sich angefühlt hat wie ein Zuhause und nicht nur wie ein Ort, um kurz zu verschnaufen. Wie viele Betten wir schon geteilt haben. Wie viel Unglück, wie viele Momente voller Liebe und Lachen. So viel Schweres, aber auch eine Leichtigkeit, die man nur kennen kann, wenn man so unfrei und voller Furcht war wie wir. Momente wie der, als wir gemeinsam Eis gegessen haben, am Hafen in Izmir, weit weg von unserem Zuhause, ohne Plan oder eine Zukunft, und doch froh über die kleinen und schönen Dinge. Wir haben beide die seltene Gabe, einen Augenblick genießen zu können, ohne daran zu denken, was kommt. Wir blicken einander in die Augen. Es gibt zu viel zu sagen, also sagen wir nichts. Es ist ein Abschied ohne Worte. Es ist kein Abschied für immer.

Ich fahre mit dem Taxi in die neue Wohnung und lade die paar Taschen und Tüten ab, in denen meine Sachen sind. Ich habe jetzt ein großes helles Zimmer ganz für mich alleine, und es liegt an mir, es mit dem zu füllen, was mir gefällt, und daraus ein Zuhause zu machen.

Ich fahre mit der Bahn zurück zur alten Wohnung und hole mein Fahrrad. Nach einem Blick nach oben, in unsere leeren Fenster, steige ich auf und fahre los in Richtung Innenstadt, in mein neues Zuhause. Ich muss niemandem Auskunft darüber geben, woher ich komme oder wohin ich gehe. Das ist jetzt alleine meine Entscheidung. Ob meine Geschichte gut oder schlecht weitergeht: Hier, in dieser Stadt, liegt es zu einem großen Teil an mir selbst, es auszuprobieren.

Während der ersten Nächte in der neuen Wohnung schlafe ich so gut, wie ich es selten zuvor getan habe. Wenn ich das Licht ausmache, ist es ganz still um mich herum. Ich bin alleine. Wenn ich aufwache, ist keiner da. Dazwischen falle ich in einen tiefen Schlaf, als fände ich erst jetzt den Raum, um die Erschöpfung des letzten Jahres freizulassen. Es ist so ruhig und friedlich um mich herum, dass ich mich manchmal auch nach dem Aufwachen frage, ob das alles, mein Leben alleine in dieser Wohnung, ein Traum ist, oder die Realität. Wenn der Schlaf nach und nach von mir fällt wie ein Tuch, das einem von den Schultern gleitet, wird mir bewusst, dass all das jetzt meine Wirklichkeit ist. Ich bin eine eigenständige Frau in einem freien Land, und es gibt weniges, das schöner sein könnte. So ein Leben ist doch für Frauen wie mich gar nicht vorgesehen. Wie habe ich das nur geschafft?, frage ich mich manchmal und muss lächeln.

An einem Nachmittag, eine Woche nach meinem Umzug, gehe ich nach meinem Deutschkurs noch in ein Café. Ich bestelle einen Cappuccino. Sitze alleine an einem Tisch. Ich blicke auf die Menschen, die neben mir sitzen, zu zweit, alleine, vor Laptops, mit Büchern in der Hand, oder den Blick auf ein Smartphone gerichtet. Ich beobachte die Menschen, die auf der Straße gehen. Die Autos, die vorbeifahren. Ich nehme alles wahr, beobachte das Treiben um mich herum, den Alltag in Köln.

Für mich wird diese Freiheit nie selbstverständlich sein. Vielleicht ist das das Geschenk, das ich als Entschädigung für all das bekommen habe, was ich ihr opfern musste: dass ich diese Dankbarkeit immer spüren werde. Ich liebe es, in den Stunden nach einem Regenguss auf der Straße zu sein und die frische Luft zu riechen. Wenn ich mit dem Fahrrad über den noch nassen Asphalt fahre und den Duft von einem eben verflogenen Gewitter einatme, muss ich manchmal daran denken, wie oft ich in Riad meinen Bruder oder meinen Vater gebeten habe, mit mir im Auto mit offenen Fenstern durch die Stadt zu fahren, wenn es geregnet hat. Ich wollte einfach nur die Luft riechen, aber selbst das war ein mitunter schwer zu erfüllender Wunsch. Meistens fanden sie es albern oder waren zu müde, um einfach so mit mir durch die Stadt zu fahren, außerdem hat der Nikab sowieso die Intensität dieses Erlebnisses geschwächt. Jetzt erfülle ich mir meine Wünsche selber.

Am neunzehnten Mai 2017 feiere ich den zweiten Jahrestag meiner Flucht wie einen Geburtstag. Eine Woche davor bestelle ich in einem Café im Süden der Stadt einen großen Tisch und ein Büfett mit Pommes frites, Hühnchen, Mozzarella-Sticks. Ich lade alle ein, die mir diesen Tag ermöglicht haben, oder für mich da waren, als ich daran gezweifelt habe, dass meine Flucht sich gelohnt hat: Amir, Stefan, Claudia, Dittmar, Andrea … Ich möchte, dass wir alle Champagner trinken und anstoßen. Als ich morgens aufwache, hole ich mein Kopftuch, meinen Nikab und meine Abaya aus dem Kleiderschrank. Ich habe die Kleidungsstücke die ganze Zeit mit mir rumgetragen. Ich ziehe alles an, so, wie ich es mein ganzes Leben lang ein-, zwei-, dreimal am Tag gemacht habe, und betrachte mein Spiegelbild. Ein Berg schwarzer Stoff. Das Einzige, was von mir zu erkennen ist, sind meine Augen. Es ist ein seltsames Gefühl, so vertraut und doch so fremd. Wieder durch den Schleier zu atmen, versetzt mich sofort zurück in die Zeit, als ich mich so kleiden musste, aber schon längst nicht mehr an Gott geglaubt habe. Ich nehme das Kopftuch ab, den Nikab, die Abaya. Jetzt stehe ich in kurzen Jeanshosen und mit einem rosafarbenes Tanktop vor dem Spiegel. Ich bin stolz, stark genug gewesen zu sein, um mich so verwandeln zu können.

Mir ist dieser Tag wichtiger als alle anderen Feiertage im Jahr, denn eigentlich empfinde ich ihn als den Tag, an dem ich wirklich geboren bin.

Am Abend warte ich aufgeregt im Café auf meine Gäste. Stefan und Amir bringen bunte Luftballons mit, die an die Decke schweben, als ich sie loslasse. Stefan schenkt mir ein Parfum, das »La vie est belle« heißt und perfekt zu meinem Lebensgefühl an diesem Abend passt. Ich freue mich über die Geschenke, die glücklichen Gesichter meiner Freunde, diesen besonderen Abend. Wir essen, trinken, lachen, reden. Im Laufe des Abends beobachte ich meine Freunde immer wieder, ich bin so glücklich, diese wunderbaren Menschen getroffen zu haben. Ich lasse die letzten beiden Jahre Revue passieren. Ich kann kaum glauben, wie viele Menschen ich kennengelernt habe, an wie vielen Orten ich gewesen bin und wie viele Entscheidungen ich getroffen habe, um heute hier zu sein, in diesem Café, an diesem Tisch. Ich freue mich auf das nächste Jahr, auf alles, was noch vor mir liegt. Ich möchte meine Wohnung einrichten, meine

Deutschprüfung bestehen, und ich werde ab dem Sommer ein Studienkolleg besuchen, um meinen Abschluss nachzuholen. Danach kann ich an einer deutschen Universität studieren, Physik natürlich. An diesem Abend, in der Mitte dieser großartigen Menschen, finde ich einen Moment der Ruhe und des Friedens. Sie geben mir Kraft, ich bin ein wenig angekommen in meinem neuen Leben, das wird mir in diesem Moment klar. Und ich fasse einen Entschluss: Ich fühle mich stark genug und beschließe, am nächsten Tag meinen Vater anzurufen. Es ist das erste Mal, dass ich ihn hören werde, seitdem ich vor zwei Jahren in den Flieger nach Istanbul gestiegen bin. Mit diesem Gedanken falle ich an diesem Abend erschöpft, aber glücklich ins Bett.

Dank

Keinen Kampf führt man alleine. Viele berühmte Persönlichkeiten, außergewöhnliche Wissenschaftler, die ich bewundere, kamen nur so weit, weil es andere gab, die ihnen halfen und sie förderten.

Ohne die vielen wunderbaren Menschen in meinem Leben gäbe es weder dieses Buch noch mein neues Leben in einem freien Land. Ich danke Hosein, einem Ex-Moslem aus Syrien, den ich seit 2013 kenne und der mir bei meiner Flucht geholfen hat, obwohl ich weder weiß, wie er aussieht, noch, wie alt er ist oder wie er wirklich heißt. Aber er war immer da, wenn ich jemanden zum Zuhören brauchte, vor allem in den schweren Monaten vor meiner Flucht. Er ist mir ein wahrer Freund, auch wenn wir uns nur über das Internet kennen, und hat mich in meiner Entscheidung, Saudi-Arabien zu verlassen, bestärkt.

Danke an Lina, danke an Nona, danke an alle, deren Namen ich nicht nennen kann, weil es sie in Gefahr bringen würde, in Saudi-Arabien und anderswo.

Als ich dieser Hölle endlich entkommen war und mit nur zweihundert US-Dollar in der Türkei ankam, waren es Armin Navabi und das Netzwerk von *Atheist Republic*, die mir zur Seite standen. Ich weiß nicht, wie ich sonst überlebt hätte. Allen, die ein Teil dieser Netz-Gemeinschaft sind: Ich hoffe, ich kann euch eines Tages kennenlernen und mich persönlich bei euch bedanken. Armin, du bist unser atheistischer Held. Danke für alles, und dafür, dass du mich gelehrt hast, was Humanismus wirklich bedeutet.

Danke an Maryam Namazie, die so ein großes Herz hat, an Imtiaz Shams, der so aktiv ist. Danke an Poppy und Andrew.

Danke an Richard Dawkins, von dessen Unterstützung ich niemals gewagt hätte zu träumen. Er ist der Autor des Buchs, das in mir ein Erweckungserlebnis ausgelöst hat, das mich bis hierhin geführt hat. Danke für alles, für das Wissen, das Sie teilen, und für jeden Moment, den Sie der Aufgabe widmen, diese Welt zu einem besseren Ort für uns alle zu machen.

Danke an Iman aus Saudi-Arabien. Ich bewundere deinen Mut und hoffe, wir treffen uns eines Tages persönlich. Danke an Ahmed aus Kuwait, du warst wie ein Bruder zu mir. Danke an Sally Abazeed, deine Hilfe hat viel gezählt. Danke an Farrokh aus dem Iran und Heder aus dem Irak, die sich beide ebenfalls vom Glauben abgewendet haben.

Als ich zuerst in Deutschland ankam und niemanden kannte, war vieles schwer, aber ich hatte das große Glück, Mina Ahadi kennenzulernen, die mir so viele Türen geöffnet hat. Dank ihr konnte ich meine erste Rede halten, dank ihr gibt es ein Netzwerk von Ex-Muslimen in Deutschland. Danke auch an meine neue Familie, die Giordano-Bruno-Stiftung, danke an Michael-Schmidt Salomon, Stefan Paintner, Dittmar Steiner.

Ohne die deutsche Sprache zu sprechen, wäre ich in Deutschland nicht weit gekommen. Ich möchte allen danken, die einen Anteil daran hatten, dass ich Deutsch lernen konnte. Danke an Herrn Nink und Frau Kilian von der IHK-Stiftung für Ausbildungsreife und Fachkräftesicherung, ohne sie wäre es für mich immer noch nur ein Traum, das Studienkolleg zu besuchen.

Danke an die Kölner Polizei, dank der ich mich sicher und geschützt gefühlt habe, als ich von anonymen Nutzern auf Facebook bedroht wurde.

Ein großes Danke an die Frau, die immer an mich geglaubt hat, die mir immer geholfen hat, die immer für mich da war: Danke dir, Heidrun Stangenberg, dafür, dass du meine Freundin bist und mich immer unterstützt, dafür, dass du so bist, wie du bist.

Vielen Dank an meinen atheistischen Physiker-Freund Stefan Soehnle: Danke dafür, dass du mich mit der Physik und Mathematik vertraut gemacht hast, danke, mein bester atheistischer Freund in Deutschland.

Ich möchte außerdem meinem Agenten danken, der so viel Arbeit investiert hat, um dieses Projekt zu realisieren, der alles dafür getan hat, damit dieses Buch Wirklichkeit wird, mir immer zur Seite stand, wenn ich Hilfe brauchte, und der dabei unglaublich geduldig war. Ich danke dir von Herzen, Felix Rudloff.

Schließlich möchte ich meiner Co-Autorin Sarah Borufka danken. Ohne deine Stimme wäre dieses Buch nie entstanden. Wir haben gemeinsam Hindernisse überwunden und stressigen Zeiten getrotzt, und am Ende unserer gemeinsamen Arbeit steht diese Geschichte. Danke dir für deine Geduld, deine Worte und unser wunderbares Buch.

Danke an den btb Verlag und das großartige Team, an alle, die an dieses Projekt geglaubt haben, vor allem an meine Verlegerin Regina Kammerer: Ohne deine Leidenschaft und dein Vertrauen wäre dieses Buch nicht erschienen.

Verlagsgruppe Random House FSC® N001967

1. Auflage

Covergestaltung: semper smile, München
Covermotiv: © Matt Gypps/Getty Images
Satz: Uhl + Massopust, Aalen
Druck und Einband: CPI books GmbH, Leck
Printed in the Czech Republic
ISBN 978-3-442-75748-0

www.btb-verlag.de
www.facebook.com/btbverlag